目次

不幸なる芸術 6
ファウルブックは存在しない（解題・不幸なる芸術） 8

〔I〕コピー

コピーの何が怖いのか？ 16
ゼログラフィック・ラヴ 21
ディスカバー、ディスカバー・ジャパン 43
すべては白昼夢のように――中平卓馬、エンツェンスベルガー、今野勉 57
植田正治にご用心――記念写真とは何か 83

芸術のわるさ

コピー、パロディ、キッチュ、悪

成相肇

(II) パロディ

「パロディ、二重の声」のための口上 102
パロディ辞典（第二版） 104
オリジナリティと反復の満腹――パロディの時代としての一九七〇年代前後左右 107
未確認芸術形式パロディ――ことのあらましと私見 126
二重の声を聞け――いわゆるパロディ裁判から 134
パロディの定義、テクストの権利 166

(III) キッチュ

「的世界」で考えたこと 188
石子順造小辞典 192
匿名の肉体にさわるには――石子順造的世界の手引き 210
石子順造的世界――脈打つ「ぶざまさ」を見据えて 220
石子順造と千円札裁判 261
「トリックス・アンド・ヴィジョン展――盗まれた眼」――一九六八年の交点と亀裂 266

(Ⅳ) 悪

口上　歌が生まれるとき（祈祷師たちのマテリアリズム）　272
「岡本」と「タロー」は手をつなぐか　275
俗悪の栄え――漫画と美術の微妙な関係　280
岡本太郎の《夜明け》と《森の掟》についての覚え書き　300
リキッド・キッドの超能力――篠原有司男《ギュウちゃん》の音声と修辞学　325
目が泳ぐ――いわさきちひろの絵で起こっていること　342
（有）赤瀬川原平概要　352
神農の教え　365

あとがき　375
もうひとつのあとがき（否定性と不統一について）　380

初出一覧　384
図版引用・出典一覧　viii
索引　i

凡例

・引用文中、著者の説明は〔 〕内に記した。
・引用文中の〔……〕は引用者による省略を示す。
・引用図版の出典は巻末にまとめて記載した。

不幸なる芸術

風邪はほどよく引いたほうが健康のためになるのだと申します。

規制だ自粛だ炎上だ、殺虫滅菌消毒無害を追い求め、
僅かなほこりも逃さぬ不健康なまでの徹底した衛生潔癖の果てに、
いつしか虫菌毒害の澱は
タールの如く黒々と粘り気を増す一方でございます。

かの柳田國男が悪の技術の必要を説いてはや八〇年、
型通りの道徳の修得の裏で悪徳の術はもはや衰微の極み。
じつにきれいに棲み分けた個と個とが、
ひとたび接触して差し迫れば
シネの一言で事を荒立てる稚拙を培い、
読んで字の如く単刀直入に斬り込む

芸なき安易さが世にはびこっております。

火を使わねば火事が起こらぬわけでも無し。
火の育て方の忘却が消し方の喪失につながるのと同様に、
合理に溺れて悪の修練を怠ったが故にこそ、
残虐を進んで招き入れているのではありますまいか。

関係を主題に謳う芸術に数あれど、
その大方が掲げる「善き」関係は、
窮屈と退屈で編まれた世の道理に収まるのが落ちでありましょう。
まして直近の大災厄を受けて、
みな揃って善に眼差しを据えているいま、
言うことを聞かぬ芸術の悪しき良心に従って、
きびすを返してまっしぐらに走る次第でございます。
ゼンポーだけが道じゃなし。
後方確認悪口《アック》オーライ、いざ、不幸なる芸術へ。

ファウルブックは存在しない（解題・不幸なる芸術）

悪は現代に入って更に一段の衰微を重ね、節制も無ければ限度も知らず、時代との調和などは夢にも考えたことはなく、毒と皿の差別をさえ知らぬ者に、稀には悪事の必要不必要を判別させようとしたのだから、この世の中もべら棒に住みにくくなったわけである。兵は兇器なりと称しつつ兵法を講じた人の態度に習い、或いは改めてこの伝世の技芸を研究し、悲しむべき混乱と零落とを防ぐべきではあるまいか。(1)

中国の歴史書において謀略、悪巧みの類がしばしば詳述されているのはなぜか。偽る、騙す、貶める、あえて無礼を働いて口を滑らせる、涙を小道具にする、嫉妬させる……。貴重な紙筆を費やしてまでそうした手の込んだ策の記録を先人が残したのは、その効用や必要の上からであったろうと柳田國男は考察する。味方よりも強い敵に対してはペテンを弄することが有効であり、あるいは敵に悪態をつくことは味方の士気を高めもする。すなわち悪計は弱者の智慧を結集した武器にほかならず、これを柳田は「伝世の技芸」と呼ぶのである。「悪の芸術」、「悪の技術」と。

(1) 柳田國男「不幸なる芸術」『不幸なる芸術・笑いの本願』岩波文庫、一九七九年、一三三頁。以下断りのない引用は同書による。

しかしこの技芸は道徳に反するものとして疎まれ、嫌われ、賤しめられて、時代とともに衰微していった。悪を防ぐのが道徳であり道徳に反してこそ悪なのだから必定である。ただし衰えていくのはあくまで悪を駆使する技能であって、悪の存在が消え失せるわけではない。世に争いごとが減るとともに技術の継承が途切れると、いざ悪が現れたときに却って「牛刀鶏を割くがごとき」危険や害のみ強い無闇な非道が行使されてしまうと柳田は諭す。悪の技術は武器であり、武器であれば用法を誤ると大けがにつながる。柳田の「べら棒に住みにくくなった」という指摘は、硬化した道徳観と拙劣な悪の跋扈の両側面に向けられている。平和というのは悪を取り扱う手腕が鈍ることであって、技術もろとも悪を排除した平和はむしろ悪の露骨な残虐化を招くという見立てに柳田の論の肝がある。

柳田は虚言や詐欺、さらに「馬鹿」のような侮蔑——それらは民衆の生活の楽しみや戯れを通して育まれてきた——を同種の技芸の内に連ね、隠され忘却されてきた経緯に「不幸なる」の形容を与えて嘆く。「我々はただ一方の害ばかりを恐れて、急いで沢山の花に咲く二葉を摘んでしまった」。嘆くばかりでなく、悪の技術は子犬が噛み合う程度に練習する必要があり「一定のグラウンドを設けてこれをスポーツ化」せよとさえ主張する。

スポーツとは言わないまでも、悪の技術を伝承し育てる役割を担っていたのはわらべ唄であったろう。悪口やからかい、死や性に関わる卑猥な内容も含むわらべ唄[2]がどれほ

（2）都丸十九一『村と子ども』（第一法規、一九七七年）はこれを「悪態唄」と分類する。川田順造は西アフリカのモシ族において女性が夫への愚痴などを聞えよがしに歌う「あてこすり歌」について、夫がこれを聞いても仕返ししてはならない掟がある事例を紹介し、それは「うた」が聖性を持っているためであると述べている（「うたう、あてこする」『聲』ちくま学芸文庫、一九九八年）。わらべ唄ではさらに子供という歌う主体の聖性も重なるだろう。これは後述する冗談関係にも通じる。

ど残っているか知らないけれど、ほぼ息絶えているのではなかろうか。今や「お前の母ちゃんデベソ」などという迂遠な悪口を日常的に聞くことはない。そのような「不適切」な言葉を排斥すべく血道をあげてきたのが近代において教育や文化と呼ばれてきた制度であった。そういえばぼくの幼少時には、祖父や祖母がことごとに口癖のように「だらず（「足らず」）もしくは「阿呆陀羅」）」「やくちゃもね（益体も無い＝役に立たない）」とリズミカルにこぼしていたのを思い出す。(3) このあんぽんたん、だりむくれのろくでなし、おたんちんのすっとこどっこいのとんちきめ、おとといきゃあがれ、などといった啖呵は落語で聞くほかないが、柳田に従えば、そのような言葉そのものが死んで消えただけでなく、言葉とともにある種の芸術がロストテクノロジーになったわけである。インターネットの時代の発明に「タヒね」「氏ね」といった罵詈雑言はあるものの、検索避けのための変換にすぎないそれは悪の技術には遠いだろう。せめて豆腐の角に頭をぶつけさせるくらいの迂回路はないものだろうか。

　悪の技術の例として、人類学には冗談関係（joking relationship）なる社会関係の研究もある。これは、ある特定の（親族や部族間の）関係にある他者に対して冷やかしやからかいなどの放縦で無礼なふるまいが規則的に、あるいは義務的に繰り返され、相手はそのふるまいに対して決して立腹してはならないという慣習である。表面上は敵意のように映るこの無礼は、じつのところ（正反対に思える）相互的尊敬の別の形式であり、社会秩序の安定を支えている。どういうことか。まず、婚姻によってたとえば妻が夫の

（3）松本修『全国アホ・バカ分布考』（新潮文庫、一九九六年）は、テレビプロデューサーの著者が番組をきっかけとして、まさしく柳田國男の論考を参照しながら日本中の侮蔑の言葉の派生と分布を詳細に調べ上げてまとめた労作で、巻末の索引を眺めるだけでも楽しい。むろんぼくの故郷の方言も収録されている。ただし著者の「アホ・バカ」愛が勢い余って差別的な意味内容を除外しようと努めている点は気にかかる。それこそ現代の倫理観で悪口が悪口であることの権利まで削いでしまいはしないだろうか。

家族に入ると、社会構造が再調整される。等価な交換ではあり得ない家族間の人の移動はおのずと分裂をもたらすため、闘争を避ける策を講じねばならない。そこで二種の方法が取られ得る。ひとつは、両者の間で相互的な尊敬と遠慮を規則化することによって直接の接触を制限すること、そしてもうひとつが冗談関係を設定することである。いわば前者は停戦協定、後者は闘争ごっこだ。冗談関係は無礼を敢行することで社会的分裂を演劇的に表現し、深刻な敵意をふざけたものへと和らげ、またその侮蔑を深刻に受け止めないという友情によって、安定した関係を保つのである。冗談関係は「接合的および分裂的構成要素〔……〕が保持され、結び合わされている社会行動を、一定の安定した体系に組織する方法」であり、「擬似的な衝突を作り出すという手段によって、真の衝突を避けるものである」[4]と人類学者のラドクリフ＝ブラウンは述べる。したがって、柳田のいう武器や楽しみとしての役割以外に、悪の技術は社会的な機能をも持つはずである。

ともあれ、冗談関係は規則化された悪の技術の一例である。そこでふたたび柳田の、悪の技芸をスポーツ化せよという愉快な提案が想起されるわけだが、思うに、相手の裏をかき欺こうとする手練手管はプレーとして成り立ちがたいのではなかろうか。相手を騙すことで勝利にたどり着くゲームや、反則だけを集めた相撲の「初切《しょっきり》」のような事例はたくさんあるにはあるけれど、ゲームをゲームとして成立させている土台を崩すところに悪の本領はある。定型の悪を修練することはできても（しかし定型の悪というものが

（4）ラドクリフ＝ブラウン、青柳まちこ訳『未開社会における構造と機能』新泉社、一九七五年、一二八頁および一四六頁。

あるだろうか）、本来悪は悪であるために随時手口を更新し、固定化されまいと記録から逃れていく。悪は流体である。それゆえ不幸なる芸術は不幸なのであった。ルールブックはあってもファウルブックというものはないのだ。法は悪を先取りして抑え込もうとするが、いつも悪はそれを破り――というか法を破り法の想定範囲を超えるのが悪である――、この依存関係の偏りのためにイタチごっこがひたすら続いていく。もしくは、そうして、ゲームチェンジが起こる。

今書いたのは悪の一面にすぎず、単純化の誹りを免れまい。ただここで考えたかったのは悪の定義ではなく、悪（的なもの）を語る方法であった。

悪について触れられるとき、悪を悪と断じて済ますか、さもなくば悪を言挙げし、くだらないほどよい、つまらなければつまらないほどおもしろい、といった逆説的な戯言が往々にして呈され、「良い悪」という欺瞞が生み出される。対して柳田の論は、悪を特段に貶めも持ち上げもせず――悪の善悪を語るのでなく――、悪の巧拙へとシフトすることで技術としての機能を注視したところに価値がある。道徳によって悪は抑圧され、逆に私たちは悪から疎外されているとも言えるが、柳田はこのなるべく目に触れないように無意識化された領域を切り開き、回復する方法を提示した。

ぼくがかつて、悪の技術のひとつにほかならないパロディについて調べていて興味深く思ったのは、世間でパロディが語られるときの焦点がほとんどいつも、どこまでが許されるかという線引きの話であることだった。そして、法律を犯すとなればそれはもはや語ることすら憚られるほど徹底して忌避されることであった。表現として実在するにもかかわらず、まるで憲法よりも法律が優位にあるかのように、やってはならぬことを封じ込めることに誰もが躍起に見えた。数々の個別で特殊な悪の事例から帰納され更新されてゆく法を、固定的に現状に当てはめるのは、どこかがおかしい。どうしてこうも法律が内面化されているのだろうか。アウトかセーフかばかりの論点からパロディを洗い出そうとして、ぼくはパロディの辞典を作ってみることから始めた。法に抵触するか否かとは関係なくひとつの技術であることを示すために。それは結局、法律（著作権法）の埒外から法律を考えることと同じになった。

柳田は、悪こそ素晴らしい技術だ、と述べようとしたのではない。ただ、悪は技術だと言ったのだ。アウトやセーフの線を刻んだ慣例的な善悪判断の物差しを矯めつ眇めつ眺めていても何も変わることはない。またたとえば「悪のパワー」といった言い方に見る、まさに露悪的な倒錯は同じ物差しをたんに裏返しただけである。避けられているもの、見えないようにされているもの、気味の悪いもの、キッチュ、そういったものたちに最初からビルトインされている物差し自体にもうひとつの物差しが当てられなくてはならない。少なくともそういうところに、ぼくの関心がある。

(I)
コピー

コピーの何が怖いのか？

いつかテレビで、ものまね芸人が声紋鑑定に挑戦するという企画を見た。まねられる当の有名人のインタビュー映像内にものまねの声を紛れ込ませたうえで、その混入部分を判別できるかというのである。人間の耳では到底わかり得なかったが（それは、ごく些細な咳払いのような部分を入れ替えるというトリッキーな細工だった）、はたして音声認識の機械はいとも易々と違いを見つけ出した。やはり人間は機械には敵わない、というオチであったと記憶する。

けれど、機械にとっては別物でしかないものを、我々がそっくりだと感じる点こそおもしろいのではないか。似ている、同じだ、という人の認識はかようにいい加減で、つまりは、複雑だということだ。それゆえに人はものまねを楽しむことができ、間違い探しに興じ、パロディや本歌取りなど類似と差異に遊ぶ芸術も幾多と生み出されてきたのだ。あの世の歌手の声を蘇らせようとする試みさえある。

一方で、同じものが二つ以上ある（かもしれない）ことをひどく怖れるのも人だ。見分けがつかないものは怖い。ひとつであることを揺るがすコピーに対する忌避感情は、かけがえのなさへの愛の反動として、あるいは、複製技術への防衛として、至る所で発生している。そして我々は今日も確認を迫られる――ユーザー名とＩＤを入力してください、パスワード管理は万全ですか、あなたはあなたですか。

高山羽根子『如何様』（朝日新聞出版、二〇一九年）は、同一性に対する人の愉楽と恐怖の谷間を縫っていく。

戦後まもなく出征先から引き揚げてきた男。そこそこに名の売れた画家である彼は妻のタエと両親に迎え入れられて仕事を再開するのだが、おかしなことに彼の顔貌は出征前とまったく別人としか見えないのだった。証書は揃っているし画技も画風も違わぬ画家を、周囲が訝りつつも受け入れていく中でただひとり、帰ってきたこの男は偽者だと信じる人物からの依頼によって、「私」は画家の調査を始めることになる。

妻、妾、画廊主、軍で関わりのあった面々……。聴き取りを進めれば進めるほどに、男の人物像は複数化していくばかりだ。というのも、一個の人間が束ねる多様な情報を、他者は各々の経験に照らして、自分に都合の良い仕方で、部分的にのみ便利に抽き出して同一性を認めているにすぎないのだから。人間どうしの認証の条件として最も優位を占める顔貌が当てにならない場合、何がその人らしさの判別の手がかりとなるのか。話し方、ふとした仕草、傷跡。それらを確認するときはじめて、我々が備えるあらゆるインデックスが洗い出されるだろう。戦争に参加した画家、すなわち、個々の顔など蔑ろにされる兵卒を経験し、なおかつ、作品という分身に自らを代理させる仕事をする者、という設定は、この点においてこそ機能することになる。

埒が明かない調査の中で、画家が携わっていたある軍事機密が浮上する。彼はじつは腕利きの贋作師であり、その技術を見込まれて引き抜かれていた（このあたりの記述は、日中戦争を契機に帝国陸軍が進めていた紙幣贋造作戦「杉工作」を連想させる）。おまけに彼は巧みな変装家で、しばしば別人に成り変わっては知人を驚かせていたという。すなわち、もともとこの画家はオリジナルとコピーの峻別を翻弄する者であったのだ。顔の変化も変装の一種かもしれず、贋作者にとってのオリジナルとは、いや贋作者のオリジナルとは何か、というもうひとつの問題系が物語に並走していく。

美術において、作品と作者の固有名が強固に結び合わされ、ただひとつのオリジナルが不可侵の価値を持つようになったのは、せいぜいルネサンス以降のことだ。時代や場所が変われば作者名はクレジットされねばならない情報ではなかったし、個人や集団で同じような作品を量産することも普通であった。それを踏まえて、本作を行きすぎたオリジナル神話の批判のひとつとして読むこともできるだろう。我々が安易に信じ込んでいるオリジナルとコピーの優劣は必ずしも確定的でない、その対立はまやかしである、と。(1)

ただしこの小説において、オリジナルとコピーの境界をめぐってなされる表向きの筋書きは、それが誘導しがちな、手の込んだSFや探偵小説のようにレトリカルな概念の撹乱のゲームへと展開することはない。そもそも画家本人は端から行方をくらまして「私」の前に姿を見せず、ついに不在のまま物語は締め括られる。画家が別人であるか

（1）この論点は、かつて東京大学総合研究博物館の企画「真贋のはざま」（二〇〇一年）でまとめられた成果がウェブ公開されているので参照されたい。http://umdb.um.u-tokyo.ac.jp/DKankoub/Publish_db/2001Hazama/［最終閲覧日：二〇二二年一一月六日］

本人に違いないかという命題の証明に対して決定的な条件は出揃うことなく、堂々めぐりの懐疑が続く。だいいち、ひとりの人間が間違いなくその当人かという問いは、反証を示す別人の存在なしに(まして、いま本人は不在だ)ひとたび懐疑が始まってしまえば永遠に落着し得ない。顔がまるで異なるという以外に疑うべき点はほぼ皆無であり、疑う者もたったひとりであるという明らかに偏った構成は、真偽をかき乱すトリックとは異なるところに作者の狙いが置かれていることを示すだろう。

復員してきた画家は別人なのか、彼は何者なのか、という疑問の反芻は、当然「私」自身にも跳ね返ってくるはずだが、そしてじっさい、記者である「私」は戦中を生き抜いてきた先輩記者の仕事に対して引け目を感じつつ自己実現に悩んでいるのだが、そこで深刻なアイデンティティ崩壊は起こらない。その代わりに「私」が心理的な結びつきを感じるのは画家の妻、タエである。タエはほぼ面識のないまま嫁いだ直後に夫が出征したために、妻でありながらこのイカサマ騒動とはじつのところ無縁だ。過去の夫の顔を覚えておらず、浮いた状態で彼の長い不在を待つ彼女にとって、夫は夫であるというほかない。物語の底を流れる「私」の漠とした不安に対して、あらゆる問題をじつにあっけらかんと受け流しているタエの存在と、不安定な同一性を堂々と飲み込むそのゆるいアイデンティティ観こそが「私」の救いとなる。小説の中では同時代に生きているもののの、タエに対する「私」の視線は懐古に近い憧憬を感じさせる。

調査対象から離れて同一性の真偽に振り回される「私」の探究はそのまま、あたかも商品パッケージの成分表示のように自己を証明しながらリスクを回避している現代の我々の生活に重なる（しかし、自分が自分であるということがリスクと隣り合わせであるとはどういうことなのだろう）。時代設定こそ終戦直後だが、一枚のカードに、小さなスマホに、自分を外部化し自分から自分を引きはがして暮らしている現代人の視点から書かれた小説であることは確かだ。タエの名に当てられるべき漢字は、耐であり妙であり、また多恵であり、多重だろう。

ゼログラフィック・ラヴ

1　乾いた技術

コピー文化の幕開けを祝福したのはダルメシアンの鳴き声である。夥しい数の群れが画面を埋め尽くし、いっせいに吠え立て、飛び跳ね、駆けまわる。まるでコピー機から生まれてきたような、そっくりで、たくさんの、白と黒――。

一九六一年に公開されたディズニー映画『一〇一匹わんちゃん』は、事実、制作過程にゼログラフィーの技術（現在でも私たちが恩恵を受けているあのコピー機の技術だ）を採用した初の映画であった。この映画ではインキング・プロセス、すなわち鉛筆によるアニメーターの原画をインクでセルに敷き写す手作業が省かれ、原画は電子複写＝コピーによって直接セルに転写された。手描きのセル画のクオリティにこだわるウォルト・ディズニー自身はこの新たなシステムに懐疑的であり、取り除かれるべきアタリの線までもセルに転写されてしまう技術上の問題もあった（映画をよく見れば、アタリが残っているのがわかる）。だが喫緊の課題は前作『眠れる森の美女』（一九五九年）の興行的な不振で露見した高コスト対策である。結果として、アニメーション制作におけるこのバイパス手術は功を奏した。導入されたゼログラフィーは大幅な人員削減と時間短縮をもたらし、それまで必要とされた制作費にくらべ半減ものコストダウンを達成することになる。

　ゼログラフィー。帯電させた感光板に画像を投影して静電気の版を作り、そこに粉末を付着させることで複写画像を得る技術。アメリカのチェスター・カールソンが、一九世紀に発見された光導電効果 photoconductive effect（絶縁体のセレンに光を照射すると伝導性となる）を基礎にしたこの技術の実験に成功したのは、第二次世界大戦を目前に控えた一九三八年のことだった。[1] それは当初、技術的背景に沿って電子写真 electro-photography と名付けられた。光の像から画像を得る原理として、写真の発展とみなしたのである。その後一九四八年、実用化に向けて研究開発していたハロイド社（後のゼロックス社）によって、この技術はあらためてラテン語の xeros（乾いた）graphia（筆記）にちなんで xerography と名付けられることになる。-photography から -graphy へ。写真から筆記へ。機械を介した間接的な距離感を人間の手や皮膚へとぐっと引き寄せるような、ある感触を持ったこの名称のシフトは、技術そのものの発明に次ぐほどの価値を持つように思える。というのも xerography という名は、光と静電気と粉末という三者を主役とする技術の特質を文字どおり明らかにするだけでなく、まさに体《たい》を表す秀逸な命名にほかならないからである。

（1）技術的説明の詳細は、深瀬康司「ゼログラフィーの発明と展開」『ゼログラフィーと七〇年代』（富士ゼロックス株式会社、二〇〇五年）を参照されたい。

要するに「乾いた筆記」は、まさしくインク、腐食液、現像液など、複製技術に不可欠であった液体のことごとくを追いやったのだ。ディズニーはそのことを怖れたのである。コントロールの難しい液体が象徴するのは熟練の職人であり、閉ざされたラボの空間であり、つまりは専門性である。「乾いた筆記」は、その名のとおりにドライで、クールで、複製につきものであった労力としての汗とか涙、および時間という液体をも蒸発させる、大衆的で民主的な本質を備えた、紛れもなく魔法と呼ぶべき複製技術であった。

技術の実用化に目途がついたのが実験成功から一〇年後、そして事務用に耐えるだけの小型化と操作性を備えた初の自動普通紙複写機 Xerox 914 が生まれるのがさらに約一〇年後の一九五九年であった。二六・四秒に一枚のコピーが生まれる様子はまさにマジックショウのごとくテレビでライブ中継されたという。本格的な実用に至るまでの助走はかくも長かったが、六〇年代に入るとゼロックス・マシンは瞬く間に普及し、いかんなく魔法の力を発揮した。複写の民主化としての瞬時性、簡易性、非専門性(前者二つを「直接性」とまとめてもいいかもしれない)が達成され、六〇年代中頃にはすでに、xerox という単語は copy と同じ意味の動詞として定着することになる。

アーティストとゼログラフィーとの馴れ初めも、この頃のことである。とりわけ六〇年代半ばから七〇年代初頭にかけての数年間、世界中のゼロックス・マシンのガラス板の上で、数々のアーティストたちが様々な巡り合いを果たすことになる。大衆的で民主的な技術、と書いた矢先に主体をアーティストに限定するのは欺瞞だろうか? しかしここでは、複製ならぬ複写という、アーティストの存立を脅かしかねない概念を、いかにかれらが受け止めたのかを振り返ってみたい。

ゼロックス社創業の地、ニューヨーク州ロチェスターのジョージ・イーストマン・ハウスで一九七九年に開催されたコピー・アートの大規模回顧展「エレクトロワークス」を筆頭に、コピー機とアートの関わりを考察する機会は数多く重ねられてきた。コピー機という特定の機器にまつわる技術を考え直すことは、その限定的なテーマ設定にもかかわらずなおも重要な意義を持っている。即時的に、簡易に、専門的な技術に依ることなくイメージを生産することを可能にしたこの技術を振り返ることは、今日のネットワーク環境まで地続きのメディア状況の端緒に思考をめぐらす契機になるはずだ。いま、ネットワークと接続し、デジタルプリンタとスキャナの複合機へと拡張したコピー機が持ち得る可能性（と脅威）の厚みは、そのはるか以前、わずか数年のうちになされたアーティストによるシミュレーションの数々によって予告されているはずである。

複写とはつまり、受信・即・発信を可能とする技術革新であり、発信者と受信者の交通関係を根本的に変えてしまう事件であった。そしてなお、私たちはまだその事件以降のパラダイムの中にいるのである。だから、変わり目となったあの頃、かれらがこの技術から何を引き出し、何が生まれたのかを知る必要があるのだ。アーティストは、新しい技術にいかなる新しさを規定したのか。むろん、技術や方法の新しさは必ずしもそのまま作品の新しさを意味しない。六〇年代半ばから七〇年代にかけての時期を中心に観察しながら、以下、特にこの技術およびマシンに対するアーティストのアプローチの軌跡に注目してみよう。

たとえばそれは、一種のラヴ・ストーリーであったかもしれない。

2　まずはお友達から

アーティストはゼログラフィーに、まずは恐る恐る近づいていった。第一人者として紹介されるのは、いつもブルーノ・ムナーリである。機械文明やスピードを賛美したイタリア未来派にかつて参加した彼が、イメージを直接生み出すことのできる最新の機械に思いを寄せたのは当然のことであったろう。早くも一九六四年頃から——ムナーリは五〇代後半を迎えていた——、のちに「オリジナル・ゼログラフィーXerografie Originali」という、複製性と唯一性が自家撞着したような名で呼ばれることになる連作の試みが始まる。(2)

相手と対話するように、あるいは癖を探るように、彼は色んな品々をガラスの上に乗せてみた。網目のはっきりした木の葉、金網、レース、ストライプ模様などの連続パターンを持つもの、あるいは、バイクやレーシングカー、船などの乗り物の写真、もしくはポートレート。それらをムナーリは、読み取り中にガラスの上で多様な方向にスライ

(2) これが作品集としてまとめられたのは一九七二年および一九七七年であり、広く知られるようになるのは少し遅れてからであった。

ドさせる（図1、2）。彼のいう「オリジナル」は、端的に言えばこの読み取り中のスライド操作に担保されている。静電気パターンを変化させて無限に版を更新することのできるゼログラフィーは、その意味でガラスに原稿を置くたびに、置くだけで「オリジナル」の版画を生む仕組みであるともいえるわけだが、ムナーリはさらに使用者による動作を加えることで、一回性を強調するのである。そうして得られるジグザグや旋回、またはコミックのスピード線のような運動感を示すパターンおよび機械的な乗り物の姿は、明らかに半世紀前の未来派が描いたイメージ群を反復している。スキャニング中の光源に従順に寄り添い、その動きに同期して原稿となる物体を滑らせながら、ムナーリはコピー機の運動そのものが生むイメージを、つまりはコピー機の言葉を、模倣的な身振りによって引き出そうとしているのである。

　同期した動きによる、ガラス上のランデヴー。ムナーリとコピー機との遊戯と実験の歓びに満ちたやりとりは、じゃれ合いに似ている。両者は遊びながら互いに技能を発揮すると同時に、抗争し合うようにも見えるのである。ムナーリが原稿に選ぶものが繊細なパターンの集積ばかりなのは、コピー機の複写精度の限界が露呈することを期待するからだ。「オリジナル・ゼログラフィー」が収集するイメージの歪みやつぶれ、モアレなどのエラーやノイズは機械だからこそ生まれる効果であるものの、ここには、手綱をあくまで操作主体としての人間に持たせようとする執着が感じられないだろうか。何といっても、ムナーリはコピーしないのだ。機械文明をただ偏愛するのでなく、それを制作

（図1）

Bruno Munari, *Xerografic Oriminale*

（図2）
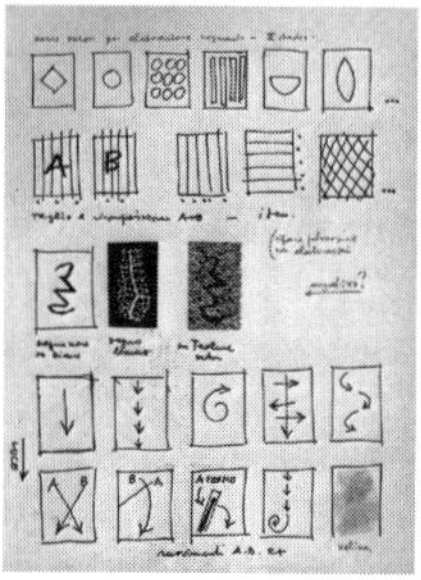
ムナーリのノート

の加速器やスプリングボードとして利用しようとした未来派同様に、その態度は両義的であった。手を代行する使命を担って生まれたゼログラフィーにふたたび手の動きを追加することで、ムナーリは人と機械との合作を試みる。いや、機械からアーティストとしての自らの手に今一度イメージの権利を取り戻そうとするのである。「オリジナル」を主張することで彼は、コピー機の根本たる複写機能を抹殺する。ムナーリの興味対象はあくまで手の延長としてのコピー機という道具ないし表現媒体であり、手の代替としてのコピーではなかった。一九七〇年に参加したヴェニスビエンナーレをはじめ、ムナーリは展示会場にコピー機を設置して観客に開放し、ゼログラフィーの「民主性」を喧伝さえした。だがあくまで描画装置としてコピー機を使う限りにおいて、ここではまだアーティストとゼログラフィーの間には溝があったといえるだろう。

　そう、人の手の特権を奪い、ひいては作品の唯一性をも奪い得るコピー機は、おそらくそれゆえに、当初から攻撃にさらされてもきた。たとえば、コピー機の普及宣伝も兼ねてコピー・アートを日本でいち早く紹介した『グラフィケーション』一九七〇年五月号の特集「グラフィック・アートの冒険」で紹介されたアーティストの様々な実践は、ほとんどコピー機の禁止用法の一覧である。[3] 田中信太郎はガラスの上で氷を溶かし、高松次郎は砂を撒き、紙を燃やす。前田信明は、あたかもコピー機の光に対抗するかのように、そして相手を痛めつけるかのように、ガラスの上で蝋燭に火を灯した。前田の場合で言えば《ローソク一〇二〇秒》というタイトルのとおり、ある時間を圧縮して記録す

（3）田中和男「七〇年代「グラフィケーション」の冒険」『ゼログラフィーと七〇年代』富士ゼロックス株式会社、二〇〇五年。

るという作者の制作意図は別にある。とはいえ、まるで耐久テストを行うかのような非公式的なコピー機の使用は、イメージ生成をつかさどる作家の特権を奪おうとする機械に対する、無意識の抵抗を感じさせる。少なくとも複写機能を後景化させ、イメージの反復でなく変容に焦点を絞って唯一的な「作品」に結実させている点では、ムナーリと近似しているだろう。

とりわけ高松次郎は、日本でゼログラフィーを扱ったアーティストの筆頭に必ず挙がる作家だ。[4] 高松は第八回東京国際版画ビエンナーレ（一九七二年）にコピーを版画として出品し、これがグランプリを受賞したことで大きな話題をさらった。《THE STORY》と題されたこの作品（図3）は、アルファベットから一個以上の集合を選び取った重複組み合わせが、a,b,c,…,z,aa,ab,ac,…,zz,aaa,aab,aac,…,zzz,… とタイプされて延々と並ぶ紙を、コピーしてバインダーファイルに綴じた作品である。無限に続くこの列（ストーリー）が――もちろん実際に制作されたのは冒頭のごく一部だ――、過去から未来までのアルファベットを用いる全単語を内包した完全かつ未完結のワードリストになる、というわけであろう。

だが実のところ、無限に延長していくというこの作品が提示する理屈は、同一物の反復でなくむしろ反復を拒む文字列の連鎖《ストーリー》に要点があり、コピーである必然性を持たないのである。その意味ではむしろただ一セットのファイルがある方が、単数で題された「STORY」の意味を強化するはずだろう（本作は五部コピーされている）。コンセプト

（4）高松次郎のコピー機による作品については次の論考も参照されたい。神山亮子「一九七〇年代初頭の日本のゼログラフィー・アート――高松次郎を中心に」『ゼログラフィーと七〇年代』富士ゼロックス株式会社、二〇〇五年、大澤慶久「高松次郎研究――アメリカのコンセプチュアル・アートとの比較から――」『鹿島美術研究（年報第三七号別冊）』二〇二〇年。

はタイプされた原版の時点ですでに充分達成されており、コピーである必要は特にない。コピーを版画として提出したことでこの作品は「版画概念の拡大」などという物議まで醸すことになるのだが、ここまで書いてきた文脈からすればこれは「コピー概念の縮小」と呼ぶべき事態ではなかったか。

おまけに連鎖性にしても、インストラクションとしての数列をスマートに見せたようでありながら、構造上、実際にアルファベットをタイプしてこの作品を延長するにはたいへんな手間がかかってしまう。その点からしても、やはりコピーの解放的な性格より、制作のための労力を感じずにいられない。高松の複写に対する考えは、同時期に制作していた、《ゼロックスで一〇〇枚コピーされたうちのこの一枚》と書いた紙を一〇〇枚コピーする、という作品が余さず説明しているだろう。いくらコピーしても、「この一枚」はユニークな「この一枚」であることが保証される。すなわち高松は、複写してなお解消し得ない唯一性に執着し続けたのであって、じっさい直裁に、「同じものはふたつとない、と言いたい気持ちが強いんです」と述べている。(5) ムナーリも高松も、コピー機に心を開くには、まだ時間が必要だったかもしれない。

（図3）
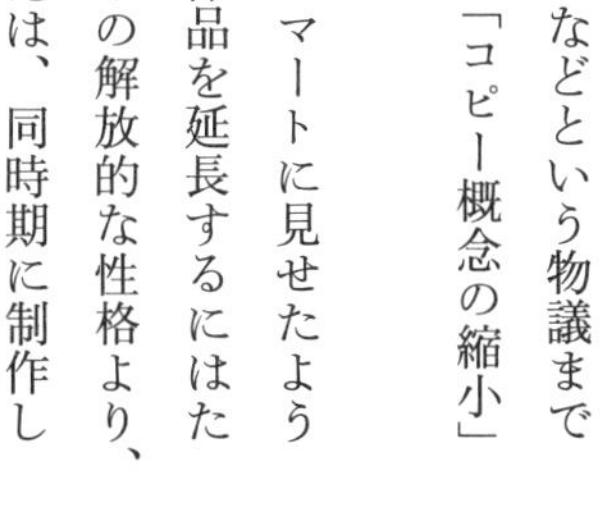
高松次郎《THE STORY》一九七二年

（5）寺山修司、高松次郎、横尾忠則「複写時代の仕事」『季刊フィルム』一二号、フィルムアート社、一九七二年七月。

3　そして急接近

ここまでゼログラフィーとコピー機をほとんど区別なく語ってきたように、あるいはxeroxがcopyと同義化したことがそのまま示すとおり、この技術は機械装置と不即不離の関係にあり、人の身体の介在しないオートメーションこそが本体である。ムナーリや高松はここにいわば味わいを加え、自分色に染めようと苦心したわけだが、ただ、彼らが連続的な特徴を作品の主要素にしていたことは、機械に対する譲歩でもあった。時代を共有したもうひとつの民主的複写技術であるヴィデオ（VTRが社会的に普及するのもやはり一九六〇年代のことである）を想起させる連続的で正確なリズムには、そのまま機械らしさが宿る。とりわけコンセプチュアル・アートが盛り上がった七〇年代においてゼログラフィーを用いた作品の大多数を占めるのは、そのような即物的な機械の連続性や連鎖性を抽出しようとする実践である。

いわゆる人間味を振り払って、非情で傍若無人な機械のふるまいに寄り添い、「表現」の潤いを奪うこの技術のドライさに身を任すこと。そのような機械の誘惑を喜んで受け入れる者もいた。アンディ・ウォーホルがゼログラフィーを試したことは言わずもがなで（たとえば彼は、やはり連続的に、毛沢東の肖像を順次拡大コピーしていく連作を残している）、ウォーホルの仕事全般に触発され、画廊にコピー機を持ち込んで自身の写真を複写し、その場で写真集を印刷した森山大道の例も知られている。[6] 彼らにとってコピ

（6）　私家版の写真集『もうひとつの国ニューヨーク』（一九七二年）のこと。金子隆一「印刷物となった写真表現 森山大道インタビュー」『日本写真集史一九五六―一九八六』赤々舎、二〇〇九年。

ー機というパートナーは、芸術においてかつて必須の「潤い」とみなされていたものを吹っ切るブースターであった。

この文脈で最もスマートなパートナーシップとして知られる例が、一九六六年、ニューヨークのメル・ボックナーが行った実践である。勤務先の美大の学内でドローイング展を企画することになったボックナーは、知人のアーティストたち、エヴァ・ヘス、ソル・ルウィット、ロバート・スミッソン、ダン・フレヴィン、ダン・グレアム、ドナルド・ジャッドらに呼びかけて「必ずしも作品でないドローイング」の出品を募った。大学が額装費をしぶったことに機転を利かせて、ボックナーは各ドローイングを四部ずつコピーしてファイルにまとめて四つの台座に置いて展示した(図4)。この展覧会、その名も「必ずしもアートとみなされることを意図しない下書きその他の紙の上の視覚的なもの(*Working drawings and other visible things on paper not necessarily meant to be viewed as art*)」こそ、おそらくは初めて芸術がコピー機の複写という本来の機能と手をつないだ機会だった。ボクナーは描画装置としてでなく、まったく公式的な方法でコピー機を使った。それでいてなおかつ、その方法は展示趣旨と重なっていたのである。それは、作品という物質から形而上性をあぶり出す方法の発明であり、まもなくルーシー・リパードが理論化することになるコンセプチュアリズムの原理「脱物質化 Dematerialization」を典型的に示す事例であった。展示された「視覚的なもの」は、「必ずしもアートとみなされることを意図しない」。ファイルされたコピー紙は、かけがえのないアウラを放つ物

(図4)

Working drawings and other visible things on paper not necessarily meant to be viewed as art 展示風景、一九六六年

体ではなくアイディアやコンセプトの乗り物――いくらでも乗り換え自由な――にすぎないことを示すことで、ボックナーは非物質的な思考や理念を物質として見せるというジレンマを抜け出る活路を見つけたのである。

　ボックナーの企画の二年後、セス・ジーゲローブとジャック・ウェンドラーによって制作された展覧会兼展覧会図録、通称「ゼロックス・ブック」も、同じく作品を原稿にした作品という名のコピーの束であったが、元になった観点はボックナーと異なる。こちらの場合はゼログラフィーの使用をはじめから前提として、「二一六×二七九ミリメートル（レターサイズ）で二五ページ」の条件のもと、紙上のみで開催される展覧会の企画を七人の作家に持ちかけた（カタログであると同時に展示であるというあいまいな位相にあるからこそ、この冊子はあくまでも名を持たない）。一・五フィートの高さから一インチ四方の立方体を落としてコピーし、一ページごとに立方体の数を増やしていく（カール・アンドレ）、四万個のドットを全ページコピーする（ロバート・バリー）、ありとあらゆる本の写真を収めた本ができるまで、という架空の物語を空白の写真とキャプションで展開する（ジョセフ・コスース）など、各アーティストの応答は、連続的なリズムの強調、反復性を宿したグリッドやドットの登場など、ここまで見てきたようなアーティストとコピー機の付き合い方の振幅をカバーした優れた目録にもなっている。

　ただし、千部のエディションで制作されたこの本が、ゼロックスでなくオフセットによって印刷されていることは付記しておかねばならない。当時の環境ではすべてコピー

（7）
ジーゲローブは次のように述べている。「展覧会の条件を、規格化することで、個々のプロジェクトの差異が即ち個々の作家の差異になるようにしたかったのです。展覧会のプロセスに通底する制作の条件を、意図的に規格化する試みでした」。ハンス・ウルリッヒ・オブリスト、村上華子訳『キュレーション』フィルムアート社、二〇一三年。なお、この冊子の一ページ目には企画者二人の名義でコピーライトが注意深く明記してあることも付記しておく。また、この「ゼロックス・ブック」の同年、アート・アンド・ランゲージの作家イアン・バーンも『ゼロックス・ブック』と題したアーティスト・ブックのシリーズを手掛けている。白紙のコピーを再度コピー機にかけることを繰り返して擦れや汚れを増幅させていく（つまりコピー機に「描かせる」）手法などはムナーリに近いが、コピー機を使う必然性

するには費用がかかりすぎるのが理由であったが、生産過程のすべてを自前でまかなうことのできるコピー機の能力はあいにく見過ごされることとなった。ジーゲローブとウェンドラーはコピー機を複写機としてよりも、制作プロセスに「縛り」を与える強制的な機械とみなしていた。つまりコンセプトの記録と、条件の規格化による各作家の差異のサンプリングこそが企図の中心であり、コピー機による複写という観点は完全に活かされているわけではない。(7)

あくまでアーティストの方法を抽出するための束縛としてコピー機を扱う点で、「ゼロックス・ブック」における企画者の本意は、むしろ「オリジナル・ゼログラフィー」におけるムナーリのそれに近かったかもしれない。しかし実践レベルでいえば、ボクナーの例、そしてこの「ゼロックス・ブック」をはじめとする、機械のごく素直な反復のリズムと複写機能を成立要因とする数々の例において、アーティストはいまやゼログラフィーへの寄り添い方をつかみ、ぐっと仲睦まじくなった。もはやかれらは抗おうとはしない。ムナーリにおける「道具」の比喩を延長するならば、それは作品の次元を跳躍させる「アイテム」あるいは「薬」へと移行しつつあったというべきだろうか。

に忠実な点ではこちらの方が「ゼロックス・ブック」の名にふさわしいといえる。

4　あぶないパートナー

ボックナーからジーゲローブとウェンドラーに継承された冊子という形式は、流通、伝達プロセスとコピーとの親和性を物語る。もとよりコピー機という機械が、大量かつ簡易に同じ情報を送るために発明されたことはいうまでもない。この性質から、コピー機は冊子のみならず同時期のメール・アートの動向においても盛んに採用された。流通メディアを介して作品の物質性よりも概念の伝達を強調するコンセプチュアリズムと通じ合ったのである。ただここで確認しておくべきは、コピー機の登場が作者（作品でなく）の唯一性を揺るがしたことだろう。複写行為の普及と拡散が進み、流通が進展すれば当然、作者という特権は薄らいでいく。この状況に対してやや特異なアプローチを行った作家に、スタン・ヴァンダビークがいる。一九七〇年、ヴァンダビークはゼロックス社の製品「テレコピア」（家庭用ＦＡＸの原型）を用いて、複数の用紙をつなげると巨大な画面ができあがる「電信壁画」を、ウォーカー・アートセンターをはじめとする六つの場に送信し、同時並行的に発表した。つまり彼は薄らぐ作者像を逆に利用して、コピーを通じて作家としての自らを同時多発的にいわば分身させて見せたのである。

このような「分身」的な用法の展開については後述することにして、ここまで述べてきたドローイングのバリエーション、もしくはコンセプチュアル・アートの随伴者といったアートの文脈から視野を拡げると、オフィスでの利用以外にコピー機が促した社会的な潮流は、同人誌などのいわゆるリトルプレスの動きであった。ジーゲロープらの試みでネックとなったコストも低下するにつれ、七〇年代に入るといっそう多くの小さな出版物が発行されることになる。

これと関連して、小さな出版物や印刷物を駆使したフルクサスの動きも見逃すことができない。ジョージ・マチューナスが、ごく日常的な行為や一過性の出来事を「生きた芸術」とみなす反エリート的な芸術運動を展開していたフルクサスのマニフェスト「なんでもアートになり得る、誰でもできる」を宣言したのは一九六五年のことだった。工業的に量産した作品(マルチプル)によってオリジナルとレプリカの階層を崩そうとしていたフルクサスの思想はゼログラフィーの普及と軌を一にしているが、次のよく知られた掛け声は、その先の状況にタッチしているだろう。「いまやだれでもが、著者となり、発行者となることができる。どんな本でもいいから取り上げて、この本から一章、あの本から一章とただゼロックスにかければいい——インスタント剽窃法!」(マクルーハン、一九六七年)(8)。一九七〇年代に表面化したのは、フルクサスがいくぶん楽観的に、希望的に思い描いた芸術の大衆的な開放やブルジョア批判にとどまらず、マクルーハンの言葉に現れているような、複写という解放が本来はらんでいた背徳的なアナキズムであった。すなわち、情報とは与えられるものでなく、また生み出すだけのものでなく、同時に奪い取るものであり得るという意識が、コピー機とセットで根づいていったのである。

この状況変化を「複写の思想」として論じたテレビディレクターの今野勉の言葉を借

(8) マーシャル・マクルーハン/クエンティン・フィオーレ、南博訳『メディアはマッサージである』河出書房新社、一九九五年。原典は Marshall McLuhan and Quentin Fiore, *The Medium is Massage: An Inventory Effects*, 1967.

りることにしよう。今野は職業的な立場上、メディア環境の機微を敏感に察知し、少なくとも日本で最もプラクティカルにその変化を血肉化していた一人であった。彼は、ヴィデオおよびコピー機という新時代の機器について、「テレビを含めたそれ以前のメディアと大きく異なるのは、テレビまでは「複製《リプロダクション》」であり、ヴィデオあるいは電子複写機は「複写《コピー》」である」点に画期性があるとしたうえでこう述べる。

「複製《リプロダクション》」は、その価値を、明らかに、その生みだされる量に負っている。いわば「製品《プロダクツ》」に負っている。「製品」に負うということは、その「製品」の持つ「内容《コンテンツ》」に負うということでもある。それを、コミュニケーションの形態において把えれば、不特定多数に対する一方的な情報の発信ということになる。「複写」の思想は明らかにそれと異なる。「複写」が価値を持つのは、それの生み出しうる量には負わない。ひとつの情報が個人レヴェルで直接的にイメージとして写しとりうる（duplicate）というその作用そのものにその価値を負っている。その「作用＝プロセス」が、これまでの情報メディアと決定的に違うのであり、今までの「複製」を基盤とした情報構造を根底的にデザインしなおす力を内蔵しているのである。(9)

複製から複写へ。リトルプレス勃興という事態の核心は、マスメディアに対する規模の大小にあるのではない。小さいからこそ可能なこともあるかもしれない。だがより重

(9) 今野勉「可能性の呈示にむかって」『芸術倶楽部』創刊号、フィルムアート社、一九七三年七月。初出は「ヴィデオ生態学と複写の思想」『季刊フィルム』一二号、前掲（5）。傍点は引用者による。

要なポイントは、情報の方向性の革新の方にある。複写は、「作家」と「作品」との密なつながり、あるいは人の手と成果物との癒着を解き放つ可能性として登場した。のみならず、そのことによって情報流通における送り手と受け手の非対称性、そして情報の所有関係に亀裂を生じさせたのである。情報とは誰のものか、それは一方的に受け渡されるものなのか。コピー機は与えられる「公共」という概念をかき混ぜ、とくに情報の受け手にとって、受け手という立場を覆す強力な武器にもなる。しかも簡易にして、即自的な。

こうした「個人レヴェル」の複写行為が生むアナキズムと背徳性に乗じたのが、荒木経惟であった。一九七〇年、電通の社員であった荒木は同僚にこっそり依頼して会社のコピー機を無断で利用し、私家版の写真集を制作する。この行為は一年間にわたって継続し、各限定七〇部、全二五巻におよぶ『ゼロックス写真帖』ができあがった（図5）。この時期に彼は集中的に複写というテーマに取り組んでおり、荒木のスナップ写真を画家の藤沢喬《たかし》が模写し、それを荒木がモノクロコピーし、さらにそれを藤沢が彩色する「複写画展」（一九七一年）も開催している(10)。

荒木の『ゼロックス写真帖』が重要なのは、これらを仕上げてからの使用法である。七〇部というエディションは一九七〇年に因んだ数にすぎないが、荒木によれば「どっかで喋ってくれて、七十部が七千、七万の媒体になるような人間を選んで送ってた(11)」という。ダイレクトメールの手法を戦略として、半ば暴力的な、ゲリラとしての――この頃

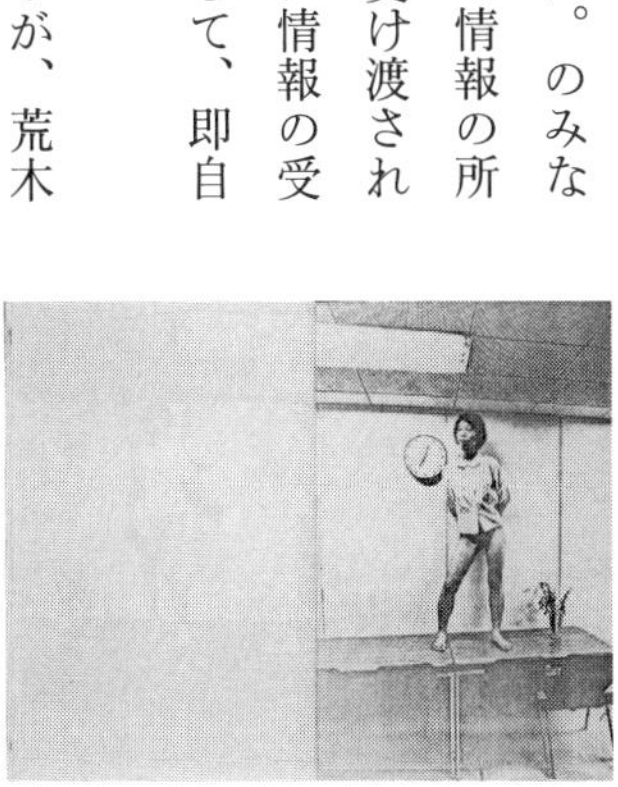

（図5）荒木経惟《7時から7時7分までのパトラ》一九七〇年

（10）荒木経惟「複写の気持」『季刊フィルム』一二号、前掲（5）。

（11）荒木経惟「アラーキー『ゼロックス写真帖』を語る」『ゼロックス写真帖』（荒木経惟写真全集一三）平凡社、一九九六年。

彼が好んでいたキーワード「ゲリバラ」はむろんゲリラのパロディである――自己宣伝を行ったのである。このとき写真集はオリジナル（コピーの作品）であると同時にサンプル（作品のコピー）の両面を兼ね備えることになる。会社の機械を無断利用することで制作段階の第一から所有関係を侵しながら、さらにオフィシャルな写真集であり個人的なダイレクトメールでもあるという形式によって出版／宣伝を綯《な》い交ぜにし、情報としての私性を奪われ奪い返すようなこの重層的な手続きを通じて、荒木はコピー機を使い尽くしたのだった。

5　ひとつになりたい、たくさんになりたい

『ゼロックス写真帖』は、あえて文字モードでコピーすることでザラつきを表現するだけでなく、人物の顔面や女性器の接写というごく短い距離感を強調したり印刷物の複写を交えたりする構成によって、コピーというメディアそのものを模倣（コピー）していた。そこにはある種の興奮と、人が機械と機械的運動に取り込まれて行くスリルのような感情も伴っていただろう。コピー機は、きわめて私的で内面的な欲望を惹起する誘引力も持っていた。ムナーリを含め、コピー機を使用した作品に総じて身体のダイレクト・コピーが頻出するのは、この魅惑のゆえにちがいない。コピー機が生み出すイメージは、

作者の手の介入を加えるまでもなく、すでにあるリアリティを備えてはいなかっただろうか。それは、版画や写真などの旧来のプリントメディアにはなかった質感だ。

一九八〇年のことである。アメリカの大手農機具メーカー、ディア・アンド・カンパニーの秘書を務めていたジョディ・スタッツ(Jodi Lee Stutz)は、あるとき事務所に忍び込み、おふざけでコピー機に腰かけて自分のお尻を複写した。これが発覚して解雇されたことが三面記事となり、彼女はちょっとした有名人としてもてはやされることになる。(12) 表向きの解雇理由は会社備品の私的利用であったが、このニュースはコピー機という機械とそこから生まれるイメージの問題と不可分だろう。すなわち、ガラスの上に乗ったことを証す直接性、基本は原寸大であること、そしてごく浅い空間に圧縮された、紙に張り付いたように見えるイメージの現れ方。それが下半身であったからというだけでなく、これ以上ないその質的なリアリティこそがスキャンダラスであり、大衆の耳目を集めたのである。

ゼログラフィー特有の、皮膚感覚を喚起する、光に満ちた、浮遊感のある、やけに生っぽい空間が、たしかにある。その生っぽさは、あらゆるイメージをひたすら飲み込んでは吐き出そうとする欲望に結びついている。それはコピー機の登場とともに生み出された欲望にちがいない。そしてその欲望の主体は、コピー機と使用者が不可分に結びついたある集合体にほかならない。

手なずけるべき他者から、新たなステージへ連れて行ってくれるパートナーへ。道具

(12) ジョディはまったく不運なことに、この七年後、自宅のそばで偶然流れ弾に当たって二八歳の若さで命を落とし、ふたたび新聞に取り上げられることになった。記事にはコピー騒ぎの顛末も記されている。Bob Greene, *She Was An Original, Not A Photocopy*, THE EVENING NEWS, June 24, 1987.

から服用薬へ。武器へ。そしてさらに、アーティストとゼログラフィーは、互いに互いを自らの組織や器官とするような和合へと誘《いざな》われていく。

ゼログラフィーの発明から七五周年を記念して二〇一三年にニューヨークで開催された展覧会「*XEROGRAPHY*」の図録テキストにおいて、キュレーターのミシェル・コットンは、バーバラ・T・スミスという一人のアーティストを象徴的に取り上げている。彼女は一九六五年、レンタルしたXerox 914をカリフォルニアの自宅のダイニングに設置し、八ヵ月以上にわたって、家族写真、雑誌、食べ物、花、そして彼女自身や家族の体などあらゆる対象をコピーしまくった（図6）。スミスは次のように述べている。

> 私のコピー機からは、じつに様々に、異様なほどにイメージが溢れ出した。〔……〕全面的に興味を惹かれたのは、光、アイデンティティ、エロティックな肉体、そして時の流れであった。〔……〕私は複写できる素材を求めて、家を、店を、雑誌を、路上を、散々探し回った。〔……〕我が家のダイニングルームは完全に乗っ取られることになった。はっきりしていたのは、いきいきしたエロティックな存在として自分を「公言《カムアウト》」したい欲求と願望を抱えながら、ただただ自分の顔や体をコピー機に乗せ、プリントしたくてたまらなかったことだ。(13)

もっとコピーしたい、させてあげたい。ムナーリとゼロックス・マシンとの間にあっ

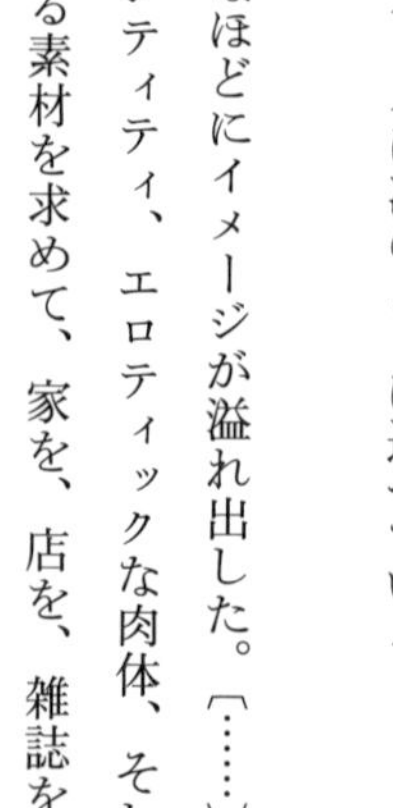

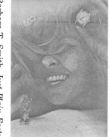

（図6）
Barbara T. Smith, *Just Plain Facts*, 1965–66

（13）
Barbara T. Smith, *Xerox Prints 1965–1966*, 2012, unpublished text, excerpt from *XEROGRAPHY*, Firstsite, 2013. 筆者訳

たような間接的な関係はここにはない。生活の場の中で、すぐさま、光とともに、接触を介して、原寸大の複写イメージが生まれ、時間が刻まれていく。スミスは言葉さえコピーしている。「エロティック」、「エロティック」！　乾いた技術は、こうして人に血肉化されることでふたたび液体を注入される。ごく浅い空間に圧縮された、いかにも密着したイメージの現れ方。機械の中のプライヴェートな空間。ゼログラフィーが粘着質なあるリアリティを備えていることの発見にスミスは興奮し、進んでガラス面に身を投じ続けたのである。

このようなフェティッシュな快感は、横尾忠則がコピーに伴って作者という主体そのものの複製と軽量化が起こると述べていることと無関係ではないだろう。

〔……〕たった一点こっきりの作品だったら、それを買ってくれた人とぼくの関係がへんに強くなって、気が重くなってしまう。そういった直線的な環境を作るより、大量のオリジナルを作って、それがあっちこっちへと面的に拡大していってくれるほうが、まるでぼくの肉体が同じところにいても、夢の中で霊魂だけがぼくの知らない間に勝手にあちこち飛びまわって、いろいろのところにいるみたいな、そういう自分の空間が拡大されていくような感覚で、無責任で軽薄で気が楽だね。(14)

横尾のいう霊魂の飛翔になぞらえて、最後にアリギエロ・ボエッティの作例に触れて

(14) 寺山修司、高松次郎、横尾忠則「複写時代の仕事」『季刊フィルム』一二号、前掲(5)。

おこう。ボエッティは自身を双子化した写真作品でも知られるとおり、もとより身体もしくは生命に引きつけて複製概念を咀嚼しようとしていた作家であった。ちょうど、同じイタリアでムナーリがオリジナル・ゼログラフィーの実験に熱中していた一九六九年、ボエッティはコピー機の上に二匹のヒヨコを載せ、その歩行をコピーする作品を制作している。さらに興味を引くのは同年の、《Autoritratto Xerox》（図7）、《Nove Xerox AnneMarie》と題された、まさしく霊魂を刻印したような、ボエッティの身体の直接コピーに基づく作品である。いずれもボエッティの顔と手が写っており、前者は一二点一組、後者は九点一組である。手の形は彼が幼少の頃に習ったというハンドサインで、それぞれ a/u/t/o/r/i/t/r/a/t/t/o（自画像の意）の一二文字、後者は彼の妻の名のスペル A/n/n/e/M/a/r/i/e の九文字に対応している。コピー機に与えられた目と手、すなわちガラスに載せられたものをスキャンし、複写する機能に、ボエッティが身をよじらせて入り込み、直接肉体と声を加えようとするその様は、ゼログラフィーを用いた作品の中でもひときわ美しく、またその機械および技術の本質を鋭く捉えたマスターピースに思える。ここで、ラヴ・ストーリーはひとつのエンディングを迎える。ボエッティがまさに乗り移ったこのアンドロイドから現在までの距離は、その時間的な差ほどには、遠く隔たっていないだろう。

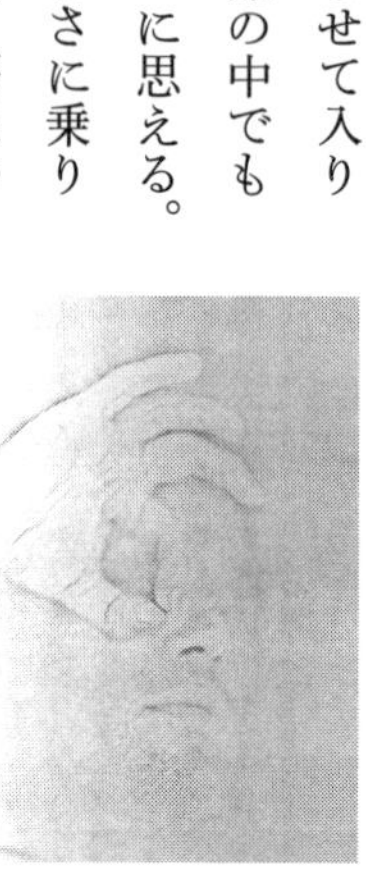
（図7）
Alighiero e Boetti, *Autoritratto Xerox*, 1969（部分）

ディスカバー、ディスカバー・ジャパン(1)

1 「モーレツからビューティフルへ」と藤岡和賀夫

遠くでこだまするように、どこか物悲しい歌が聞こえる。……ビューティフル、ビューティフル。ぼやけた雑踏の中、ヒッピー風の装いで歩いてくるのはサディスティック・ミカ・バンド結成前の加藤和彦である。男が胸元に広げる紙には書きなぐったBEAUTI-FULの文字。と、画面と歌は突然ストップしてコピーが重なる――「モーレツからビューティフルへ」。

一九七〇年、富士ゼロックスは新鮮な広告を立て続けに打ち出した。新鮮であったのは、広告と呼ぶことが躊躇されるようなその意外な内容である。何しろそこでは同社の商品である複写機のことはまったく触れられない。新聞・雑誌には「流れをビューティフルに」「GOOD BY！モーレツ」といった端的なコピー、そして商品とは直接関連しない写真が現れた。いきなり感情に訴えかけるような一連の〝広告のような何か〟(3)は、瞬く間に社会的な注目を集めた。(2)いま紹介した三〇秒ワンショットのテレビCMは夜間わ

(1) 展覧会「ディスカバー、ディカバー・ジャパン「遠く」へ行きたい」は二〇一四年九月一三日から一一月九日まで、東京ステーションギャラリーにて開催。

(2) 「天声人語」『朝日新聞』一九七〇年七月一一日。

ずかに放映されただけだが、その後も時代を画した広告として語り継がれている。カタカナで表記された「モーレツ」が、一九六九年に話題をさらった丸善石油（現・コスモ石油）のCM「猛烈ダッシュ（オー、モーレツ）」を踏まえていることは当時であれば誰でもわかった。富士ゼロックスの広告はこれを高度成長の日本の志向を集約するキーワードとして読み替え、ダッシュしてきた足をひとまず止めてみよう、と時代の転換を呼びかけたのである。

この広告が登場した背景には、当時の広告分野を取り巻いていた環境が大いに関わっている。六〇年代後半から末にかけて、マスメディアの発達を基礎に都市化と情報化が加速するに従って、広告業界は課題にぶつかっていた。

いまや消費者は多くのことを知っている。〔……〕六〇年代に有効だった手法の多くは、もはや魔力を喪い、サビついた。モノを売るためによく見せるという広告本来の機能に徹すれば徹するほど、周知の現実とのズレが拡大して示されることになるという矛盾が、広告をいっそうシラケたものとした。企業は、広告は、そして広告制作者たちは、かつて味わったことのない苦境を経験している。(4)

物と情報が氾濫し、広告が理想を示すような手法は素直に受け止められなくなった。そしてまた物を多く所有することが豊かさの指標ではなくなり、消費者が物よりも情報を

（3）加藤和彦が出演するのは四種ある同キャンペーンCMのひとつで、さらにナレーションの有無など複数バージョンがある。「ディスカバー、ディスカバー・ジャパン」展には次のナレーションが入るバージョンが出品された。「ビューティフル解放 ビューティフル 尊厳 ビューティフル 変革 ビューティフル 希望 ビューティフル 人間 ビューティフル 新しい価値 モーレツからビューティフルへ ゼロックスからの提案」。

（4）桝田弘司・蓮見徳郎『電通広告年鑑一九七一年版』電通、一九七二年、二五六頁。

求めるようになったことで、単純なセールス・プロモーションとしての広告活動は機能を果たさなくなってきた。そうした状況を背景に生まれたのが、いわゆる「フィーリング広告」である。サイケデリック風の音楽とアニメーションで軽快なリズムを演出したレナウン「イエイエ」(六七年)を筆頭に、「はっぱふみふみ」で有名なパイロット万年筆のCM(六九年)など、ストレートな宣伝よりもムードとしての若者文化を取り込んだ広告が現れ始めた。さらにその展開として、商品を売るのでもサービスを売るのでもなく、環境や人間をテーマとした広告が七〇年頃を境に目立ってくる。「人間を愛し 人間を考え 人間に帰ろう」をコピーに七〇年一〇月に始まったテイジン「スコーレ」、翌年のキリンビール「生きているかぎり夫婦です　生きているかぎりキリンです」など、特に七一年にこの傾向は顕著となった。

この流れにおいて最も際立っていたのが富士ゼロックスの広告である。人間性回復を訴える広告の傾向は、ちょうどこの頃に取り沙汰され始めた公害問題を踏まえた社会の風潮や、企業の信頼向上の必要もあって生まれたものでもあったが、七〇年五月に開始された「モーレツからビューティフルへ」の実施は時期的にも先見性があった。CMの音楽を担当した小林亜星は、いったん録音した音源を、マイクを振り回しながらスタジオで再録音している。音楽といい露出過剰のような光の表現といい、おぼろげな感覚を演出しようとする手法はフィーリング広告の延長でありながら、このような感覚重視の表現がビジネスと直結した領域でなされた点が画期的であった。加えて、新聞・雑誌やテレビ番組でCM特集が組まれるなど、かつて「トイレタイム」と呼ばれたCMが七〇年代に入ってにわかに主役として扱われ始めた状況も注目を後押しした。

商品を直接宣伝することのないこの大胆な広告を発案したのは、電通のプロデューサー・藤岡和賀夫である。藤岡は、大阪万博に関わった経験をもとに、かねてから「モーレッツ」に対する違和感を培っていた。ガスパビリオンの出展プロデューサーとしてモントリオール博の頃から準備に打ち込んでいた藤岡は、その過程で加熱する近代主義に対して次第に冷めた感情を抱くようになるとともに、広告人として、社会的な価値観を広く語りかける必然を感じ始めた(5)。高度成長とは人間性の喪失であり、その終着点として万博がある——そのような構図が藤岡の出発点であることは強調しておくべきだろう。その後彼がプロデュースする広告は、いずれもこの前提から発想されている。当時でいえば反体制の立場をとるわけだが、藤岡は万博に関わりながら、広告を介していわば自分なりのもうひとつの万博を実践しようと考えるに至るのである。モーレッツなる六〇年代を脱し、自らが時代の転換を起こそうという野心に満ちていた藤岡がそこで提唱したのが、「脱広告」の理念であった。

〔……〕広告の価値とは、その広告が企業や商品のことをいかに魅力的に訴えたか、ということではなしに、その広告それ自体が文化的、あるいは社会的に価値があるか否かで評価される。さらに、ここにおいて広告作法は従来の広告論と断絶するの

(5)『藤岡和賀夫全仕事（プロデュース）第二巻 モーレッツからビューティフルへ』PHP研究所、一九八八年、一七—二〇頁。

である。〔……〕そのためには、広告が企業や商品を主人として仕えるのではいけない。仕えるという言葉を使うのであれば、現代の文化や、社会思想や意識に仕えるものでなければならない。〔……〕これはもはや、従来の概念でいう広告とは呼べないだろう。私がこの種のものを脱広告と呼ぶのは広告作法としてまったく異るからである。(6)

(6) 藤岡和賀夫『華麗なる出発　ディスカバー・ジャパン』毎日選書、一九七二年、八七―八九頁、傍点は原文ママ。

「モーレツからビューティフルへ」に先立って、富士ゼロックスは藤岡のプロデュースで『毎日新聞』に企画広告「人間と文明」を連載した。それはまさしく、大阪万博の別バージョンとしての「紙上万博」を開催するという「脱広告」であった。同年に開催された東京ビエンナーレ「人間と物質」、翌年の現代日本美術展「人間と自然」などの大規模な美術展を連想させるタイトルだが、世界の知識人と活躍中のアーティストを新聞紙上で組み合わせるという「人間と文明」は、同時期に広告と美術がかつてなく接近した具体例といえるだろう。商品を宣伝しない広告の方向性と、複製に対するアーティストの関心の高まりが出会ったわけである。さらにこの年、富士ゼロックスと藤岡のコンビは天井桟敷と状況劇場による「電気紙芝居」をこけら落しとして、前衛的なイベントスペース「ナレッジ・イン」を銀座ソニービル内に立ち上げている。

藤岡の「脱広告」を受け入れた取締役の小林陽太郎の度量も特筆すべきだが、結果として「人間と文明」の掲載直筆原稿のコピーを読者にプレゼントする企画には三〇万通が集まる好評を博し、「モーレツからビューティフルへ」は先述のとおり大きな注目を浴びた。この時期に富士ゼロックスは人気企業ランキング一〇〇位以下から一気に三位に上昇、設立九年後にして年五〇パーセント増ペースの売上を実現したという躍進は、センセーショナルな広告の効果でもあっただろう。

そして藤岡和賀夫がこれらの仕事と並行して準備を進めていたキャンペーンこそが、「ディスカバー・ジャパン（以下D・J）」であった。

2　ディスカバー・ジャパン

藤岡と国鉄との付き合いは、一九六八年一〇月に行われた鉄道史に残る白紙ダイヤ改正、通称「ヨンサントオ（昭和四三・一〇）」に始まる。大規模な改正をアピールするために相談を受けた藤岡はマスコミを使ったキャンペーンプランを提案。国鉄が自家媒体、つまり駅舎や車両内を超えた媒体で告知を行うことはこれが初めてのことで、旅行招待の募集企画には一三七万通もの応募が集まるという大きな実績を残した。(7) この前例があり、ある程度国鉄という組織に通じている藤岡に、万博後から国鉄が開始するキャンペーンが託されたのである。その内容をみる前に、まずは国鉄が新たなキャンペーンを行わなければならなかった背景から押さえておこう。

(7)　森彰英『「ディスカバー・ジャパン」の時代　新しい旅を創造した、史上最大のキャンペーン』交通新聞社、二〇〇七年、一二―一四頁。

六〇年代後半、国鉄は経営状況の深刻な悪化に苦しんでいた。六四年度以降は赤字基調となり、毎年千億円単位で累積赤字が膨らんでいく財政の再建は急務であった。しかし相次いでなされた運賃値上げは乗客離れの悪循環を生み、自家用車と飛行機の普及率増加や都心部の地下鉄網の発達もあって、国鉄は交通手段のシェアを落とし続けていく。さらに同時期に労働運動の激化からストライキが繰り返され、国民からの印象も悪化。「ヨンサントオ」は打開策のひとつであったが、危機的な状況はなかなか上向かなかった。(8)

そこで好機となったのが万博の開催である。これに合わせて国鉄は新幹線「ひかり」を一二両から一六両に増やし、「こだま」とともに五分間隔の密なダイヤを組んだ。冷暖房完備の新車両、指定席用の新コンピューターの導入、国鉄バス夜行便「ドリーム号」の増発。膨大な設備投資は功を奏し、結果として国鉄は万博入場者六四〇〇万人のうち二二〇〇万人を輸送、予想を大幅に上まわる成果を上げることができた。

しかし万博後も好調を維持するには、次の一手を打たなければならない。また同時に、この流れに乗じて国鉄は国民からの印象を好転させたい狙いがあった。「「汽車は込むもの、坐れないもの」という印象は、十五年前と同じ形で、国鉄を利用する人びとが現実に抱いているところである。私たちは、こうしたイメージを打ち破りたい」(9)。青森から鹿児島までの全線電化の完成をはじめ、輸送力の増強や快適さの向上は実現しているにもかかわらず実績が伴ってこないのは、国民に国鉄に対する「カタイ、クライ、ワルイ」

(8) 国鉄の財政状況のデータは桑本咲子「ディスカバー・ジャパンをめぐって――交錯する意思から生まれる多面性」(大阪大学大学院文学研究科日本学研究室編『大阪大学日本学報』二〇一三年三月)を参照した。

(9) 佐々木峻一「新しい旅の創造をめざして――ディスカバー・ジャパンのあゆみと今後」『国有鉄道』交通協力会、一九七二年一月、四頁。

のフレーズが焼きついていることこそが問題であるとみたのである。万博時には金田正一投手を起用したテレビＣＭで「熱い万博と涼しい新幹線」を宣伝したが、さらなる呼びかけの必要を感じていた。世間に定着している悪印象を払うには、繰り返しのメッセージが有効であること、そして万博で乗客が増加したように、制度改革や商品開発以上に、イベントの盛り上がりがあれば実績に結びつくという確信もあった。「われわれ日本人はムードに弱い面があるということから、何か大きなキャンペーンをやって、旅行の総需要を拡大していかなければならないと思います」(10)。

こうした国鉄側の事情と先述の藤岡の野心的な志向が、ポスト万博という前提のうえで合致したのである。国鉄は万博開始の半年ほど前から準備を始め、七〇年に入って電通チームとの共同研究を開始。そして藤岡から発表されたキャンペーンのテーマは、やはり人間性に据えられた。コンセプトは「ディスカバー・マイセルフ」である。藤岡の言葉を引こう。

> 私たちが今やしなければならないことは、〔……〕誰でもが持っている「旅ごころ」に向けて、それを誘発するリズムを鳴らすことなのだ。「旅ごころ」は、誰もがあの「日常」というものを断ち切ったときに、虚仮不実《こけふじつ》の自分の中にあるもうひとつの自分を発見する、あるいは発見しようとするそのこころである。そう思ったとき、私はきわめて自然に「発見《ディスカバー》、という言葉はどうだろう。」と皆にきいていた(11)。

(10) 「(座談会) 増収新作戦、スタート！ ポスト万博販売対策を語る」『国鉄線』交通協力会、一九七〇年一〇月、二二頁。

(11) 藤岡和賀夫『華麗なる出発』、前掲(6)、四八頁。

私たちの「ディスカバー・マイセルフ」というキャンペーン・コンセプトは、明らかにマイセルフを日本人固有の「こころ」としていた。[12]

こうしてDISCOVER JAPANというタイトルが提案された。横文字が読まれにくいことに配慮したうえでつけられたサブタイトルは「美しい日本と私」。これは藤岡が思いついた後に川端康成のノーベル賞受賞講演(六八年)のタイトル「美しい日本の私」と類似していることに気づき、川端に直接依頼して「改めて命名して貰った」のだという。[13]商品よりも理念が先行したキャンペーンの採択は英断といえるが、もとより印象の向上などムード面での改革を求めていた国鉄は、藤岡の提案を受け入れた。

D・Jは、構想された時期の重複においても、「美」をキーワードにした主題においても、「モーレツからビューティフルへ」の続編ないしバリエーションであるといっていい。事実、時刻表やパンフレットで最初に発布されたキャンペーン告知文には、「モーレツからビューティフルへ」の一文がはっきりと刻まれている。富士ゼロックスは協賛企業のひとつであったとはいえ、企業のキャンペーンタイトルがこれほど堂々と国鉄の告知に入れられていることは驚くべきことである。

D・Jの主な特徴として挙げられるのは次の四点である。宣伝媒体の多様さ、企業協賛による規模の大きさ、ターゲットの限定性、そしてヴィジュアルイメージの匿名性。はじめの二つは関連しており、キャンペーン中の取り組みはその多くが新規媒体の開発に

(12) 『藤岡和賀夫全仕事(プロデュース)第一巻ディスカバー・ジャパン』PHP研究所、一九八七年、四七―四八頁。

(13) 同前、五五頁。

費やされていた。国鉄提供のテレビ番組を持つなどの初の試みに加え、タワーやスタンプ台などＤ・Ｊ独自の媒体を自ら作り出すことで企業からの協賛を集め、その協賛金によってキャンペーンの拡充を図る仕組みになっている。これによってＤ・Ｊは国鉄の支出を大幅に上回る資金で運営することができ、また広範囲な領域と多メディアで宣伝を行うことが可能となった。

ターゲットの限定は、受容者層と地域の両面においてなされた。まず、六〇年代の末頃から若い女性のグループ旅行や単独旅行が増加傾向にあり、女性誌をみても旅の特集が人気を得ているという実態を踏まえ、対象は若い女性に定められた。さらに全国画一的な宣伝を廃して、キャンペーン地域は東京・名古屋・大阪のいわゆる東海道ベルト地帯に絞られた。これ以外の地域は観光協会などの地方版ポスターや各地の駅の独自企画で盛り上げる。

そして何よりもＤ・Ｊが衆目を集めたのは、ポスター（図１）の果たした役割が大きい。「モーレツからビューティフルへ」と同じくきわめてシンプルな構成と内容のあいまいさが特徴だが、それは若い女性というターゲットの反応を狙うとともに、具体的な旅の内容は旅客各自が個人で「ディスカバー」するのだという趣旨を伝えるために必要な要素であった。日本の風土をあらためて見直そうとするメッセージそのものは決して目新しくはない。しかしタイトルやその内容以上に、一見して意味がわかりにくく、国鉄という主体の扱いもきわめて小さいこのポスターが、それまで地味な印象の勝っていた

（図１）
ディスカバー・ジャパン no.2、一九七〇年一一月

国鉄の駅舎や車両に一挙に現れたことのインパクトは非常に大きかった。

ただし、キャンペーンの推移に沿ってヴィジュアルも変化している。人々の話題をさらった感覚的デザインはごく初期のもので、コピーも写真も次第に現代的というよりはノスタルジックなものに変わっていく。これはおそらく国鉄側の意向を反映した変化だろう。キャンペーンに伴って新設された旅客局サービス課の初代課長・佐々木峻一によれば、スタートから半年はキャンペーン自体の印象づけに全力をあげ、七一年の二月からを第二期と設定。この時期から具体的な商品の宣伝へと切り替えていく、とある。[14] 実際その頃からミニ周遊券や「心のふるさとお寺券」などの商品の販売が重点化されており、これに伴ってポスターのイメージも徐々に具体的な地方色を強くしていったものと思われる。

(14) 佐々木俊一「新しい旅の創造をめざして」前掲(8)、六頁。ただし『宣伝会議』一九七二年一月号インタビューで佐々木は具体化の前段階を「七一年の三月まで」と発言している。

3　反響とその後

では、D・Jは当時どのように受け止められたのか。新聞を通覧すると、赤字、スト、通勤ラッシュなどの問題を後回しにしたあからさまな金儲けであるといった意見が特に多く、他では「政治的唯美主義」である、「ディスカバー・アメリカ」の真似で独創性がない、など厳しい投書や記事が目立つ。雑誌では「象徴天皇主義復権運動の路線だ」など極端なものも含めてナショナリズムを懸念する批判的な論調が主流で、新聞と同じく好意的な内容はほとんどみつからない。D・Jを特集した『宣伝会議』七二年一月号の座談会では、「国鉄は赤字だというのに、かなり金を使っている」、秘境へ人が出かけることで「デストロイ・ジャパン」が起こる、といった意見が同席の藤岡に対して直截に投げかけられている。

だがこれらの反応はほとんどキャンペーンが人目についたことの裏返しともいえるだろうし、権力としての日本国有鉄道の動きを牽制することはマスメディアの自然な応答とみるべきだろう。反響をより素直に見るためのデータとしては、今挙げた『宣伝会議』に掲載された「ディスカバー・ジャパンに対する広告担当者の反応と評価」が参考になる。東京・大阪の一般企業の広告を担当する中間管理職一〇〇名を対象に行われたこのアンケートでは、テーマ、表現、全体的な印象などいずれも肯定的な意見が圧倒的に多く、高い評価が見て取れる。キャンペーンのターゲットである若い女性の反応はデータとして測りかねるが、いわゆるアンノン族ブームと相まった女性の少人数・個人旅行の社会現象化をみても、おおむねD・Jは当初の狙いのとおりに受け入れられたと考えるべきだろう。キャンペーンによって国鉄の負債は減らなかったというデータもあるが、(15)ミニ周遊券を中心とするヒット商品が生まれ、懸念されていた万博後の乗客数冷え込みもなくむしろ上昇。また「ディスカバー〇〇」は流行語となり、古い日本の風景とおしゃれな若い女性を組み合わせたD・Jポスター風の広告表現も定番として広まった。広

(15) 桑本咲子、前掲(8)、一三七頁。

告に社会的、文化的な価値を持たせ、「自分の中のもうひとつの自分」を発見させるという藤岡の描いたスローガンが実現したか否かはさておき、少なくとも国鉄にとって、キャンペーンは成功をおさめたといえる(むろん数値的な成果とキャンペーンの内容がもたらした意味とは別の問題である。このキャンペーンからいかなる問題が引き出され議論されたのか、そしてそれを今日いかに考えることができるのかについては、D・J論争を扱った次節「すべては白昼夢のように」に譲る)。

ただし、キャンペーンに対するマスメディア上の反応は、ポスターの図像が一様に懐かしさをテーマとした内容に収斂していく動きと同調するように七三年あたりから極端に減少し、七四年以降はほとんど見当たらなくなる。キャンペーンがインパクトを持ったのはスタートからの二年ほどであり、その後は静かに定着していったようだ。七四年初頭には石油危機に応じて不急の旅行を抑えるためにD・Jを中止するという記事があり[16]、七四年から七六年までのキャンペーンの詳細ははっきりとしない。七七年一月から後続キャンペーン「一枚のキップから」が始まったため、D・Jは七六年一二月で終了したとされている。これに続いて七八年から八三年頃にかけて行われた「いい日旅立ち」もまた藤岡が手がけたキャンペーンで、「DISCOVER JAPAN 2」の副題がロゴに入れられた。タイアップした山口百恵の同タイトルの歌がヒットして話題となったが、「2」と位置づけられているとはいえすでにこれは別のキャンペーンといっていい。終了後のD・Jは、主に七〇年代という時代の回想とともに間欠的に呼び起こされ、伝説的なキ

(16)『鉄道ピクトリアル』鉄道図書刊行会、一九七四年二月。また同時期の『宝島』(晶文社、一九七四年一月)にも「国鉄が、あの「ディスカバー・ジャパン」のキャンペーンを取りやめるという」とある。

ャンペーンもしくは時代固有の現象として語り継がれて今に至る。

さて、以上でＤ・Ｊの全容について概観した。最後に、「ディスカバー、ディスカバー・ジャパン」と題した展覧会を企画した趣旨について簡単に触れておきたい。このキャンペーンは、規模の大きさや実施されたタイミングをふまえて、社会史、文化史、広告史、鉄道史などの文脈で主に語られてきた。社会的な事象といくらでもつながるＤ・Ｊを扱ったこの展覧会もまた、「文化史的な展覧会」であるとみなされることだろう。けれどこの展覧会は、そうした言辞が暗に想定する、つまるところ因果関係のネットワークに事象を落とし込む作業であるような史的記述から、なるべく遠くへ行くことを目指した。余剰を削ぎ落とした「〇〇の時代」の枠組みに閉じ込められたＤ・Ｊを解放することこそが課題であった。森正人『昭和旅行誌――雑誌「旅」を読む』（二〇一〇年）、野村典彦『鉄道と旅する身体の近代』（二〇一一年）など、Ｄ・Ｊを旅の概念の変容の中に位置づけた考察が成果を上げているのに対して、この展覧会は視覚文化とキャンペーンとの関わりを念頭に置いた。時代に釘づけされたキャンペーンを今日へとたぐり寄せ、「発見」と題されたキャンペーンがあらためて発見され、思考と議論の場が形成されることになれば嬉しい。

すべては白日夢のように
——中平卓馬、エンツェンスベルガー、今野勉

70年という年は、まだ見ないうちからずいぶん有名な年になってしまった。〔……〕しかし、あまりに有名なものは、やたら期待しすぎると会ったとたんにガッカリしかねない。

70年というのは、ちょうどうまいことにアンポとエクスポというポのつくものによって東西を飾りたてられている。これは必ずしも偶然ではなく、事と次第によっては両者を統一してインポへと導く道が、何者かによってしかけられているのだ。(1)

(1) 赤瀬川原平「蒼ざめた野次馬を見よ」『オブジェを持った無産者』現代思潮社、一九七〇年、二七六—二七八頁。

一九七〇年という年は特別な年である。それが特別であることを、誰もがあらかじめ知っていたという点において。このキリのいい数字とともに、アンポとエクスポの連れてきた高揚感がどのように転じるか、みな承知済みであったのだ。そのようなときに始まった国鉄のキャンペーンのこともまた、誰もがやはり、あらかじめ知っていたのかもしれなかった。与えられていた未来が本当にやってきたとき、人はそこにどのように向

き合い、「何者か」はどのように描き出されたか。そのごく一部を観察してみた報告を記すことにしたい。

1　中平卓馬のディスカバー・ジャパン批判

駅で、電車の中で、テレビで、雑誌で、新聞で（図1）。万博に劣らず華々しく世間を飾り立てたアルファベットと矢印を、人々は待ち構えていたように賛否の評判で迎えた。広告、デザイン分野と並んで写真分野で反応が多かったのは、それが写真の置かれた状況の写し鏡のように見えたためにちがいない。

このディスカバー・ジャパン（以下D・J）というキャンペーンはポスターを中心にヴィジュアルを先行させる戦略をとり、その効果の大部分を写真に委ねていた。そして、一人一人が自由に歓びを発見する旅こそが本来の旅であるというコンセプトに沿って、ポスターの写真は観光という目的に奉仕しない、あいまいで自律的なイメージが選ばれた。その結果あたかも、そこらじゅうで特定グループの写真展が開催されるような状況になったのである。[2] 広告として反復され、増殖し、生活空間を隅々まで埋め尽くしていったそれらの写真は、風景の見方の定型を広めていくことになる。カメラの小型・軽量化やカラープリントの一般化も手伝って、六〇年代後半から普及していた旅行者の記念写真

（図1）

『国鉄線』一九七〇年一〇月号より

（2）「国鉄の構内や車内はまるで、〇〇写真グループの作品発表会のようだ」という評判も実際にあった。佐々木峻一「《インタビュー》〈美しい日本と私〉への反響」『宣伝会議』一九七二年一月、三七頁。

には、地方の風景をバックに人がぽつんと立つようなD・Jポスター風の写真がこの頃よく見られた。そのひとつの典型を示した当時の広告写真（図2）は、森正人の指摘のとおり、D・Jを意識したものというより視覚の制度化を現した例といえよう。(3)

D・Jに限らず、広告産業の目覚ましい発展とともに世間には広告写真があふれ、写真の受け止められ方自体が明らかに変化しつつあった。たとえば商業ポスターを部屋に飾ることの流行にみるように、広告本来の宣伝機能を無視してインテリアとして受け入れるくらいに、生活の内外の差異は見えづらくなっていた。都市とプライベートな部屋の中がシンクロし、写真は複製された「情報」のひとつとして生活に溶け込み、皮膚感覚になじんだのである。意識しようとしまいと、写真に携わる者であれば誰しも、「映像の時代」などと呼ばれたこのような事態に反応せざるを得なかった。ことに写真を介して国家全体を一様なイメージで覆うかに見えたD・Jは、情報化、大量消費、複製文化の申し子として、写真界で当然のごとく取り沙汰されたのである。

とはいえ当時の写真雑誌や写真家の発言をみても、キャンペーンに伴って増加した旅の写真や、D・Jに見られる地方イメージの典型性について表面的に触れただけのものが多い。その中で一人、このキャンペーンに著しく反応した人物がいた。中平卓馬である。写真家として、舌鋒鋭い論客として、彼はじつに執拗にして激烈な批判をD・Jに投げつけていくことになる。

中平のD・J批判の最も早い例はおそらく、一九七一年一〇月、キャンペーン開始

（図2）

『旅』一九七五年一〇月号、小西六広告

（3）森正人『昭和旅行誌――雑誌『旅』を読む』中央公論新社、二〇一〇年、二〇二―二〇三頁。

から一年ほど経過した時期に書かれた書評である。(4) つげ義春、北井一夫、大崎紀夫の、いずれも中平と縁ある三人が上梓した旅行記『つげ義春流れ雲旅』に対する評において、中平はいささか唐突にD・Jを俎上に載せる。

彼はこの「人を馬鹿にしくさった国鉄のキャンペーン」(5)が、「土着」を前提としているという点から批判を切り出す。「土着」とは「近代」との裏表で生まれた相対概念であり、独立して存在することはない。にもかかわらず、あたかも「近代」の外に〝発見〟できる別個の「土着」があるように見せ、なおかつ搾取し搾取される関係でその双方が互いに安定している様を見せるD・Jは、「近代のロジックそのもの」であると中平はいう。

> この国鉄キャンペーン、とりわけその中吊りポスターを見るたびにぼくはある種の凶暴な怒りにかられる。〔……〕ここには都市が農村を抑圧し、農村は都市に抑圧されることによって逆にみずからの存在を確保する図が極めて象徴的に表現されている。だが真の抑圧者はそれら二つを抑圧―被抑圧の関係に置くことによってその上に君臨する資本であり、またそれを支える権力であることはもはや火を見るよりも明らかである。(6)

辺境への旅という書籍の趣旨に触れただけで、中平は書評という場をほとんど踏み外してまで、「凶暴な怒り」とともにD・Jのことを想起せずにはいられない。この怒り

（4）
中平卓馬「『つげ義春流れ雲旅』」（著者への手紙）『現代の眼』現代評論社、一九七一年一〇月。なお、この文献ならびに後述する中平の「とらわれの旅」を掲載した『朝日ジャーナル』について、石塚雅人氏に文献の示唆をいただいた。

（5）
以下この段落の「　」内は同前より。キャンペーンを形容する言葉だけで、中平の憎悪のほどがわかるだろう。他にも中平は著書『なぜ植物図鑑か』において「国鉄の馬鹿げた、それでいて高慢な観光キャンペーン」（「記録という幻影」）、「国鉄の売り上げ増進大プロパガンダ」（「アフリカから帰る」）などと書いている。

（6）
『つげ義春流れ雲旅』前掲（4）、二〇二頁。

は収まることなく持続し、ほぼ一年後、中平はさらに正面を切ってD・Jを論じるに至る。

「疑似的ドラマへの参加　ディスカバー・ジャパン　とらわれの旅の意味について」(7)と題したその論の中で中平は、キャンペーンが「われわれに与えた影響、その政治的、文化的・意識的な側面こそが問題」であるとしたうえで、ここでも先の批判と同じく、まずはポスターのイメージに近代と前近代の悪しき抑圧構造がいかに象徴されているかを分析する。たとえば、流行服をまとった若い女性が農村の老人にかがみ込んで話しかけるという構図。(8)それが伝えようとする都市と村のほほえましいコミュニケーションなるものは嘘であると中平は断言する。なぜならこの構図の裏には「都市→村、モダンなもの→土着的なるものという暗黙のヒエラルキー」があり、村の「低みまで降りていってやる」という都市の優位にこそキャンペーンが依拠しているからだ、と。

ディスカバー・ジャパンのキャンペーンはこのようなわれわれの意識の中における近代への憧れ、それから逆転して前近代への優越感を最大限に利用する。〔……〕それらは要するに都市という高みから、村、辺境へまい降りてゆき、だめなものにも一寸の良さがあるものだ、それを探そうと呼びかけているのだ。都市において抑圧され続けている者にとって自分よりさらに下があるということを発見するのはおそらく心楽しいことであろう。それが事実でなくてもかまわない、そのように錯覚す

(7)『デザイン』美術出版社、一九七二年一一月号、三一―三五頁。このテキストは『なぜ、植物図鑑か』(晶文社、一九七三年)に収録されるにあたって、「疑似的ドラマへの参加」というタイトルが外されているのをはじめとして、文脈が変化しない範囲で非常に細かく加筆修正されている。本稿では文庫版『なぜ、植物図鑑か——中平卓馬映像論集』(筑摩書房、二〇〇七年)所収のものを参照した。

(8)中平は論の初めに、農村の老人が仕事をしている様をのぞき込みながら話しかける都会風の二人の女、という構図をやや詳しく説明するのだが、調査の限りでその記述と符合するポスターは見つからなかった。

ることそれ自体がみずからの抑圧的状況を一瞬の間でも忘れさせてくれる。(9)

この大いに皮肉を込めた文章にはすでにひっかかるところがあるのだが、先走る前に続きをみていこう。都市=近代と、村=土着という対立構図を前提とする悪しきヒエラルキーを論じてきた中平は、ここから虚と実という二項をめぐるテーマへと筆を進める。

> ポスターの中の女たちは優越的である。何に対してか。古いもの、土着的なもの、村的なもの、前近代的なものに対してである。それらはまぎれもなく虚構である。だがその虚構を現実にすりかえるところ、そこにディスカバー・ジャパンの一連のポスター・ポリシーが成立している。(10)

ここで中平が引合いに出すのは、新聞の読者投稿欄上でなされた小さな論争である。一九七〇年九月頃、すなわち大阪万博の終幕間際、D・J開始直前の時期に、「Make Your Country 東北」と題した四枚組のポスターが関東圏の電車に張り出された（図3）。ファッショナブルな女性モデルが東北を旅する場面をとらえた写真と英語を交えたロゴタイプのみで見せる構成はD・Jのテスト版の意味を持っており、この国鉄の新機軸はすぐさま賛否の反応を集めることになった。議論の場となったのは『毎日新聞』の「読者の広場」である。「日本の田園に働く若者のイメージからはほど遠い。〔……〕日本の

（9）「ディスカバー・ジャパン とらわれの旅について」『なぜ、植物図鑑か』前掲（7）、二七一―二七三頁。

（10）同前、二七三頁。

（図3）

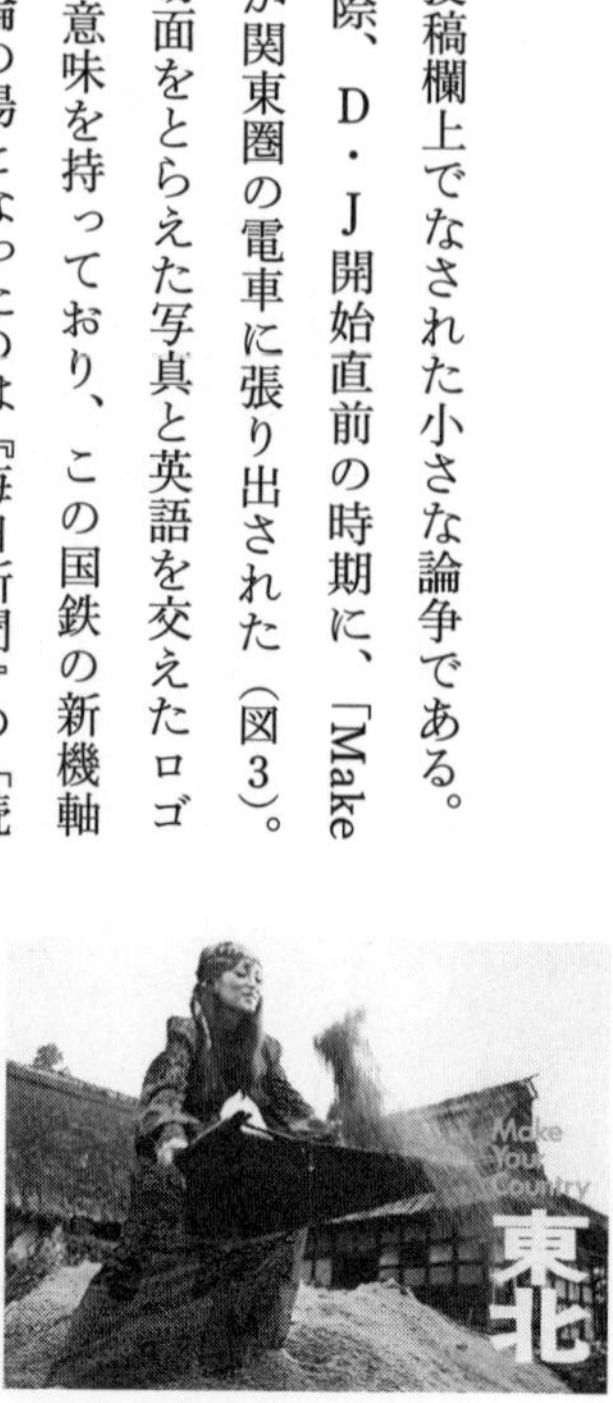

Make Your Country 東北2、一九七〇年九月

東北なら横文字は不要である」(九月六日)との批判が口火を切り、「都会の若者、いなかを知らない人々にいなかの味、素朴のよさを感じさせ、旅情が誘われる思いがします」(九月一一日)と反論が投げかけられた。続いて「全くイメージを異にするポスターを掲げることには反対です。もっと地方の真のよさを描写すべきである」(九月一三日)と別の人物から再反論がなされた。あくまで忠実な風景の表象にこだわる批判と、ポスターとしての見栄えを優先する擁護論がぶつかったわけだが、中平はこの擁護者のような思考を危惧する。中平に従えば、D・Jは危険なまやかしなのである。ポスターは現実から目を逸らせてしまうものであり、仮にキャンペーンに乗って(乗せられて)地方に出かけたところで、「近代」のフィルターを通してあらかじめ抑圧された虚構の「地方」、もしくは「近代」のおぞましい優越感の確認にしかならない。近代と前近代という設定は「日本独占資本主義」が吹聴する偽の二元論であり、それによって人民は収奪されているのだ、と。そして中平は「現実」への注視の必要を繰り返し説く。

われわれには現実にあくまでも踏みとどまることによって、この現実を破壊し尽くすか、あるいは幻想の自然の中へさまよい出るしか道は残されていない。われわれに残されたたった一つの旅は空間的な旅ではなく、垂直な旅、この現実に踏みとどまり、この現実を破砕してゆく、そのような旅である。(11)

(11) 同前、二七九、二八三頁。

造反有理の四文字がまさにふさわしい中平の勇猛な批判は、権力に立ち向かう反体制の闘士の言葉として輝かしい。だが読めば読むほどに、その論理には粗雑さが目立つと言わざるを得ない。

2　とらわれの旅

まず中平は、D・Jが「われわれに与えた影響」を問題視しようとするのだが、彼の文章に頻出する「われわれ」という主語の所在はいかにも不安定である。というのも、「資本」ないし「近代」に抑圧されている、当然中平を含む「われわれ」の立場からの批判のようにみえて、そのじつ中平は文脈に応じてその「われわれ」の中から自分を除外したり、と思えば自分を入れたりと、巧みに使い分けているのである。その危うさはすでに引用した文章にも現れているが、このことによって決定的に脆さを凝縮している例を見ることにしよう。同じく「とらわれの旅」と題された、中平による『朝日ジャーナル』掲載の一連の写真である（図4）。

中平には珍しくわざわざ観光地に取材したこのルポルタージュには、一枚一枚の写真にキャプションが付されている。「重要なことはどこへ行ったのかの確認であり　証拠としての記念写真だ」「旅は終った　あとに何が残されたか……」。皮肉というよりは嘲笑に近いキャプションである。この告発めいた記事に貫かれたスパイのようなカメラ・アイが如実に示すとおり、D・Jを攻撃しようとしていたはずの中平は、ここでその矛先

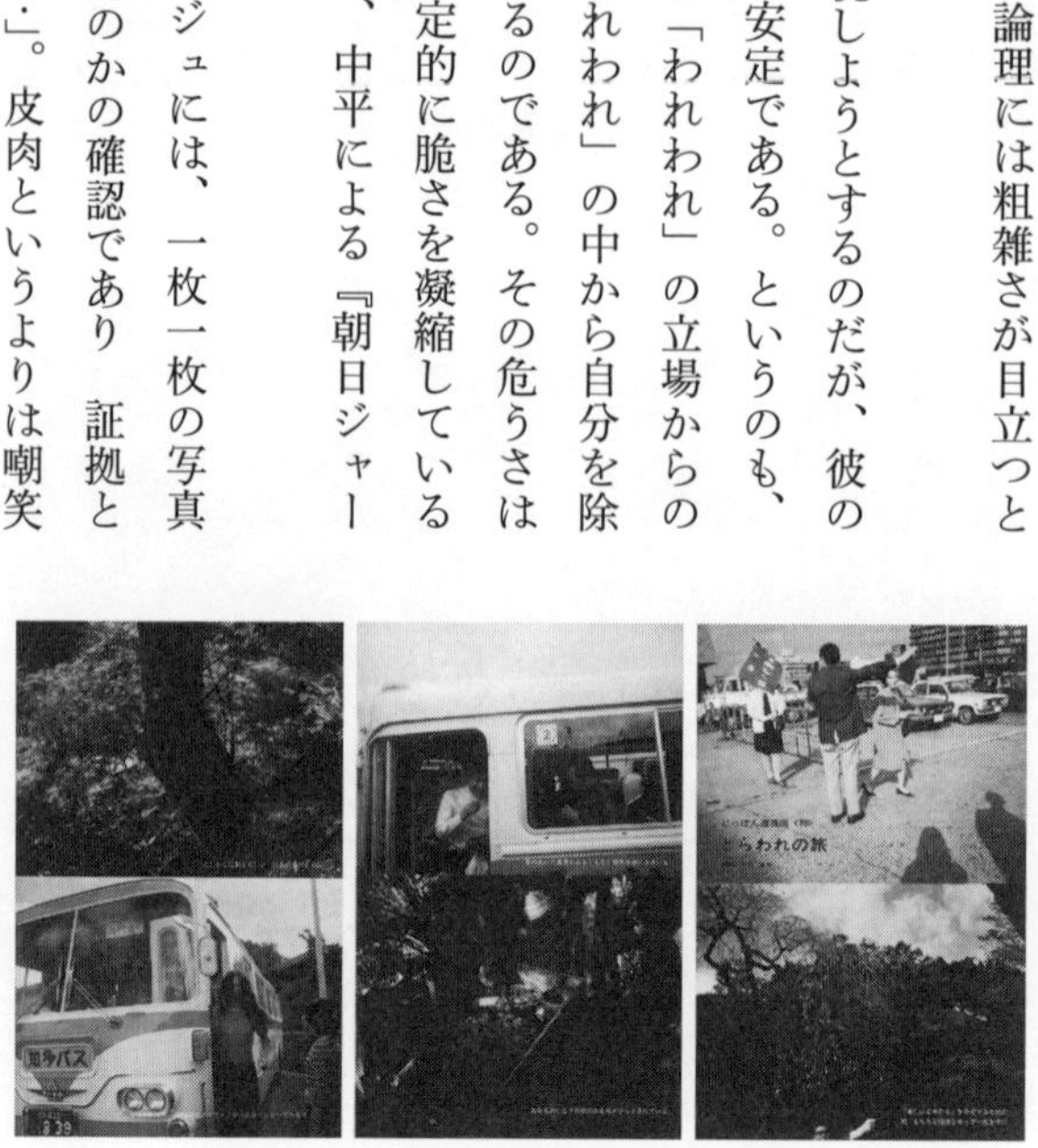

（図4）
中平卓馬「とらわれの旅」『朝日ジャーナル』一九七二年一二月二二日号。

を旅行者に向けている。

中平の考えは、「われわれ」がキャンペーンにまんまと踊らされ、無為な時間を過ごすことで補強される。そのことを示すのは都合よくつけられたキャプションでしかないのだが、自身の写真を露骨な絵解きに用いてまで、中平は旅行者を蔑視する。「既成の言葉のイラストレイションとしての写真を否定する」(12)といったのは、中平その人であったのに。このキャプションが中平によってつけられたものなのか編集者によるものなのかは定かでない。だがいずれにせよ、この一連の写真が批判の目的に奉仕した、いわば証拠写真であることには変わりない。ポスターの中で村に優越感を抱く女たち、あるいは資本に操られる人々という中平の設定を現実の姿として仕立て上げ、そこで特権的な立場をとっているのは中平本人にほかならない。彼が発していた呪いの言葉のすべてが彼自身を逆襲する。ここで彼は、前もってポスターを批判した当の行為を自ら再演してしまっているのだ。

また彼は、キャンペーンから「近代」という概念を引き出す過程で、いつしかキャンペーンの内容やポスターの要素からそれこそ目を逸らし、あらゆる旅を等閑視してしまう。D・Jが描いた旅行者とはまったく異なる団体旅行者であろうと、競馬好きの男たちであろうと、もはや中平には関係ない。「われわれに残されたたった一つの旅はこの現実を破砕してゆく旅だ」と彼が叫ぶとき、それはもはや旅というものの全否定に接近していまいか。

(12)「記録という幻影」『なぜ、植物図鑑か』前掲（7）、五三頁。

国鉄もしくは電通という、批判の対象としていかにも選びやすい権威を前に、中平は性急さのあまり盲目になっている。彼の批判はもともと〝虚構に色づけされた現実〟を斬るべく始められたはずが、結局は「虚構（幻想）」と「現実」とを切り分け、あいまいなままに純粋な「現実」の重要性を投げかけたまま批判としての弾力を失っている。彼がいいたい「現実」は、『朝日ジャーナル』で発表したようなキャプションつきの安っぽい写真ではなかったはずだ。それなのに批判が先立つあまり、中平は被写体を自らの願望どおりに愚かしく見せている。じっさい、キャンペーンが誘うとおりにブームに乗った旅行者は多かった。だがその人々に「プロセスがない」とか「私はいったい何をしているのだろう」と思ったとかいったことは、誰にも知りようがないのだ。彼の論が成り立つには、あらゆる広告が、旅が、「近代」が、つねに悪であり続けなければならない。「われわれ」は愚かにも虚構にだまされる、だが「われわれ」は現実に留まらねばならぬ、だが「われわれ」は愚かにも…… という糸口の見えない堂々めぐりの果てに、中平は自身以外のすべてを罵らざるを得ない。つまりとらわれていたのは、中平であった。

3　D・J⇅中平卓馬

中平の焦りと苛立ちは、おそらく半ば彼自身に向けたものであったろう。中平が写真家として活動を始めた六〇年代後半、冒頭で書いたような日ごとに強まるマスメディアの圧倒的な浸透力は、写真の「情報」化とともに写真家の悩みに直結していた。無数の媒体を通じて大量の「現実」が洪水のようにあふれる中、記録装置としてのカメラがとらえる画像がつねに真実であるとみなされてしまうことへの怖れが多くの写真家をおそった。撮影者によって意味と輪郭が与えられたあくまで恣意的な「現実」が欺瞞を持ち得ると認識されたとき、決定的なシャッターチャンスというものは疑われ、報道写真のように目撃し、発見する姿勢は信じられなくなっていった。マスメディアが流す情報の恣意性のみならず、写真家がその情報の送り手として置かれてしまう自らの絶対的な立場をもろとも警戒する気運がおのずと生まれた。

この流れを汲んで、ごくありふれた風景を誇張なく撮るいわゆる「コンポラ写真」が注目された一方で、主に言論の面でそうした状況批判を牽引した筆頭こそが、中平であった。

ある意味でわれわれがこれほどまでに現実に浸透されつくして生きた時代はかつて一度もなかった〔……〕〔われわれは〕現実ではなく現実の似姿《イメージ》を現実そのものと信じ込んでしまっているのではないか。そのことがまず最初に問われなければならないだろう。(13)

(13) 同前(7)、四三頁。

中平は「近代」や「資本主義」の権化としての、そして虚構としてのマスメディアが伝える「イメージ」を攻撃し、実存主義的に「カッコぬきの現実」「私の生きる生の記録」(14)を求めた。彼は旅行者が撮るような「証拠としての記念写真」を忌み嫌う。なぜならそれは、直接の体験でなく間接的な体験を促す写真、すなわち見ることよりも見られたことの確認として機能する写真であり、手触りとしてある「現実」の確かさの代償として働く写真であり、「われわれ」の「現実」不感症、あるいは写真不感症に写真自体が加担していることを示す写真であるからである。

中平が憤りを覚えるそのような問題群を、まるごと体現していたのがD・Jであった。タイトルからして「発見」を謳い、ターゲットとしての若い女性に合わせた一面的な風景を大量に複製・流通させ、またそれに乗って大量の記念写真が生み出されていく。D・Jはまるで、反転した中平卓馬であった。中平の批判はほとんど生理的な反応であり、写真家としての彼のアイデンティティに関わる切実な闘いであったといえよう。広く見ればそれは、商品の単純な宣伝に次ぐ新戦略として芸術のようにふるまうようになった広告分野と、枠づけられた芸術表現に二の足を踏む芸術の一潮流との必然的な衝突であったわけだが、その突端で、中平は煩悶していたのである。

いうまでもなく、ぼくはここで中平を貶めてD・Jを持ち上げるつもりは毛頭ない。たしかに、D・Jは批判されてしかるべき側面を持っていたと思うし(15)、そもそも四〇年以上前の文章に文句を付けても詮ない。仮に今問題にし得るとすれば、以上のような中

(14) ともに前掲(7)、五四—五五頁。

(15) 調べたかぎりで、最も的を射ていると思われたのは山崎昌夫の「ディスカバー・ジャパン批判」(『中央公論』一九七一年一二月号)である。山崎はD・Jの小冊子『美しい日本と私71』に対してこう述べる。「パターン化した旅行を強制することを極力避けるような身振りで、特定の美、主観的なものであるはずの美への手放しな接触を、それはうながし、煽りたてている」。美意識はあくまで個人に属すると強調する一方で特定の美を提示する自家撞着を起こしつつ、D・Jは現状を肯定したままあらゆる主体を一気にからめ取ってしまう。旅の中身は不特定であるといいながら、D・Jにおいて「美しい日本」以外の選択肢はない。そして山崎はいう。D・Jは新しい旅を創り出したのではなく、新しい旅

平の論の引き継ぎ方だろう。

中平とD・Jといえば、まことしやかに語られてきたおなじみのエピソードがある。D・Jポスターのブレ写真は、中平が参加していた同人誌『プロヴォーク』が打ち出した手法の模倣である、という噂のような話である。『プロヴォーク』創刊が六八年、D・Jのスタートが七〇年。時期的にも、いわゆる「アレ・ブレ・ボケ」の話題性からいっても、そのように推測してもおかしくはない。だが（真相をいえばD・Jポスターのアート・ディレクターであった川原司郎が語るように[16]、もとは東京オリンピックの際に制作された広告にさかのぼるのだが、それはさておき）何よりも、両者の写真は、ブレという手法以外まったくもって似ていないのである。よほどの曲解がなければ、両者に模倣関係を見るのは無理がある。ブレだけを取り出して騒ぎ立てるような短絡がなぜ生き延びることになったのだろうか。

「ある友人が冗談まじりに《PROVOKE》もたいしたもんだね、国鉄までブレてるよ、と言ったことがある。冗談ではない、それはむしろ逆の証左なのだ。彼らはあらゆるものを骨ぬきにし、しかもその形だけは残すのだ」[17]とは当の中平の言葉である。ここでいう「彼ら」とは国鉄であり電通であり「資本」であるのだろう。中平はそれらが表面的な要素を奪うこと、そしてプロヴォークの写真の一特徴がスタイルとして固定化してみなされることに同時に憤るわけだが、ブレ写真をあたかも特権的な方法のように焦点化することは「彼ら」に対するいわれなき八つ当たりではなかろうか。このあまり

というイメージの販売方法を発見したのであり、特定の「新しい旅」のイメージをふりまくことによって、むしろ本来は創造的でたくましく無謀ですらあるはずの旅の機会を奪うのだ、と。観光に限らずキャンペーンという方式がオルタナティブの芽を摘んでしまう危うさを論じたこの批判は傾聴に値する。

(16)「「黒い国鉄」をカラフルに　川原司郎インタビュー」『ディスカバー、ディスカバー・ジャパン「遠く」へ行きたい』図録、東京ステーションギャラリー、二〇一四年。

(17)「記録という幻影」前掲（7）、五七頁。

に短絡的なエピソードをゴシップ的な冗談であれ持ち越すことは、マスメディアは芸術を掠め取るという硬直したお決まりの図式、あるいは中平の陥った隘路をふたたび辿ることにしかなるまい。中平の鋭利な批評は魅力的である。だがこの例は、まともな検証なくその論調が受け入れられてきたひとつの現れであるように思われる。

ともあれそれは本題から外れる。ここで中平のD・J批判を取り上げたのは、これがきっかけとなって、D・Jの副産物というべきもうひとつの論を呼び込むことになったからにほかならない。

4 エンツェンスベルガーの「操作」

世間でD・Jの反響が消えつつあった七四年、中平の批判に対して思わぬ方向からコメントが寄せられた。その主は国鉄でも電通でもなく、D・J関連のテレビ番組として始まった「遠くへ行きたい」のディレクターであり、中平と知己でもあった今野勉である。[18] 今野は、先に触れた新聞紙上の小さな論争に始まるD・Jをめぐる種々のやりとりをつぶさに観察していきながら、中平の批判に焦点を当てて疑問を投げかけた。上述した中平の使う主語の問題などはじつのところこの今野の論から導かれた考察なのだが、今野は特に、中平によるH・M・エンツェンスベルガーの論考「旅行の理論」[19]の引

(18) 今野勉「ディスカバージャパン論争」『今野勉のテレビズム宣言』フィルムアート社、一九七六年。初出は「〈ディスカヴァー・ジャパン〉論争―幻影と現実」『芸術倶楽部』フィルムアート社、一九七三年一二月号。

(19) エンツェンスベルガー、石黒英男訳「旅行の理論」『意識産業』晶文社、一九七〇年。

用のまずさを指摘する。問題となるのは次の一節の解釈である。

トゥーリズムは、その製品と宣伝が同一化した産業だ。そこでは、消費者は同時に被雇用者でもある。旅行者がスナップとして写すカラー写真と、かれが買いとり、郵送する絵ハガキとは、ただ写しとられた状況の相違によって区別されるだけである。それらの写真こそ、まさにかれの実現した旅そのものなのだ。旅においてかれ「旅行者」が目撃する世界は、あらかじめ複製された世界である。旅行者に与えられるものは、そのステロ版にすぎない。そこで、その複製のなかに足を踏みいれるようにとさそう宣伝ポスターの正当性を、旅行者が確証してみせるのである。虚構の存在を真実とみなすこの確証が、トゥーリストの実行するほんらいの作業なのだ。[20]

中平は、この最後の一文「虚構の存在を真実とみなすこの確証が……」という下りをもって、虚構を現実にすりかえるD・J、そしてそれに踊らされてしまう大衆、という自説の後ろ盾にしようとする。一見すると円滑な文章に見えるのだが、じつはこの引用が齟齬をきたしていることに今野は気づく。あらためてもとの文章にあたって確認してみると、エンツェンスベルガーはここに批判的な意味を込めていないことがわかるのである。ここで彼はよりニュートラルに、トゥーリズムが虚構(=複製情報、宣伝)どお

(20) 同前、二五〇—二五一頁。

りの観光地を確認する退屈な作業であることは、トゥーリストならみな承知している、という前置きを示しているにすぎない。結論までの中途にあたるこの部分に、もともとエンツェンスベルガーの主張はない。エンツェンスベルガーは旅行者のこうした幻滅を踏まえたうえで次のようにいう。「しかし、いかにバカげたものであり、無力なものであろうと、その逃避〔＝トゥーリズム〕のひとつひとつが、そのまま離反の対象〔＝産業文明〕にたいする批判なのだ(21)」。

　エンツェンスベルガーは「トゥーリズムを支えている欲求は、自由の喜びへの欲求だ」と述べ、旅行者に潜在する「反逆の力」を支持する。これが結論である。宣伝のような観光地などあり得ないのに、それにだまされる旅行者の愚かしさを非難する中平。対して、観光地は宣伝どおりだが、それでもなお旅行者の潜在力を見るというエンツェンスベルガー。つまり中平は、もとはほとんど真逆の主張をしている論を部分的に切り取り、我田引水していたわけである。

　今野は指摘していないものの、このような例はじつはまだある。詳細は省くが、他所で中平は同じくエンツェンスベルガーの主著『メディア論のための積木箱(22)』における、新たなメディアの登場によってドキュメンタリーという概念にゆらぎが生じたことを考察している部分を引用してこう述べる。「すべての現実の記録は、現実の記録であると同時に、ひとたびブラウン管を通せば、メディア主体の操作を通じて、すべてフィクション化される(23)」。そして中平は「メディア」が権力として特定方向に視聴者を誘導する危険を

（21）　同前（19）、二五二頁。

（22）　エンツェンスベルガー、中野孝次・大久保健治訳『メディア論のための積木箱』河出書房新社、一九七五年。中平が参考にしているのは『文藝』一九七一年八月号に先行して掲載された邦訳だが、訳文に大きなちがいはない。

（23）　「記録という幻影」前掲（7）、四七頁。

訴えるのだが、これもやはり、エンツェンスベルガーの主張を半面しか汲んでおらず、重要な部分を無視している。エンツェンスベルガーはたしかに大衆操作となり得るマスメディアの危険性を認める。しかし彼は批判のポイントをマスメディアに向けることを留保し、むしろ原理的には平等に送受信を行うことのできるこのメディアを、大衆が自発的に操作することで開く可能性に力点を置いているのだ。中平が引いた同じ論の中ではこう述べられている。

〔……〕問題は、メディアが操作されるか否かではなく、誰がメディアを操作するかということだ。だから革命の構想の中で操作者（マニプラテール）を消滅させる必要はない。逆に各人ひとりひとりが操作者になるのでなければならない。(24)

このように食いちがった引用（操作？）が起こってしまうのは、先述のとおり、ひとえに中平のマスメディアに対する敵視が前もって固定されているからである。中平の誤読に対して、今野は端的に「中平氏の論理には、マスコミによる大衆操作という大衆社会論の論理が色濃く投影されている」と断ずる。(25)

中平にとっては、エンツェンスベルガーの理論はまったく受け入れがたいはずのものであった。引用された論は皮肉にも、中平の志向と真っ向から敵対するものですらある。マスメディアを通じてすべては幻影となる、「そしてその幻影がただの幻影であることを

(24) 『メディア論のための積木箱』前掲(22)、一〇六頁。

(25) 「ディスカバージャパン論争」前掲(18)、一四一頁。

(26) 「記録という幻影」前掲(7)、六五頁。

超えて新しい現実を構成しているところにわれわれの困難さが横たわっている」[26]と繰り返し悪しき「幻影」をやり玉にあげ、自らが求める「現実」を対置させようとする中平は、具体的に次のような方針を仮に提起する。ひとつは「写真家であることをやめること、映像の生産者であることをやめること」。次に「言葉をもって批判してゆく啓蒙的な仕事」を行うこと。そして「マス・メディアを通じて、マス・メディアの行う操作性を、また映像が映像として社会的に発言するそのロジックを映像自体によって抉出してゆくということ」つまりはメタ・マスメディア、パロディのような方法論。[27]だがあくまでも「新しい現実」に抗うことを主眼とする限りにおいて、中平の考えはいずれも、エレクトロニックメディアが社会的に拡散し、民主的な生産手段として活用され得ることに希望を見るエンツェンスベルガーからすれば、排他的な特権的立場からの恨み節として一蹴されてしまうだろう。[28]精査の手続きを飛ばしてエンツェンスベルガーの正当性をことさら強調するわけにはいくまいが、少なくとも中平が引用の解釈をゆがめ、悲観論の袋小路にはまり込んでいることは確かである。[29]

5　今野勉のテレビズム

中平の批判は、つまるところ幻影と現実、フィクションとドキュメンタリーが整然と

(27)　いずれも「記録という幻影」前掲(7)、六九、七二頁。

(28)　「左翼の立てるマニプレーションのテーゼは、その核心において防御的であり、それが展開されてゆくと、敗北主義にゆきつくかもしれない。防御的姿勢への転回の底にあるのは、主観的には無力感の体験である。これに客観的に対応するものといえば、決定的な生産手段が敵の手にあるという、完全に正しい認識である。ただ、この事態に倫理的な憤激をもってぶつかるのはあまりにも素朴すぎる。マニプレーションが口にされるときは、大抵、その底に理想主義的な期待を思わせる悲嘆の低音が聞こえる。まるで階級の敵が、かれらのときたま発する公正（フェアネス）というスローガンをかつて一度でも守ったことがあるみたいに。まるで政治的並びに社会的な問題

分けられるという前提に支えられて成り立っている。しかしマスメディアが浸透しきった状況下にあっては、いやおそらくはもともと、「問題は、メディアが操作されるか否かではな」いのだ。今野との関係に話を戻せば、ウソかホントウかという論の立て方自体が有意であるかというその一点において、中平と今野は決定的に袂を分かつことになる。まず今野は、中平のように、安易にメディアにだまされる大衆像を描かない。「大衆はそう簡単に自らの日常とは違う幻想にやすやすとのせられたりはしない」(30)。「その代り」と今野は続ける。「その代り、身に危険がある限りそう簡単に、その幻想に刃むかったり否定したりはしない。それどころか、大衆のある部分は、自分に都合の悪い限りにおいては真実の情報を否とし、幻想を是とする」(31)。

この点で、事態を危うくさせるか否かは情報そのものの真偽ではなくそれを受け取る大衆側にこそ委ねられているのだが、まさしくそのことによって、大衆は情報を「操作」する（してしまう）。そのこと自体の善し悪しは保留しつつ、今野は、だからこそ生まれる効用もあるという。ときに、ありもしないイメージとしての幻想は、あってほしい現実に向かう切実な告発にも結びつく。

> ぼくらの生活をコマーシャルのイメージ通りにせよ、という要求は、誰も拒むことができないのである。即ち、「幻想」に「現実」を合わせることを要求するのである。合わない限りつねに飢餓状態がつづく。一般にそれは不幸な状態といわれる。が、

において、純粋な、マニプレーションなしの心理が存在すると思いこんでいるような盲信が、社会主義的左翼の間では、奇妙に通用しているように思われるが、こうした盲信こそがマニプレーションのテーゼの暗黙の大前提なのだ。このテーゼは何ら前進的な力をひき出してはくれない」。「新しいメディアはすべての教養的特権を止揚し、また同時にブルジョア的インテリゲンチャの文化的独占を止揚する傾向にある。この点にこそ、意識産業に対して自称エリートがルサンチマンを抱く理由の一つがある。かれらが「非個性化」、「大衆化」に対抗して守ろうとしている精神——、そんなしろものをかれらが放棄するのは早ければ早いほどいいのだ」。エンツェンスベルガー『メディア論のための積木箱』前掲（22）、一〇二頁、一〇八頁。

「現実」の方に「幻想」を合わせ「幻想」を矮少《ママ》化することが、では幸せといえるだろうか。(32)

幻想は悪ではない。かといって善ともいえない。そもそも幻想と現実が別々にあると考えることに間違いの根があったのだ。今野は、「ありもしない桃源郷的な村を克明にでっちあげて、しかも誰にも気づかれないで放送する」ことをやってみたい、つまりそのことで現実を伝えることだってできるだろうと挑発的に投げかけて、D・J騒ぎに対する意見を締めくくる。

幻想、幻影、虚構などと様々に言い表され、用心すべき政治的な「イメージ」を生む主体として概して批判にさらされてきたマスメディア。六〇年代に入って一気にその代表格となったテレビに、今野は草創期から携わってきた。中平に対する今野の異議は、広く膾炙《かいしゃ》した典型的な大衆操作論に対するテレビ側からの反論であるとともに、それによって中平自身が陥った閉塞状況を拓くための好意ある積極的な提案でもあった。経験に裏打ちされた「テレビズム」を、ひもといてみることにしよう。

今野によれば、テレビは何よりも放送である。「「放送」ということだけがテレビを絵画からも映画からも明確に区別するメルクマールなのである」(33)。これによってテレビは「持続してゆく時刻」を軸とし、時間も空間も断ち切ることのない日常そのものを基底条件とする。

(29) 本稿では扱えなかったが、中平、エンツェンスベルガー、今野が一堂に会した公的な機会があった。一九七三年二月に東京で行われたシンポジウム「メディア論のための積木箱」である。佐々木守、東野芳明、原広司、寺山修司、鈴木志郎康、中平、針生一郎の七人のパネラーがエンツェンスベルガーを囲み、今野が司会・構成を務めた。シンポジウムの内容は『芸術倶楽部』創刊号（一九七三年七月）に詳しくまとめられている。ごく大まかにいえば、どのパネラーもエンツェンスベルガーの考えに懐疑的で、マスメディア慎重論が大勢を占め、建設的な議論はほとんどなされなかった。つまり本稿で書いたような、マスメディアを厳しく警戒する中平の姿勢は、彼に限らず当時の知識人に広く共有されていたのである。中平に対する今野の反論は、このシンポジウムをひとつの背景としている。

現代のいかなる前衛美術も音楽も、現実世界に屹立するもうひとつの世界——俗に屹立する聖の世界——を構築しようとしている点でテレビと地平を異にするのである。「聖」という語感が、しっくりこなければ、日常をたちきった世界、民俗用語でいう「ハレ」の世界といいなおしてよい。すなわち、テレビは、「ハレ」に対立する「ケ＝俗」の世界なのである。(34)

そしてまた、複雑で巨大なメカニズムによって放送を実現するために、テレビは膨大な組織を持つことを必要とする。それゆえテレビにおいては芸術諸ジャンルのようにメディアを個人のものとすることができない。

固有の時間を持たない日常性、特権的な作者の意志を徹底できない組織性、このふたつの性質のために、テレビは未整理・未完結であらざるを得ない。今野がテレビは「ケ」であるというのはつまり、不要な部分を切り落として純化すること、分けることができないメディアであるということだ。テレビはいわば、不純なのである。だが今野は、その不純を不能としてではなく、〝分けない〟ということができる能力としてとらえ返し、さらにはそれがテレビの備える思想であるという。表現方法として見れば欠点ととれる特性を逆転して強さとみなし、その特性に忠実であろうとするところに、今野の考えのポイントがある。

むろん未完結とはいっても番組という区分はあり、未整理といえども撮影対象を決め、

(30) 「ディスカバージャパン論争」前掲(18)、一四三頁。

(31) 同前、同頁。

(32) 同前、一四四頁、傍点は原文ママ。

(33) 「両義的なるものへの志向」同前書、八三頁。

(34) 「わが身とはつづめていえば」同前書、二〇頁。

カメラを構える以上はつねに選択が発生する。そのうえで今野は、その選択範囲の中でなお〝分けない〟ことに集中する。もしくは、選択していることを隠さずに見せる、という選択を行う。そのようにしていわゆる「作品」の発生を回避することでテレビは、最もテレビ的に、今起こっていることを起こっているままに伝えることができる。これを彼は「現前性」および「場の記録」というキーワードで説明する。

> いま、ぼくの課題は、ドラマであるとドキュメンタリーであるとを問わず、フィクションであるとノンフィクションであるとを問わず、〔……〕カメラの前にいる人や事物、カメラのまわりにいる人や事物、そしてカメラマンを含めたスタッフおよびぼくが、とりあえず委託された仕事をしつつあるその「場」において、いま、まさに何者でありつつあるのか、という一点にぼくの全身全霊を集中させつつそれを「記録」していくという意味での「現前性」である。[35]
>
> いわば、ぼくは、ぼくらのすべての仕事は、ぼくらがおかれた「場」の記録であると思っているのである。ドキュメンタリーとは何か、どの要件をやればドキュメンタリーになり、何をやらなければドキュメンタリーになるか、という本質論的関心よりは、自分の目の前に具体的に生起しつつあるものに目をこらすこと（「場」を示すこと）、自分の目の前に生起しているものにこちら側から具体的に踏みこんでいく

(35) 「現前性の記録にむかって」前掲(18)、一二四頁。傍点は原文ママ。

こと(「場」を作りだすこと)に関心がむくのである。
つまり、何ができるか、である。[36]

手に負えない、雑駁な、あるいは不純な現在に対して、同じように未整理で未完結なメディア特性が露わになるとき、テレビはよりテレビとしての強さを発揮する。本質を〝分ける〟ことなく手探りで進むその様を記録することができるからこそ、テレビは現在としての生々しさを帯びるのである。

実践として、今野の思想は特に「番組中の現場の露呈」という仕方で現れる。今野が手がけた「遠くへ行きたい」を例にみていこう。放送が始まってからしばらく経った頃、いみじくも「異色のドキュメンタリー」[37]と形容されていたこの番組において、その異色さが最も明確に発露したのが、「天が近い村~伊那谷の冬~」(一九七三年二月二五日放送)であった。長野県南部の伊那谷にある下栗村を舞台として、レポーターである伊丹十三が「たまたま」出会ったこの地特有の婚礼のシーンが本編の中心である。一連の儀式の様子とともに風習が説明され、花嫁が山道を遠ざかる映像とともにいよいよクライマックスと思われたそのとき、伊丹のナレーションによって、この婚礼はすべて村の人々の芝居であったことが明かされる。婚礼自体は風習通りである。だが事実であるかのように伝えられた儀式は、じつは前もって打ち合わされたデモンストレーションであり、花婿も花嫁も本当は実在しなかった。

(36) 「場の記録」前掲(18)、一五九頁。
(37) 『芸術倶楽部』創刊号、前掲(29)、二〇三頁。

ぼくは、伊丹さんと相談のうえ、その婚礼を視聴者に紹介するにあたって「たまたまわたしたちは、村の結婚式に出会った」というナレーションをいれた。そして、婚礼を紹介しおわってから「実は、今のは、すべて、村の人のお芝居であった」と真相を告げた。

〔……〕このときの『遠くへ行きたい』の中で旅する伊丹十三は俳優であるし、村人のなかに紛れこんで花嫁になっているのはモデルだし、村人もお芝居をしているとすれば、世にいう〝ドキュメンタリー〟の要件を、このシーンはまったくもち合わせていないといえる。にもかかわらず、テレビのスタッフのために、村人がこぞって婚礼の式のお芝居に熱中したという事実を伝えることができる、というところに、ぼくらがつねに凝視していなければならない鍵があるのである。それは、ドラマとは何か、ドキュメンタリーとは何か、とか、フィクションとは何か、ノン・フィクションとは何か、といった定義づけやジャンル分けの問題では決してなく、いわば、そうした問題の立て方自体がほとんどナンセンスであることを示す鍵である。(38)

ディレクターや撮影スタッフが平然と映り込む、NGシーンも含めて演出の模様を映す、といった今野の演出にしばしば見られる手法が、きわめて問題提起的に表面化したのがこの「天が近い村」であった。番組の締めくくりの伊丹によるナレーションはこう投げかける。

(38) 「場の記録」前掲(18)、一五〇―一五三頁。

こういうのはウソだから放送しない方がいいとあなたは思われますかね。でもウソを承知でも、下栗の人々が村じゅう総出で、誠意を込めて一芝居打ってくださったということは、あくまでも現実でしょう。どうも今思うとすべてが白日夢のように思えてくるのですが……。ともあれ、事の賛否はテレビをご覧の皆様にお任せしたいと思う。では、ごきげんよう、さようなら。

これをもって、何がフィクションで何がリアルか、といった決まり文句でふたたび虚実二元論に引き返すわけにはいかないだろう。番組のラストになってごくわずかな映像とナレーションで真実を告白する構成のとおり、いわゆる楽屋オチ、あるいはメイキングのような、あらかじめ完結した結果ありきのリニアな舞台裏の披露が主眼にないことは明らかだ。このナレーションは、嘘の暴露ではなく、言い訳でもなく、今この番組において、人が何者かになろうとした生《なま》の時間が立ち現れたのだという自負の言葉にほかならない。嘘であろうと実であろうとカメラの可視化する領域を貪欲に拡大しようとする姿勢の徹底が、主体的に選びとられた現在の緊張感——現前性——をとらえた。このナレーションこそが今野のテレビズム宣言である。

かつて今野は、ゴダールの撮影態度の考察に仮託して、現前性について次のように述べていた。

とにもかくにも求められているのは、可視と虚構を孕む多層構造としての生そのもの、生そのものの現前化である。その定着である。〔……〕すべての瞬間に「生の緊張」を与えるということなのである。すべての「瞬間」を輝やかせるということなのである。(39)

そこにある現在を漫然と撮る無主体の監視カメラの場合とちがって、虚構と現実が重層化した撮影現場という場であるがゆえに、その場の記録は緊張を孕む。分けがたく虚構があり現実があり、そしてそれらをひっくるめて、現在というリアリティを生み出すことができる。カメラを通じたすべてが幻想であろうと、その幻想を撮っている現実というものはあるのだ。今野の思想は現在というリアリティに固執する一元論に貫かれている。さて、今野が描き出したそのようなリアリティは、中平の求めた「現実」と異質なものであったろうか。

中平と今野の交錯は、D・Jの場外で起こっていた一騒動ではある。ただ、いわゆる権力や制度と呼ばれる主体が壮大なキャンペーンを張ったとき、文化に関わる人々の内から一斉に否定と憎悪が噴出して渦巻く中で、おそらくただ一人今野だけが、そこにポジティブな観点を付け加えることができた。D・Jを呼び水として露呈したある限界と可能性は、今なおリアルである。

(39)「ゴダールはテレビだ」前掲(18)、六九頁。

植田正治にご用心——記念写真とは何か

1　還暦前の再デビュー

植田正治には、デビューが二回ある。一度目は一九三一年、《浜の少年》が『カメラ』一二月号の月例に初めて入選した年である。この年に米子写友会に入会以来、自らも複数のアマチュア写真クラブを結成しながら植田は月例入賞を重ね、とりわけ戦前の中国写真家集団と戦後の銀龍社を土台として頭角を現していく。五八年にはエドワード・スタイケンのセレクションによってニューヨーク近代美術館における大規模な国際展に参加し、翌年のヴェネツィア国際写真ビエンナーレでは日本からの出品者二〇人のうちに選出されるなど、日本を代表する写真家の一人として認知度が高まっていった。

これだけでも十分に順調な進み行きではあるだろう。しかし地方のいわゆる月例作家という立ち位置が、今日のように国内外で大規模な個展が開催されるだけの写真家とみなされるまでに飛躍したのは、二度目のデビューに負うところが大きい。年譜をみれば明白なように、植田の六〇年代はそれまでと比べて著しく創作活動に関する話題に乏しい。六〇年と六六年に両親を亡くしていることも関係してか、発表を含めて活動の範囲が山陰地方にほぼ限定されており、『山陰の旅』（一九六二年）、『出雲の神話』（一九六五年）、『隠岐』（一九六七年）のような紀行文とセットの写真集が仕事の中心である。このままであれば、彼は山陰地方の郷土写真家にとどまっていたかもしれない。だが最初のデビューからちょうど四〇年の一九七一年、写真集『童暦《わらべごよみ》』が刊行された年を境に、植田の評価は大きな変容を迎えることになる。

この『童暦』には、植田にとって再デビューと言いうるだけの際立った特徴が大きく分けて三つある。まず、これが彼の実質的な初の写真集であったこと。それまで植田が関わった本といえば、『田園の写し方』（一九四〇年）のような技法解説書か、先に触れたような依頼に基づくいわゆる紀行ものだけであった。

次に、これが「映像の現代」を掲げるシリーズ刊行物であったこと。当時の写真界で「現代」を語るにふさわしい圧倒的な影響力を誇った編集者、山岸章二によるプロデュースである。すでに五八歳という植田の活動歴からすれば異例の抜擢であった。シリーズのラインナップを刊行順に挙げると、奈良原一高（一九三一―二〇二〇年）、立木義浩（一九三七年―）、植田正治（一九一三―二〇〇〇年）、深瀬昌久（一九三四―二〇一二年）、東松照明（一九三〇―二〇一二年）、富山治夫（一九三五―二〇一六年）、佐藤明（一九三〇―二〇〇二年）、石元泰博（一九二一―二〇一二年）、横須賀功光（一九三七―二〇〇三年）、森山大道（一九三八年―）という顔ぶれである。唯一植田だけが、戦前から活動していた大ベテランであった。総バイリンガルの豪華な「映像の現代」シリーズ自体は企画として必ずしも成功したわけではなかったようだが、この写真集が引き金となって、植田は写真界の最前線へとにわかに連れ出されることになる。

三つ目の特徴は、収録された作品に大幅なスタイルの変化がみられることである。戦前・戦後を通じて植田が築き上げてきた演出手法、すなわち被写体の意図的なポーズ・平面的な配置・舞台のような場面設定・単純化した背景処理といった、仲間内から「植田調」と称されていた、あるいは現在の植田の代名詞になっているような、主観的な絵作りを思わせる画面構成はここでまったく影を潜めている。被写体にお面をかぶせてみたり印画紙を歪ませたりする意図的な操作がときおり現れるものの、巻末の解説で山岸が「いたずらっぽい心をのぞかせているというほどのもの」と受け流しているように、全体の統一感を破るほどのものでもない。基本的に『童暦』のタイトルどおり、もはや都市には失われたような純真な子どもたちのポートレートと、のどかな山陰の四季がつづられていく。「裏日本」の「おくれている美しさ」をひたすら饒舌に語る冒頭の水上勉の評も、この写真集の典型的な地方ムードをいっそう盛り立てている。

植田の活動を回顧するとき、その評価のポイントはこの『童暦』をいかに考えるかにかかっているといっていい。何より、これが植田の再評価の出発点である。そしてまた、今日における植田の人気の大部分は、ユーモラスと評される演出スタイルに加えて、『童暦』に代表されるほのぼのとした牧歌的な地方イメージに立脚しており、その一方でアクチュアルな写真史から植田を遠ざけているのも、この地方性のゆえであろうからである。『童暦』が刊行された一九七一年頃のスターといえば、東松照明であり中平卓馬や森山大道であり、あるいは篠山紀信などであった。七〇年代に植田が再評価されたといっても、視覚的インパクトや主張の強くはない『童暦』が写真史で触れられることはまずなく、彼の名はもっぱら戦前の、芸術写真から新興写真へと移り変わる日本近代写真の草創期を代表する一人という位置に収まっている。

はたして山岸章二が植田を選んだ理由は何であったのだろうか。世代の異なる作家を入れることに話題性があったのか、それともディスカバー・ジャパン・キャンペーンに伴って地方が新鮮に見返された時代に応じたものか。「コンポラ」流行の仕掛け人であった山岸の観点からすれば、「日常的」な写真の実践者として取り上げたのであったのかもしれない。山岸個人の関心はさておくとしても、七〇年代の再評価というとき、その礎はどこにあるのだろうか。本稿では『童暦』が「現代」足り得た所以を、もう少し探ってみることにしよう。

2　童暦は中断か

注目したいのは、三番目の特徴として挙げた植田の作風変化である。ある作家が時代によってスタイルを変えることは、特段珍しいことではない。ただしこの場合、植田自身の語るところによれば、変化は本人の積極的な意思というより外部からの圧力によって生じた、いわば自粛ともいうべきものだった。

戦後、リアリズム運動が写真界に燎原の火のごとく全国に広がったのは、このなにせ偉大なる指導者、土門さんの提唱だから、「絶対スナップ」「絶対非演出」の声に溢れていたといっていいほどだった。

〔一九五〇年〕頃に前後してだったとおもう。

私の演出写真は、戦争の激化で一度、そして、このリアリズムの嵐の中で、二度目の中断をよぎなくされ、しばらくは、わが風土の中で、子供たちを撮りつづけた。(1)

あたかも被害者のような苦々しい書きぶりである。周知のように、一九五〇年から土門拳が『カメラ』誌の月評を通じて展開したリアリズム運動は当時の写真界を席巻した。その第一回月評で、金井精一の写真をスナップの秀作として評価した際に引合いに出されたのが、まさしく植田であった。

〔……〕植田氏は徹底的な演出による構成であるのに対して、金井君の場合は一人一物をも左右前後することのない純然たるスナップによって群像の効果をキャッチし

(1) 植田正治「わが心の砂丘に花開いた演出写真は二度も中断した」『昭和写真・全仕事シリーズ10』朝日新聞社、一九八三年、一五七頁。

ていることです。植田氏の群像作品に於いてはあくまで作家の思想、感覚で一切が作られた面白さにありますが、この〔金井の〕作品の場合は一人一物が、作られない現実そのままの、謂わば一切が偶然である面白さ、真実さにあります。(2)

前置きで「群像の構成では山陰の植田正治氏が圧倒的に優秀な作例を残しています」と断りつつも、土門が理想的に掲げる「真実」の写真と名指しで対比されたこの評の余波が、上述した六〇年代の植田の沈潜へとつながるのだといえる。

一九五一年から翌年にかけてヌードを集中的に発表した後、五三年以後の植田の作品は総じて、地域の行事に取材したり、季節や気候など山陰という環境を意識した画角の広い風景写真が中心となる。一方で『童暦』に記載された、収録写真の始まりとされている一九五五年という年(3)は、土門が「第一期リアリズム」の終結を語り(4)、それと前後してドイツ経由の主観主義写真の紹介が始まるなど(5)、リアリズム運動に揺らぎが訪れた時期と重なっている。かつての新興写真を想起させるような画面構成の造形性を重視するこの新動向はリアリズムの対抗馬として『サンケイカメラ』誌を中心に脚光を浴び、まさに植田は同誌主催の「国際主観主義写真展」(一九五六年一二月)に出品してもいた。だが地方性を重視する植田の作品傾向は、結局一〇年以上にわたって引き続いていくことになる。

(2) 土門拳「第三九回・第一回月例印画評新・写真作画講座」『カメラ』アルス、一九五〇年一月号、九頁。

(3) 最近の調査によれば、雑誌に掲載された作品を遡るかぎり、『童暦』に収録された作品の中でみつかっている最も古いものは一九五九年の発表である。五五年に実際に撮影が始まったのか、単純な誤りか、それともこの年に何らかの意図が込められているのかは不明である。

(4) 土門拳「現代高級写真作画講座 リアリズムの進むべき道」『カメラ』アルス、一九五五年六月号。

(5) 「モダン・ユーロピアン・フォトグラファの主観主義写真」『カメラ』アルス、一九五四年五月号。

人物写真の演出では、ネタがそんなにあるものはないからずいぶん苦しんだ。なかでもこれからどう変わるかでは悩んだ。〔……〕今度は、これらに私自身の感情をもっと加え、画面構成もいわゆるつくった画面ではなく、もっと自然に近い画面でやってみようと思っている。つまり画面構成をやってもそれを表面に出さず、自然にさらりと見せてやろうと思っている。(6)

『童暦』に収まる五〇年代から六〇年代にかけて、植田は演出の次なる展開を模索することになる。リアリズムの波に押されたとはいえ、彼の作品は（土門が推奨したような）実録的な、もしくは報道的なスナップには向かわなかった。自由であることを誇りとするアマチュアリズムをつとに主張していた植田である。時流に合わないからといって、自分のトレードマークたるスタイルを放棄したわけではないはずだ。そこで実践されたのは、たんに抒情的な、自然で素朴な地方の写真ではないだろう。そうでなければ、『童暦』が刊行して間もない時期に植田が「くたばれローカルカラー」と訴え、田舎の純朴さを押し出すような写真を「いかにもモノ欲しそうで〔……〕いやらしい」「厩肥臭い」(7)と強く否定していたことと食い違うことにもなる。

周辺の情報を考え合わせると、五〇年代から六〇年代は、あるいは『童暦』は、植田が述べるような「中断」ではない。問題はそれ以前の演出スタイルと、演出を再開する七〇年代以降との接続の仕方である。おそらくこの間に植田が試みていたのは、いわば

(6) 植田正治「山陰の風土に生きて抒情を求めつづける」『フォトアート』研光社、一九六九年一〇月号、一六七頁。

(7) 植田正治「くたばれローカルカラー」金子隆一編『植田正治 私の写真作法』CCCメディアハウス、二〇〇〇年、一六、一八頁。初出は『アサヒグラフ』朝日新聞社、一九七四年三月号。

演出の変奏であった。では、植田の作品において「演出」とはそもそも何であったか。

3 「綴方・私の家族」という半フィクション

植田の演出をあらためて考えるためにここで取り上げたいのは、その完成形といえる四九年の「綴方・私の家族」シリーズ（図1）である。植田正治の名とともに真っ先に思い浮かべられる作品といえば、このシリーズの一点《パパとママとコドモたち》（図2）であるにちがいない。

さて、植田の作品に限らずある作品が演出写真と呼ばれるとき、条件となるのは通常次のふたつだろう。まず被写体となる人物の合意に基づく撮影状況が明らかであること。そして、その人物に対して、撮影者の作図意図が反映されたポーズや配置が施されていること。正面を向いて小道具とともに画面のど真ん中に人物が収まる同シリーズ《カコと花》《へのへのもへの》（この2点は図1の右部分の上下に掲載）そして《ママと日傘》にも、互いに関連なく切り離された人物が横一列に均等に並ぶ《パパとママとコドモたち》においても、単純化された背景の前にサンプルのように人物を配置する植田の作図意図は明確である。だがこれらの作品には、たんに人物配置にとどまらない数々の作為が施されている。

（図1）
「綴方・私の家族」『カメラ』一九四九年一〇月号

（図2）
《パパとママとコドモたち》一九四九年

このシリーズは、カコという少女の「綴方」とともに読み進むひとつの物語として発表された。「綴方（生活綴方）」とは、子どもに自分の生活に取材したものごとを自分の言葉でありのままに書かせた日記形式の文章で、一九一〇年代に初等教育の一環として始まった一種の説明文である。特に農山漁村における生活認識や自己認識を育むために有効な方法とされ、アメリカ式の教育が流入した戦後期、リアリズムの気運に重なってふたたび盛んになっていた。

家族の日常の様子を書きつづるカコの文章は「綴方」の定型どおりなのだが、掲載された写真に生活臭というのがまるでないことは興味深い。写真家の家族という特殊な環境であるとしても、現実的な生活の機微を描き出すべき綴方とこれらの写真は、どこかちぐはぐな関係にある。ここでは、「綴方」という形式がもてあそばれているかのようなのだ。もとより、作品を子どもの文章とともに発表するという仕組み自体がいかにも遊戯的であった。写真をみただけでは、ここに写っている人々がそもそも本当に植田の家族なのかすら、いぶかしく思えてくる。そしてじつは、これはたしかに植田の家族であるのだが、ここで語り手となっているカコという少女は架空の存在なのである。

写っている当人である植田の長女・和子が明かしているように(8)、家族で彼女のことをカコと呼ぶ者はいなかった。次男・充に当てられた「ミミ」も、三男の享に対する「トッチン」という名も同様である。そして植田夫妻はふだん「おとうちゃん」「おかあちゃん」と呼ばれ、「パパ」「ママ」などとは呼ばれなかった。要するにこれらはみな役名で

(8)　増谷和子「あとがき」『カコちゃんが語る植田正治の写真と生活』平凡社、二〇一三年、二〇四―二〇五頁。

(9)　筆者による増谷和子氏への聞き取りによる。

(10)　植田が鳥取ないし山陰を拠点としていることは、少なくとも掲載誌『カメラ』の読者には前提知識としてあったはずである。しかも「綴方・私の家族」掲載の前号（一九四九年九月号）では、土門拳らが植田と砂丘で競作を行う特集が組まれたばかりであった。

あった。カコの作文も、雑誌掲載に際して和子が書いたものに植田が手を加えたものであるという。(9) ここでは互いにニックネームやパパママと呼び合うような、いかにも都市的でモダンな家族像が、山陰という地方に住まう人物たちによって演じられているのである。(10)

もうひとつ気にかかるのは、人物の中で唯一和装に身を包んだ「ママ」の存在である。植田は洋装バージョンの《ママと日傘》も撮影しているのだが、これを採用せず、結果としてこの「ママ」とそれ以外の人物とのコントラストが作品の妙な印象を決定づける効果を果している。

これに関しては、二〇一二年に発見された《ママと日傘》のカラーバージョンの試作（図3）が参考となるだろう。日頃から自作のモデルを務めていた妻・紀枝に対して植田はさまざまなポーズを要求している。ここで植田が参照しているのはおそらく、いわゆる大正ロマンの時代の女性像、たとえば、かつて少年時に植田が模写に励んだという高畠華宵が描くところの女性像ではないかと思われる。少女誌の表紙を飾った高畠の絵（図4）や、大作《移り行く姿》（図5）に登場する女性と紀枝の写真は、雰囲気がじつによく似通っていないだろうか。日傘や服装、あるいは鼻筋の通った紀枝の顔立ちといった共通点以上に類似を強く思わせるのは、指先の形である。カラー版《ママと日傘》をみると、どのポーズにおいても指先の動きに大きな関心が寄せられていることがわかる。華宵と並ぶ大正ロマンの挿絵画家、竹久夢二の描く女性像が体躯そのものを歪ませ

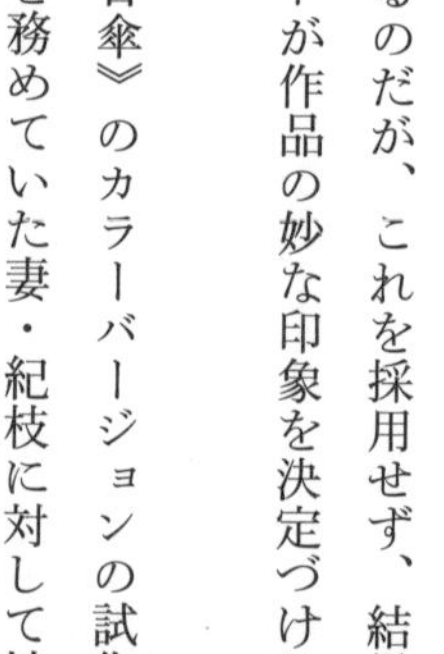

（図3）
題名不詳、一九四九年

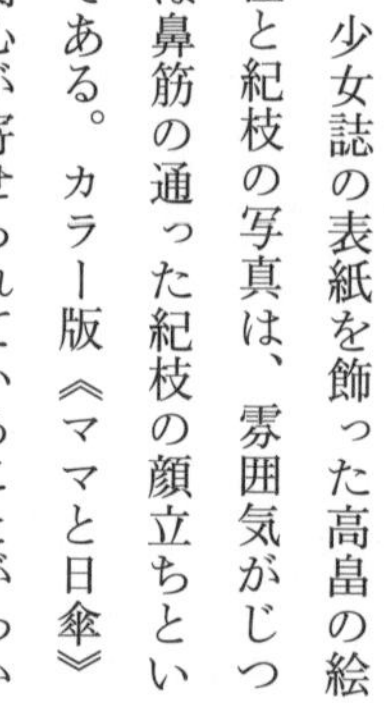

（図4）
高畠華宵『少女の国』一九二六年六月号表紙

て流麗な形態を表現するのに対して、華宵はバタくさい顔や衣装に加えて、何よりも指先の仕草によって科《しな》を作ることを得意とした。そのために植田の写真は、夢二よりも華宵の絵を思わせるのであろう。翻って「綴方・私の家族」においても、《ママと日傘》に限らず手や指先は重要な要素となっていた。

植田が華宵を参照したとは断定できないが、ここに大正ロマンの美意識が流れ込んでいることはたしかだろう。甘美な西洋スタイルを東洋人が演じる大正ロマンのイメージが、戦後においてさらに演じられているのである。それはまた、絵画に倣って大正ロマン的な女性ポートレートを作り出した、かつての芸術写真の再演ともいえる。モダンな家族像の中に古い時代の「モダン」が漂うことで、真似ること、演じること、装うことといったフィクショナルな主題が立ち現れてくる。この写真の不思議さは、人物の配置や背景の処理に加えて、何よりもこうした構造に由来するのではないだろうか。

「文学的で詩的であり、あるいは童話的、童謡的」[11]と自認する性質を作り出すべく、このようにして植田は作品の中にさまざまなフィクションを凝らしている。そして最も重要なのは、これが現実をまったく遊離したフィクションではなく、あくまで現実的な家族の肖像としてまとめられているという点である。被写体がみなモダンな家族〝のようにふるまっている〟ことは、匿名のモデルでない個性的な面々が、まぶしそうな顔やしかめ面をしながらぎこちないポーズをとっていることで、自ずと暴露されている。設定されたフィクションは徹底されておらず、前近代性を未だ少なからず保ち持つ地方の生

（図5）

高畠華宵《移り行く姿》（部分）
一九五三年　六曲一双屏風

(11)
前掲（6）、植田正治「山陰の風土に生きて抒情を求めつづける」、一六六頁。

活者たちの現実が、あちこちに滲み出ている。渡辺好章が「道化役者」と酷評したのは、まさしくその点であった。(12)

フィクションを設定しておきながら、それを破って現実的なぎこちなさやわざとらしさが露呈していること。いうなれば半分フィクションであること。その配合の妙こそが、植田の編み出した演出手法にほかならない。(13)

> 多少でも、画的効果を大ならしめ様とするなら、我々は、大いに演出の腕も練習しなければならぬと考える。
> 只、演出の程度を、極めて自然らしくさせるか、故意に不自然に、演出その儘を画面に表すかという事は、各人の個性によって異なると思うのだが、私はよく後者を適用する。これは、やはり個人的な好みであろうが、その方が田園人の素朴感を表現するのに、うってつけの様に思う場合もあるからである。素朴さを表現するのには、直立不動のポーズだけでなく、更に生真面目な無表情の表情を加えて、最も効果があると考えて居た。(14)

演出であることが素朴であるような、不自然であることが自然であるような写真。フィクションでありながら同時にありのままの姿であるような写真。そのような写真を、私たちはふつう「記念写真」と呼ぶ。

(12) 渡辺好章は、植田の《茶谷老人とその娘》（一九四〇年）を戦前の代表作として絶賛したうえで、《パパとママとコドモたち》を比較して次のように手厳しく批評している。「道化役者の切抜きを何もない白い紙の上にもっとも悪い配列で散在させたのが、『パパとママとコドモ達』である。バックグラウンドの整頓は商業美術のカンバンに通じるものを感じさせる。人物の顔と体の表情は下卑な道化者の無理な泣笑い。関連のない六人の人物の羅列は構成者の無能。知性を超えた演出は人物をお目出度くさせてしまう。役者を見ればわかるし、またこの作風は彼独特のものであるので、彼の作品である事はすぐわかる。出来そこないのシュールでも、だれもやらなかったちょっと変った作風なのと温かい人物写真なので雑誌の編集者達があつかったのだろうが、彼がこの作品にどれほどの自信と自負を持ってい

4 自然な不自然

ふだんとはちがうおめかしをして、ときにはお気に入りの物を手に、ポーズをとって撮影する写真。実生活の痕跡を包み隠して、格好よく、きれいにかしこまって撮った、よそゆきの現実の姿としての写真。「綴方・私の家族」は、写真館で撮るようなそうした記念写真の構造を抜き出して、誇張した写真群である。しばしば引用される「砂丘は巨大なホリゾント」という植田自身の言葉は、植田が砂浜や砂丘をホリゾントとして見出したことに意義がある、のではない。この言葉の重要性は、作品としての写真に、フィクショナルな現実の場としての写真館を象徴するようなホリゾントを持ち込んだところに、植田の発明した文法があることを示す点にある。

さて、もう一度『童暦』に戻ることにしよう。巻末の山岸章二の解説には、次のように書かれている。

「記念写真のつもりではない。自然に近いように歩いてくれ、といくら頼んでも、村出身の青年は直立不動をくずさない」[15]。五〇年代以降のリアリズム写真が求めたのは、「記念写真ではなく、自然な」写真であった。だが『童暦』の中心になっているのは、紛れもなく「直立不動」の記念写真である。撮影の了承をとったうえで、画面の中央でこちらを向いて笑いかけ、照れたようにかしこまり、あるいはお面で顔を隠して直立のポーズをとる人物たち。カメラを向ければ、「自然」に、ささやかな演出が現れる。ぎこちな

たのだろうか。シュールリアリズムの作品としては人物に温度がありすぎる。人物写真としては演出過度である。中途半端な不徹底な野暮ったいものだ。不自然な表情や非現実的な姿態が悪いというのではなく、問題はその構成にあるのだ。非現実的な被写体には非現実的な構成が必要だ。夢でもなく現実でもない作品を作る人は現実を知らない。また非現実も知らない。彼もその頃それらに対する認識が非常に低かったと云えよう」（「植田正治の作品」『写真の教室』アルス、一九五二年二月号、七九頁）。一九五〇年代における、自然さやさり気なさを重視するリアリズム写真の隆盛と植田のスタイルの齟齬をよく伝えている。

く写真向きの顔や姿勢で写ることが、対象のありのままの姿となる。その構造は「綴方・私の家族」と同じである。

植田が長らく変化を模索していた時期には、上述のとおりいかにも地方の環境を素直にとらえたような写真が多い。雑誌の発表作を辿ると、いったんは完全に素朴な地方性に方向を定めたようにもみえる。

しかしその間の膨大な作品から編まれた『童暦』は、先に引いた巻末の山岸章二による一文がこっそり示しているように、記念写真的な性格を意識した構成となっている。冒頭を飾る少年のポートレート（図6）は、残されたコンタクトと見比べてみると、あえてぎこちなさが残る記念写真風の一枚が選択されていた。そうであったからこそ、『童暦』は一九七一年という時代において、植田の起死回生の写真集となったのではなかったか。五〇年代から六〇年代にかけての、世界を虚像に満ちたものととらえてそこから「現実」を取り出そうと努めたリアリズムの流れの中を、虚像でありながらなおかつ現実であるというレトリックを踏まえた記念写真の形式が、かいくぐり得たのである。

植田は次のようにいう。「私は自分の写真館で営業写真も撮っていましたが、人がカメラを向けられ、写真を撮られる時に、真っ正面を向くのは『自然』なことだとおもいます。むしろそこで、自然に遊んでくれ、自然にむこうを向いてくれと言う方が嘘の演出写真ではないかとおもいます」[16]。『童暦』と同年、荒木経惟が『センチメンタルな旅』序文で「我慢ならない」「嘘写真」と斬り捨てたのは、リアルな写真としての説得力を持た

（13）ついでにいうならば、後のファッションブランドとのコラボレーション「砂丘モード」シリーズが植田の演出写真としてまったく異質であるのは、被写体がプロのモデルであることやカラーであること、画面のフォーマットが多様であることなどの表面的な特徴によるのではない。ファッション写真という前提で、すべてがフィクショナルな方向に固定されることで、「砂丘モード」ではそれまでの植田の作品のようにリアルとアンリアルのせめぎ合いが成立しないからである。

（14）植田正治「農村人物の写し方」『写真文化』アルス、一九四一年三月号、三一三頁。引用にあたって旧仮名遣いは新仮名遣いに改めた。

せようと現実らしさを装う、それまでのいわゆるリアリズムであった。植田はそうした現実らしさにこだわることなく、「自然」にカメラを介した撮影者と被写体との関係を作品に収めた。七〇年代に入って、渡辺克巳の『新宿群盗伝66／73』（一九七三年）のような記念写真という形式が脚光を浴びたことも思い起こされよう。

もともと植田の演出写真は、彼が最初期において洗礼を受けた芸術写真の動向によって培われたものであった。撮影から印画に至るまでのすべてを自らの手で作り上げる、作品としての写真。植田にとって写真とはあくまでも、隅々まで作者の手が行き届いた「芸術」にほかならなかった。彼が戦中に時局を撮影しようとしなかったのは、自分の手を離れて別の記録的意味がつきまとうことを避けたかったからであろう。時代に淘汰された芸術写真というスタイルの、作為という本質的な部分を引き継ぎながら、植田は時流に乗らなかった。あるいは、乗り切れなかった。そして写真をいわば「つくりごと」として割り切ったところに植田の特質があり、それを保ち続けた先に、記念写真的方法が生まれることになる。この論で最初に設定しておいた問いに答えるならば、植田の『童暦』は、「記念写真」の再発見という点において現代的であったのだ。

それはまた、中央に対してつねに立ち遅れた場所とみなされる地方に拠点を置く自己認識を、最大限に活かす方法でもあったはずである。先にみてきたように、植田は地方の写真家という自らの立ち位置までも、操作して作中に取り込むのである。芸術写真、記念写真、綴方、大正ロマンといった既存の形式、そして地方性やそれに伴う古さといっ

(15) 山岸章二「作品解説」『童暦』中央公論社、一九七一年、頁数表記なし。

(図6)

『童暦』

(16) 植田正治「空と砂と海」『21世紀版画』悠思社、一九九二年一二月号、一〇五頁。

た性質を、作品にふんだんに活用する植田の作品は、じつに記号的といえる。シルクハットやこうもり傘などの小道具やイヴ・タンギー風の作品からの連想によってシュルレアリスム的と称されることもあるが、植田の作品には、モチーフの奥底に無意識を垣間みるシュルレアリスムのような性格はない。(17) むしろそれはいずれも、別の意味を象徴することを拒むような、徹底して表面にとどまる記号性を帯びている。

たとえば『童暦』の後に『カメラ毎日』誌上で始まった長期連載「小さい伝記」(一九七四—八五年)には、『童暦』以前の植田自身の歩みを意識的に回帰・反復する手法が顕著にみられた。日記や昔語りを挿入したり、新作の中に唐突に旧作を交えたりする一風変わった連載形式を採りながら、植田はこの「伝記」を、演出写真という手法も含め自らが長きにわたって培ってきたものを自由に組み合わせて構成していた。

植田のかつての活動のすべてが、植田によって、活用すべき記号とみなされる。このように自らがまとった多様な意味を軽々とさばいていく軽妙な自己分析があったからこそ、彼は後にファッション写真にもスムーズに移行することができたのであった。七〇年代以降になって、植田はこの性格を自覚してシミュレートするかのように、自身にまつわる記号を振り返り、反復し、編集しながら突き進んでいく。こうして植田は、身につきまとってきたリアリズムの影を振り切ったのである。

一度萎縮した「演出」は、『童暦』において静かに、しかし確実に返り咲きの予感をつかんだ。これをてこにして、七〇年代以降の植田の飛躍的な活動があるのだ。

(17) たとえばまさしくシュルレアリスム写真である山本悍右の砂丘の写真(図7)と比べてみれば、植田の写真が性質を異にすることは一目瞭然だろう。

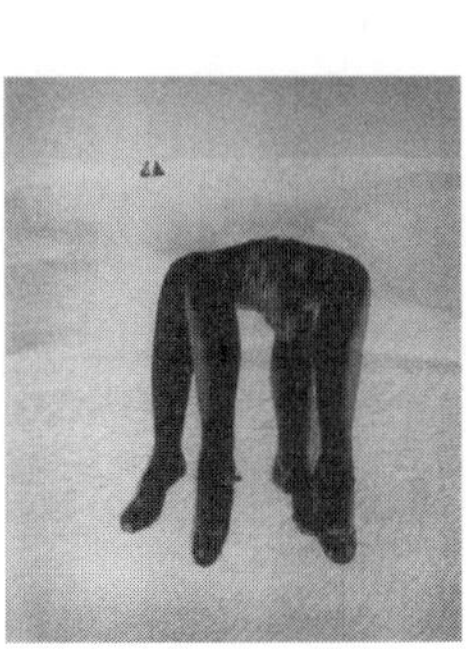

(図7) 山本悍右《憩いの季節》一九五三年

彼はたんにほのぼのとした地方の写真家ではなく、そのほのぼのさを自ら創作しようとしたのである。植田正治に、ご用心。

(II)

パロディ

「パロディ、二重の声」のための口上

ぱ行の文字で始まる言葉は往々にして、軽薄であったり卑俗であったり、または幼稚であるような印象とともにあるようです。パー、ピンボケ、プー太郎、ぺんぺん、ポンコツ、ぷっ、といった具合に。これから論じるパロディもまた、しばしば見かける、パロディにすぎない、という言表によく現れているとおり、不まじめな、取るに足らない表現未満の表現であるという認識が、広く定着しているように思われます。それはたいてい、悪ふざけ、からかい、こき下ろし、茶化し、冷やかし、当てこすり、揶揄、嘲笑といった、悪意のあるものとして叙述されておりました。たしかにパロディは多くの場合、そのように受け止められ、また、そのような意図をもって使用され、「まじめ」に対する反抗を表すことがあります。他の表現に寄生し、乗っ取るかのようなパロディの二次的な特質のゆえに、価値の低い戯れごとと捉えられるのも無理はありません。

けれども、低価値に映るそれらの効果は、事後的に生じるものであって、必ずしもパロディが成立するための必要条件とも言いきれません。「コピー」に対して「オリジナル」が担うような対概念を持たないパロディは、複製を介して「元ネタ」たる標的に大幅に依拠し、そのことを露わに強調さえしながらも、あくまで自律した表現を成り立たせようとします。ひとまずこの様態を、「二重の声」と呼ぶことにしましょう。その音質はさておき、少なくとも二重の声がひとつの表現の内に鳴り響いていること――れっきとした表現形式であり、長い伝統を持った技術であるパロディの存在を、まずは確認したいと思います。

近代の日本において、著しくパロディが流行した時代がありました。一九七〇年代のことです。この現象はなぜ起こったのでしょう。そのときパロディはどのような現れ方をして、どのように働き、どのように受け止められたのでしょう。その観察を通じて、パロディの具体的な実像に迫ることは可能でしょうか。「パロディ、二重の声」なる展覧会（二〇一七年）は、助走期間としての一九六〇年代におけるパロディの実践例の紹介を出発点に、七〇年代に入って爆発的に増殖したパロディの足跡を追いかけ、軋轢を起こした事件の跡地にも訪れるひとときのツアーとして企画されました。この展覧会は、「展覧」の場に似つかわしくないかもしれないものにも遭遇しながら、パロディというひとつの形式を軸にして一時代を見返すことで、視覚文化の幅とあつみを把握してみることを目的に据えていました。

およそ四〇年前のパロディを見渡す視点は、すぐさま現代にも投げ返されることでしょう。情報が次々複製される一方で、その扱い方に細心の注意が求められるこの時代ですが、アウトかセーフか、シロかクロかで物事をさばく窮屈さから束の間でも離れて、この屈折した表現の折れ曲がりを存分になぞっていただければ幸いです。

●パロディ辞典（第二版）

【引用】quotation
あるテクストの拠り所とするために先行テクスト（プレテクスト）を取り込むこと。引用主体テクストが全体のコード（論理体系）を担い、プレテクストはあくまでその全体に対する部分を担う。プレテクストは引用主体テクストの単一コードの内に統合されるため、パロディのようにコードの二重化は生じない。著作権法では、公正な慣行に合致し、かつ、報道、批評、研究、その他の目的において正当な範囲内で、公表された著作物は自由に引用して利用することができる（第三二条）。

【オマージュ】homage
特定の先行テクスト（プレテクスト）もしくは作者に対する崇拝、尊敬のしるし、献辞、賛辞。オマージュに制作物が伴うとき、プレテクストとの一致の度合いが大きい場合はパロディに含まれる。

【改作】remake⇩【翻案】

【偽作】fake
特定の作者もしくは時代の作品に見せかけた作品を、別人もしくは別時代の人が作ること。またそれによって生じた制作物。贋作。

【盗作、盗用】plagiarism⇩【剽窃】

【パスティーシュ】pastiche
先行して制作されたテクスト（プレテクスト）の外面的形式を顕示的に模倣しながら類似を強調することで批評する屈折した表現形式。またそれによって生じた新たなテクスト。文体模倣。物真似。構造においても作用においてもパロディと類似するが、パスティーシュは必ずプレテクストに完全に一致し得ない条件下において、差異よりも近似を強調する。パスティーシュであることを隠蔽する場合は偽作に含まれ得る。〈語源〉イタリア語のpasticcio（継ぎはぎ）に由来。もとはプレテクストを合成した折衷テクストに対する蔑称として用いられた。

【パロディ】parody
モデル化（模範化、様式化）された特定の先行テクスト（プレテクスト）を標的とし、その外面的形式を顕示的に反復しながら差異を強調することで批評する修辞的な表現形式、またそれによって生じた新たなテクスト。見かけの反復による批評的機能転換。反復的再編成によるメタテクスト。屈折的反復。替え歌。通常、標的としてのプレテクストは価値的に上位にあるもの、権威、社会的・公的に認知された典型的概念などが選ばれる。パロディは、反復と差異の生成によってプレテクストの顕在的意味（デノテーション）を露出したまま潜在的意味（コノテーション）を追加し、単一の文法の中に混声的に二重のコード（論理体系）を共存させる。反復のゆえにパロディは必然的にジャンル内向的、自己言及的な批評となる。反復を介してプレテクストの持つコードの単一性や直線性が歪められるため、多くの場合、上位価値ないし上位概念としてのプレテクストに対して価値解体的な負の効果（滑稽化、風刺、揶揄、諧謔、皮肉、転倒、嘲笑、解放、暴露、冒涜、懐疑、闘争、抵抗、更迭など）を伴う。これらの効果は標的としてのプレテクストにのみ向けられるとは限らず、プレテクストの境界外の別の対象（二次標的）に向けられる場合もある。また一方で、パロディ主体はプレテクストに従属的に寄生し、それゆえ価値的に下位にあることを自ら明かすことにもなるため、中立の効果（戯れ、共感など）ないし正の効果（祝祭、称賛、敬意など）、あるいはパロディ主体にとっての負の効果（敗北、自虐など）をも少なからず含む。とりわけ近代以降においては、パロディはオリジナリティを個人の所有に限定する資本主義的倫理観に対抗する性格を自ずと持つ。日本では部分的にパロディと重複する形式として本歌取り、滑稽本などがある。〈語源〉古代ギリシャ語のπαρῳδία（パローディア）に由来。接頭辞παρά（パラ＝傍／偽／準）とᾠδή（オイーデ＝歌）による合成語。

【剽窃】appropriation
先行テクスト（プレテクスト）の存在を隠蔽して自らのテクストとして公表すること。先行テクストの権利者の了解を取ることなく、あるいは利用の事実を適切に表示することなく利用すること。盗作。盗用。特に二〇世紀半ば、ポップ・アート登場以降の英米美術において、マスメディアを背景とする戦略的な表現手法として用いられるようになった。著作権法ではアイディア（発想）と制作物を分けて考える議論があり、アイディアのみを利用した場合は類似の判別を証拠立てる物的証拠がないため著作権の侵害とみなされない。

【風刺（諷刺）】satire
遠まわしに批判すること。婉曲的批判。またそれによって生じた制作物。その制作物をカリカチュア（caricature）とも呼ぶ。あるテクストを用いて風刺を示す場合にパロディに類似するが、パロディは反復する先行テクスト（プレテクスト）

自体を標的とするのに対し、風刺の標的は必ずそのテクストの境界外に設定される。そして、パロディがいったんモデル化されたプレテクストを常に必要とするのに対し、風刺はあくまでモデル化されていない現実の事物を再現し、自らモデル化を行なう。また風刺は必ず否定的効果を伴う。

【複製】copy, reproduction
もとのもの（オリジナル）を模して、限りなくその原形に近いと意識される相似物を作り出すこと。原形そっくりの別物を再製すること。また、そうしたもの。一般に copy を指すが、特に量産を前提とする場合には reproduction に相当する。複製物をレプリカ（replica）ともいう。著作権法では、著作物を印刷・写真・複写・録音・録画・その他の方法で具体的な形として再製する行為。著作者は、その著作物を複製する権利を専有する（第二一条）。複製する場合は、著作権法が定める保護期間を過ぎたものを除いて、著作権者の許諾を得なければならない。ただし、私的使用、図書館などでの複製、引用ほか、定められた範囲内で自由に利用できる（第三〇条―四七条）。

【翻案】adaptation
先行テクスト（プレテクスト）を原作とし、その趣向を変えて作り直すこと。特に小説・戯曲などにおいて、原作を生かして大筋は変えずに作り改めること。改作。換骨奪胎。著作権法では、著作者は、その著作物を翻訳、編曲、もしくは変形し、または脚色、映画化し、そのほか翻案する権利を専有する（第二七条）。ダイジェスト化、ゲーム化、続編の創作なども含まれる。なお、翻案の結果として創作された著作物を二次的著作物といい、翻案者と原著作者がともに同等の著作権を有する。複製権と同様、私的使用や学校教育など一定の目的のもとで使用する場合には自由に翻案を行なうことができる。

本辞典は、『パロディ、二重の声　日本の一九七〇年代前後左右』図録（東京ステーションギャラリー、二〇一七年）所収の「用語辞典」の改訂版である。なお作成にあたり、特に以下を参照した。

・アイアン・ドナルドソン、マーガレット・ローズ編著、島岡将訳「パロディの定義」『パロディのしくみ』鳳書房、一九八九年
・リンダ・ハッチオン、辻麻子訳『パロディの論理』未來社、一九九三年
・ミハイル・バフチン、望月哲男・鈴木淳一訳『ドストエフスキーの詩学』ちくま学芸文庫、一九九五年
・ミハイル・バフチン、伊東一郎訳『小説の言葉』平凡社ライブラリー、一九九六年
・田平麻子編「用語解説」『コピーの時代』図録、滋賀県立近代美術館、二〇〇四年

オリジナリティと反復の満腹
——パロディの時代としての一九七〇年代前後左右

1 パロディの時代

鶴見俊輔は『戦後日本の大衆文化史』で、画一化が進む戦後日本の社会構造に対して異議申し立ての役を担う漫才と漫画を取り上げた一節に、パロディについての註釈を付している。そこで叙述されるのは、江戸の文化文政期（一八〇四―一八三〇年）を念頭に置いた、大衆文化の華やぎとしての一九七〇年代だ。

「パロディー」という言葉は、戦後はもちろんのこと、戦前にもふつうに使われていなかったが、一九七〇年代に入ってから、ひろく週刊誌やグラフ雑誌、マンガ雑誌で使われるようになり、日常の日本語の一部となった。このことは、権力批判の運動が、一九四五年から一九七〇年までの勢いを失い、おさえこまれたために、流行の表現に託して別のことを言おうとする表現の方法が関心をあつめたのであろう。

それは、「パロディー」という外来語のなかった江戸時代中期以来の大衆文化の復活でもあった[1]。

艶めかしい洒落本や滑稽本、あるいは狂歌や川柳などの凝った「通」好み、皮肉なユーモアがもてはやされた、ある種退廃的な町人文化としての化政文化は、たしかに七〇年代の雰囲気に似かようかもしれない。幕藩体制の強化でひとまずの安定を得た江戸後期同様、万国博覧会の開催と七〇年安保の大山を越えた国内は、一見して倦怠感に似た皮肉な距離のある空気に浸された。全共闘世代の読者に支えられた『朝日ジャーナル』が新左翼運動の引き潮とともに売上を激減させたことが如実に表すように、六〇年代末の政治的熱狂はみるみる沈着へと転じていく。ただしそれは、この時期や世代を指していわれた「シラケ」の語が示すような闘争からの断絶では必ずしもなく、鶴見がいうように、正面突破を図る闘争とは異なる、婉曲的に変質した抵抗の形でもあった。そのタイミングで最も象徴的に登場したのが、パロディという言葉である。

こうした状況は、美術史記述における七〇年代という時代の処遇に影を落としている。たとえば暮沢剛巳はこう吐露する。

> 極言すれば、一九七〇年代は停滞のディケイドである。〔……〕社会のテンションは一気に低下し、それを反映してか美術もまた自閉的傾向を強めていった。〔……〕こ

(1) 鶴見俊輔『戦後日本の大衆文化史』岩波書店、一九八四年、二四七頁。

の頃の特筆すべき成果は前後の時期と比べても決して多いとは言えない。(2)

本当にそれが「停滞」であったかどうかはさておいて、この時期に美術史上の出来事として登録された事項が少ないのは、ひとつには戦後美術史言説が好んできた作家集団の結成や、それに伴う宣言の類いが見られなくなったこと、そして、絵画・彫刻のような純然たる美術と見える表現の姿が「おさえこまれたために」変容し、雑誌をはじめとする大衆文化に潜伏する形で多くの実践がなされたことが主たる理由だろう。後述するように、暮沢のいう「自閉的傾向」や、独自性《オリジナリティ》を仮託される（されていた）集団ないし作家の数の見かけ上の縮減、そして活動フィールドとしてのメディアの変質、これら七〇年代に見られる特徴のどれもが、パロディあるいはパロディという現象と密接にかかわる性質と事象にほかならない。展覧会「パロディ、二重の声　日本の一九七〇年代前後左右」(3)ではこの、当時からそう呼ばれていた「パロディの時代」の進展を視覚文化を中心に追跡しながら、現代にまで届いているその余波を手繰り寄せてみたいと考えた。なお、パロディがもとより形式として屈折しているうえに、こと日本においては曖昧なカタカナ語のままに定着していることを鑑みて、パロディとこれに類縁する語義については前節の「パロディ辞典」にまとめておいたので適宜参照されたい。

(2) 暮沢剛巳「日本現代美術史チャート」、『美術手帖』二〇〇五年七月号、八四頁。

(3) 二〇一七年二月一八日から四月一六日まで、東京ステーションギャラリーにて開催。

2　六〇年代、受容と実践、笑いと対抗――漫画と美術の状況

パロディという語がいつ頃から日本で常用されるようになったのかは明確でない。文久二（一八六二）年の辞書にはすでに、「辞ヲ引掛ケテモジルコト」としてparodyの項目があるという。[4] ずっと下って戦後、和辻哲郎『日本芸術史研究 第1巻 歌舞伎と操浄瑠璃』（一九五五年）では、近松浄瑠璃における伝統形式をもじる手法を論じるくだりに「パロディー」が頻出する。翌年の針生一郎の評論でもルイス・ブニュエルのモンタージュ手法を指してパロディの語が登場し、[5] テレビドラマの演出家を集めた一九六〇年の座談会では「アンチの意味をもつパロディ」「パロディ、寓話精神みたいなもの」が話題に上っている。[6] 遅くとも六〇年頃までには、とりわけ戯曲の分野でパロディという用語が浸透していたものと推察される。

　視覚文化においてこの言葉の用例が目立ちはじめるとともに、特定の傾向が現れてくるのは六〇年代の中頃である。六三年頃にいち早く「パロディー・ギャング」を名乗ったメンバー、[7] そして美術家の立石大河亞や漫画家の長谷《ながたに》邦夫らは、米雑誌『ＭＡＤ』を通じて（多くは進駐軍経由で）パロディという言葉を知った。ここからパロディはアメリカ文化と一対のものとして、『ＭＡＤ』が押し出したようなブラック・ユーモアと分かちがたい形で受容されていくことになる。

　七〇年代のパロディ関連作品を集めてみると、アメリカ風の乾いたジョークと辛辣な

（4）『英和対訳袖珍辞書』。田頭正太郎「ねじられたパロディ」、ツベタナ・クリステワ編『パロディと日本文化』笠間書院、二〇一四年、一五八頁参照。

（5）針生一郎『サドの眼 針生一郎評論5』田畑書店、一九七〇年、二〇頁（初出は『美術批評』一九五六年八月号）。

（6）「テレビドラマの新しい波」（北川信、大山勝美、北大博、和田勉、司会：羽仁進）、『テレビドラマ』一九六〇年一〇月号、四六―五五頁。

社会風刺を織り交ぜた『MAD』の影響は明らかだ。パロディを意識した六〇—七〇年代の大衆文化のほとんどは、軽薄な滑稽を誇張するタイプを一方の極とし、毒々しい政治・社会風刺を露悪的に見せるタイプをその対極とする、まるで『MAD』誌面の拡大版のようなグラデーションの中に分布していた。そこにはパロディといいがたいものも多く含まれるが、いずれにせよ新奇なカタカナ語としての伝播に伴って、かつての和辻らの論にあったような形式上の観点は忘却され、ジョークや風刺などと一緒くたに、もっぱらタブーを破る笑いや遊戯性といった付随的な効果に視点が収斂していった。この方向づけは、おそらく今なお強く残存している。

かような流入事情のかたわらで、実践面では六〇年代後半あたりから、パロディの語を使わぬまま自発的なパロディ表現が生まれていた。漫画の分野で先鞭をつけたのは、ジョージ秋山(「パットマンX」、六七年)と永井豪(「地獄の剣マン」、六八年)の二人である。米沢嘉博はこれを世代差の発露として説明する。「マンガを呼吸して育った世代は、マンガを多く吸収しており、その体験をマンガの中に生かすことにためらいもなかった。パロディである」[8]。読者の誰もが知る「お約束」を表面的に守りつつ、求められるはずのシナリオや行為を裏切ったり、「お約束」の利用をわざとらしく強調するような新たなスタイルの漫画。様式として共有された漫画体験を再演・再認することで、漫画をもって漫画を笑うメタ表現が登場したのである。

ただしこの新世代、特に永井豪の作品に触発されてパロディ漫画と呼ばれる一ジャン

(7) 一九六三年頃に、広瀬正、水野良太郎、豊田有恒、伊藤典夫ら、漫画家や小説家が結成したグループ(のちに豊田と伊藤は退いて、小鷹信光、しとうきねお、片岡義男が加入)。六〇年代から八〇年代にかけて大人向けの手軽なジョーク本を発表した。

(8) 米沢嘉博『戦後ギャグマンガ史』ちくま文庫、二〇〇九年、一八五頁(原典は新評社、一九八一年)。

ルを築いた立役者は、新世代が親しんだ様式を育ててきた、いわゆるトキワ荘世代に属する長谷邦夫であった。「ゲゲゲの星」（六九年）以来、長谷が次から次へと他者のスタイルを取り込んで笑いを取るその背景には、ギャグ漫画という漫画特有のフィールドの存在が不可欠だった。すなわち、長谷と同世代の石森章太郎の「テレビ小僧」（第一期連載：五九―六二年）や赤塚不二夫の「おそ松くん」（第一期連載：六二―六九年）などを端緒として、長谷自身も加わって開拓されてきたエキセントリックな漫画のフィールドである。生活の延長にあるユーモアから脱した、荒唐無稽なナンセンスだけで漫画を成り立たせる方法論が、前もって素地として用意されていたからこそ、「盗作」をあえて自称し、他者が作り上げたキャラクターや描法をそのまま利用する、ほとんど不埒な長谷のふるまいも、ギャグの派生として受け入れられる余地があった。

こうして漫画分野では、漫画体験の世代的蓄積とギャグ漫画の方法論確立を両輪に、多分に内輪的な、即席で楽しめる笑いに特化した形でパロディが培養されていくことになる。瞬発的な笑いは、ハイスピードで娯楽と情報を読者に提供する週刊漫画誌という六〇年代の新興メディアが求めたものでもあり、この時代の圧倒的な文化装置であったテレビにおけるリズミカルなアメリカ風コメディの人気――たとえば「シャボン玉ホリデー」（六一―七二年）や「巨泉×前武ゲバゲバ90分！」（六九―七一年）などが代表するような――とも並行した動向だった。

一方で、漫画にやや先行してパロディ表現が表面化した美術分野においても同様に、それは一面では世代差として出現した。横尾忠則や立石大河亞など一九三〇年代から四〇年代生まれの作者が、亀倉雄策や岡本太郎ら一九一〇年代生まれの世代を標的としていることは象徴的である（図1、2）。前世代が切り拓き、確立を経て固化してきたモードを客観的に見る立ち位置から、あるいはそうした固化を指摘すべく、あからさまな反復としてのパロディが実践されたのだ。ただ、ギャグ漫画のような笑いを介したコミュニケーション・メディア、人類学でいうところの冗談関係（joking relationship）をジャンルとして形成することのなかった美術において、パロディはもっぱら対立、対抗を示すことになる。

表現された図像としても、そして作者たちの意識としても、その方法は、オリジナリティの概念を公然と無視したり商標などの消費社会の表象を赤裸々に描いた、ダダやポップ・アートから受け継いだものであった。受け手の需要に応えて笑いを加速・増殖させた漫画やテレビなどとは違って、良くも悪くも市場と無縁であった前衛美術では、他者の表現や流通イメージを露骨に模倣するパロディは、そのまま反骨として機能した。「自他共に犯罪者のごとき素振りをしていたパロディ」[9]とは当事者の一人、赤瀬川原平の弁である。この意味で、前掲の鶴見が指摘した「権力批判の運動」を視覚文化において最も真っ当に、あるいは真面目に引き受けたのは美術であったといえる。

読売アンデパンダン展を最大の舞台としてしのぎを削る前衛芸術合戦が白熱する最中、その祝祭的な場を離れ、パロディックなカモフラージュによって日常空間でゲリラ戦を

（図1）

横尾忠則《POPでTOPを！》一九六四年頃

（図2）

横尾忠則《岡本桃太郎》一九六六／二〇〇〇年

（9）赤瀬川原平「カリカチュアからパロディへ、そして…」、『芸術新潮』一九七九年四月号、四一頁。

繰り広げたハイレッド・センターは、第一に挙げるべきパイオニアである。アメリカからの影響が色濃いパロディ受容の潮流にあって、アメリカの作品をアメリカナイズされた日本の環境にそのまま移し替えて――しかもパロディ的手法を得意としたラウシェンバーグの作品を元にして――見せた篠原有司男（図3）、冗談関係が未成立の環境にありながら例外的に直近の表現をパロディに持ち込んだ横尾忠則らは、特異にして重要な作例を残した。また、すでにジャンルの細分化とそれら相互のヒエラルキーが明確化しつつあった造形芸術の分野を横切って、一段低いジャンルとみなされていた陶芸の立場から、パロディを駆使して同世代の正統な芸術たる美術に批評の矢を向けた八木一夫は特筆すべき作家である。

アナーキズムの跋扈した六〇年代美術において、パロディは、まず権威の所在を指摘し、権威の懐に潜ってそれを翻弄する方法論として、また自らが取り込まれているアナーキズムそのものから一歩踏み出して相対視する方法として、実践された。表現を反復して再帰させ、表現で表現を語るパロディの自己言及性は、やがて七〇年代に入ってより内面化と純化を進め、広く現れてくることになる。

このように六〇年代のパロディは、漫画においては特に笑いの効果を、美術においては特に対抗という効果を、それぞれの分野でパラレルに前面化させながら、徐々に相貌を現しはじめた。ただし、この時点では未だ、これらの表現形式はパロディという言葉と、はっきりとは結び付いていなかった。

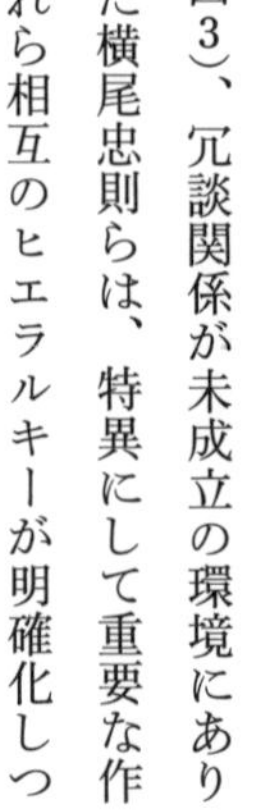

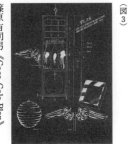

（図3）
篠原有司男《Coca-Cola Plan》
一九六六年

3 七〇年代、「情報」の投げ返し――ビックリハウスからアニパロへ

上述のように六〇年代後半に各所で登場した表現は次第にあるまとまりを持つようになり、これに追随する形でパロディという語も広く認知されていった。パロディを扱った書籍をリストアップしてみると、[10] 七〇年代に入って、にわかにこの語の用例が増殖しはじめることがわかる。

この時代のパロディ状況に顕著な特徴の第一点は、広告と雑誌という二つのメディアを標的とするものが圧倒的多数にのぼることである。広告に関しては、とりわけ電通プロデューサーの藤岡和賀夫が七〇年代の幕開けのタイミングを狙って仕掛けたキャンペーン「モーレツからビューティフルへ」(富士ゼロックス)、および「ディスカバー・ジャパン」(日本国有鉄道)が立て続けに大きな話題を呼び、広告の社会的影響力をまざまざと見せつけていた。社会を包摂する影響力、あるいは権力の大きさに加えて、特にそれらが、ときに宣伝商品すら不明な、芸術表現にきわめて類似したイメージを押し出すヴィジュアル・キャンペーンであったことから、写真家や美術作家からは強い反発が起こった。[11] 広告イメージを商業的流通の象徴として取り込むパロディは、たとえば吉村益信や秋山祐徳太子など、すでに六〇年代のポップ・アート文脈に現れていたが、七〇年代には広告メディア全体、もしくは象徴化を経ることなく、特定の広告をそのまま標的とするものが盛んになる。

(10) 『パロディ、二重の声　日本の一九七〇年代前後左右』図録(東京ステーションギャラリー、二〇一七年)の巻末に参考文献をまとめておいた。

(11) 本書「すべては白昼夢のように」参照。

雑誌、特に週刊誌もまた強い影響力を誇ったメディアであり（鶴見俊輔がパロディの源泉として「週刊誌やグラフ雑誌、マンガ雑誌」を挙げていたことが思い返される）、木村恒久（図4）のように雑誌上の作品発表で注目される作家がいるかたわらで、雑誌を素材にするもの、雑誌内において雑誌に対する批評的な距離を作り出すもの（図5）、雑誌媒体そのものを模倣して差異を生み出すもの（図6）など、多角的なパロディ表現が見られた。つまり、雑誌からパロディが発信されたというより、目に見えて社会を席巻している雑誌の氾濫が飽和状態に達しようとするなかで、いわばアレルギーとしてパロディが発症したのである。

広告、雑誌いずれにしても、この時期のパロディの触媒として機能したのは、ちょうどこの頃に広く取り沙汰されはじめた「情報」産業であった。第二の現実と化しつつあった情報、つまりオリジナリティを付与された疑似オリジナルが、あくまで操作を経た現実ならざる現実であるという認識に基づいて、潜在的な意味を加えて情報の鼻を明かそうとするパロディがこぞって実行に移された。美術家の島州一《くにいち》はこれをいみじくも「情報の投げ返し」と呼んだ。それまで別々にパロディを育んでいた漫画と美術、さらに山下洋輔や筒井康隆らの「全日本冷し中華愛好会」のように音楽や文学なども含む多分野の表現者たちがパロディを介して合流したのも、情報という巨大な標的が明確であったからにちがいない。

七〇年代のパロディ状況のもうひとつの特徴は、パロディの表現主体の大衆化である。

（図4）
木村恒久《都市はさわやかな朝をむかえる》一九七五年

（図5）
赤瀬川原平『櫻画報』一九七一年三月一九日号（『朝日ジャーナル』一九七一年三月一九日号）

広告や雑誌のパロディなどは六五年創刊の『話の特集』においてすでに試みられ、アートディレクターを務めた和田誠（図7）を筆頭に、パロディ表現の社会的普及に大きな役割を果たしていた。だが、同誌を彩ったような洗練された職人芸的パロディは七〇年代に入ると影を潜め、むしろ素人芸的なそれに塗り替えられていく。この年代に、ゼロックスとヴィデオという複製メディアが個人的に使える道具として認知されはじめたことは要因として大きい。機材を個人所有できる水準には至らずとも、それまで一対多の関係で一方的に受け入れざるを得なかった情報を、個人レベルで発信し得るという予感がこのとき生じた。[12] 著作権の保護期間延長、利用制限規定の詳細化、罰則の強化などを盛り込んだ七〇年の著作権法大改正も、こうした環境変化を見据えていた。そのようなコミュニケーションの様態変化の兆しなくしては、「投げ返し」の気運も生まれなかったであろう。かつて自分たちを取り巻いていた漠とした広がりに対して「情報」の語が与えられることで、それは作り出されたものであり、また自ら作ることもできる、ある定量的な範囲であるという意識が明確に共有されていった。

この大衆化、個人化を促進したのが『ビックリハウス』（図8）にほかならない。判決文にパロディの語を盛り込んだ「パロディ裁判」における七六年の第一次東京高裁判決[13]と並んで、七四年末に創刊した同誌こそが、パロディという言葉の社会的認知を決定づけたといっていい。読者投稿を大幅に取り入れて若者の「シロートイズム」を触発した『ビックリハウス』は市民発信の「情報の投げ返し」の受け皿となり、若者主体の巨大

（図6）ぷろだくしょん我S《週刊週刊誌》一九七一年（部分）

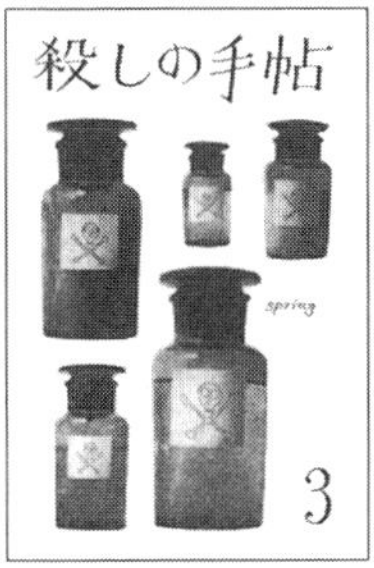

（図7）和田誠「殺しの手帖」（『話の特集』一九六六年三月号）

な共同体を作り上げていく。与えられている情報を素材に読み替えるパロディは、根本的に技巧不要の、「持たざる者の技術」としてうってつけであった。道具の普及とそれに伴うコミュニケーションの変化を背景に、民主的な表現方法としてパロディが開花したのだ。かくしてパロディ・ブームが到来する。雑誌のみならず、テレビに、ラジオに、街中にもパロディがあふれ出した（図9）。

それは一種の社会実験の様相を呈したが、程なくして目に見えて標的との緊張関係を失っていく。前掲の米沢嘉博は、七〇年代後半のギャグ漫画が、メディアの拡大と情報社会の定着を受けて、笑いを一般から遠ざけてハイコンテクストにしていった状況を指摘している。情報が個人にばらまかれる社会において、かつて笑いを生むための必須条件であった一般常識を蓄えるための経験・体験が不要となり、ごく短期的知識としての情報をすぐさまネタとして笑いに転化できるようになったのだ、と。

社会的事件、有名人、流行——それらはメディアを通じて個々の体験や認識となる。さらに、TVの中の疑似世界や少年雑誌のマンガも「情報」として一般へ送り込まれることで、充分体験や知識となる。マンガの中の疑似体験も個々の体験もすべて個の中に「情報」として納められてしまうのである。

もはや、生活部分や感情、教科書的常識だけが一般性を持つのではなく、メディアに乗った過剰な情報すべてが知識なのであり、混濁した体験なのだ。マンガは「笑

(12) たとえば次を参照。今野勉「ヴィデオ生態学と複写の思想」、『季刊フィルム』一二号、一九七二年七月号、一〇三―一一二頁。吉永光邦、安永寿延、山本明、多田道太郎『グラフィケーション別冊　複製時代の思想』富士ゼロックス、一九七一年。津村喬、多木浩二、上野昻志、森秀人、木村恒久、針生一郎ほか『グラフィケーション別冊　続・複製時代の思想』富士ゼロックス、一九七三年。

（図8）
『ビックリハウス』
創刊号 一九七四年

い」をそこへの信頼によって展開していくことになる。(14)

マイナーなギャグの、マイナーなままのマス化。「一般」から「個」への笑いの文脈の拡散。そこで本来自閉的な（わかる人にだけわかる）パロディが大々的に活性化する。『ビックリハウス』が引き起こしたのも同様の現象である。情報の渦に逆らう投げ返しは、いつしか情報ありきの慣れ合いにシフトした。そもそもブームのパロディ化ならぬパロディのブーム化という事態が、ほとんど語義矛盾をはらんでいたともいえる。

パロディは、情報に対する逆襲であると同時に、自らがひとときでも情報の操作主体に、あるいは権威に成り変わる快楽も含んでいたことが、一層ブームを加速させた。投稿欄としてパロディの枠とその対象までもがあらかじめ用意された『ビックリハウス』で、そしてブームに乗ったあらゆるメディアで、パロディのためのパロディが量産された。標的との批評的な距離は見失われ、標的はむしろ大切な資源と化し、標的であったはずのオリジナリティの聖性や不可侵性はかえって高まっていった。さかのぼれば、『ビックリハウス』を立ち上げた萩原朔美、榎本了壱らの、読者を舞台に上げようという志向は、彼らの出自である劇団天井桟敷の主宰・寺山修司の視聴者参加、観客参加の方法論(15)にルーツがある。けれども、作者と受容者の関係が開放された場を思い描いた寺山の思想とは裏腹に、『ビックリハウス』は発表の場の拡充によって作者概念の強化として作用したのである。

（13）本書「二重の声を聞け」参照。

（図9）河北秀也（AD）帰らざる傘　一九七六年

（14）米沢嘉博『戦後ギャグマンガ史』前掲（8）、二五〇—二五一頁。

（15）たとえば、寺山修司「半世界　受け手の表現　イントロダクション」、『芸術倶楽部』一九七三年九月号および同号特集「半世界」を参照。

「元ネタ」に乗っかって楽しむ『ビックリハウス』のコアな読者、通称「ハウサー」たちの遊戯は、その後一九八〇年代のアニメファン文化「アニパロ（アニメパロディ）」に受け継がれ、さらに今日の二次創作にまで地続きにつながっている。だが、ファン・コミュニティの楽しみに基づくそれらは、もはやパロディの批評的距離とは無縁の「翻案」にほかならず、ヴァルター・ベンヤミン以降の伝統的な複製論の枠内にあるといえるその表現は、屈折した反復によって異化効果の生成を目論むパロディの文脈とはすでに袂を分かっている。ついでにいっておけば、パロディを含む二次的な記号操作の作例やそれらを分析する議論は、「シミュレーショニズム」や「アプロプリエーション」という新たな外来語とともに、九〇年代にふたたび蘇生する。あるいは九〇年代以降に東浩紀を筆頭に展開された、「データベース消費」などと呼ばれるオタクカルチャー論を想起してもいいだろう。ここでポストモダン論議にまで手を広げる余裕はないが、そのような文脈で語られる複製を弄ぶ情報消費や記号操作的な表現のあり方は、すでに七〇年代において顕在化していたものと思われる。[16][17][18]

話を戻せば、コマーシャリズムと離れて孤高を保つかに見えた七〇年代の美術もまた、パロディと無縁とはいえない。六〇年代にあった正統性やオリジナリティへの対抗は、より広く根深い忌避感に似たものに変容していった。結果、美術の正統たる絵画や彫刻のジャンルそのものが遠巻きに扱われることになる。この年代ほど絵画、彫刻の制作が避けられた時代もない。版という段階を持つため本質的に二次的性質を備える版画作品が

(16)「〔……〕一方では、事物を空間的にも人間的にも近くへ引きよせようとする現代の大衆の切実な要望があり、他方また、大衆がすべて既存の物の複製をうけいれることによってその一回かぎりの性格を克服する傾向が存在する。手近にある物を描き、模写し、複製して所有しようとする欲求は、日常生活において避けることができない」。高木久雄・高原宏平訳『ヴァルター・ベンヤミン著作集2　複製技術時代における芸術作品』晶文選書、一九七〇年、一六頁。

(17) 椹木野衣『シミュレーショニズム　ハウス・ミュージックと盗用芸術』洋泉社、一九九一年。

盛んになり、ストレートな表現よりも、芸術の意味作用を間接的に示唆するような作品、つまりコンセプチュアル・アートが多く実践された。六〇年代末から登場していた「もの派」傾向は、造形せず、彩色せず、空間にもたれかかり移動できず、しばしば歪んだり傷ついたりした矩形を展示空間に持ち込んだ（図10）。立体的ではあるものの、彫刻よりも絵画への意識をより強く感じさせるそれらを、思い切って絵画の反面的なパロディと呼んでよいかもしれない。少なくとも美術によって美術を語るこの時代の美術表現に顕著な自己言及性――ホイットニー美術館が七八年に「Art about Art」展を企画したように、それはアメリカ美術にも現れていた傾向のひとつだった――は、パロディの潮流との同時代感覚をたしかに共有していた。藤枝晃雄は、マルセル・デュシャンやポップ・アートを参照しつつ「もの派」を批判対象とした小論を、次のように締めくくる。

> セザンヌ、キュビスム、ポロックとフィールド・ペインティングは、まさにモト歌というべき美術である。実に正当なカエ歌は、これらのモト歌によって切実な美術の状況を思い知らされ、状況の芸術になっている（余儀なくされている）のであるといわねばならない。そして、今は、その美術の状況は、状況の美術によってほとんど洗いあげられている。たしかに、現代はパロディの時代であるかもしれない。だが、いまや残された途はただ一つ、モト歌をつくることなのである。(19)

(18) 東浩紀『動物化するポストモダン オタクから見た日本社会』講談社、二〇〇一年、同『ゲーム的リアリズムの誕生』講談社、二〇〇七年。

（図10）

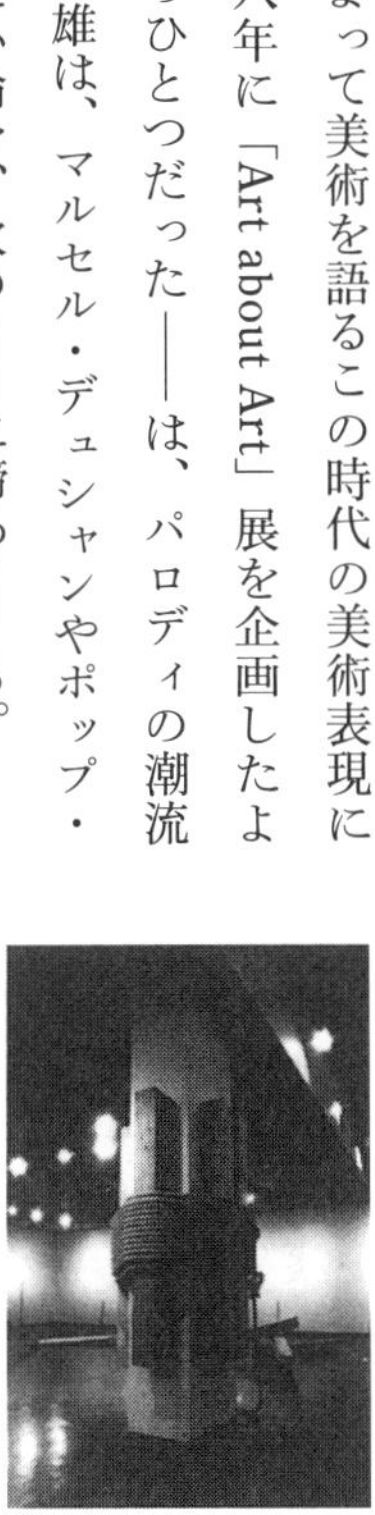

李禹煥《関係項》一九七〇年（撮影：安齋重男 東京国立近代美術館「一九七〇年八月――現代美術の一段面」展示風景）

(19) 藤枝晃雄「カエ歌と美術」、『現代詩手帖』一九七五年三月号、九七頁。

4　オリジナリティとパロディ

もはや街じゅうがパロディのためのパロディで満腹となった。それまで率先してパロディを実行に移してきた赤瀬川原平も、ついにはその「肥満したパロディ」に食傷をきたした。「パロディがパロディに埋めつくされて、どこにもパロディが見えなくなっている。パロディが増大することによってパロディの活力は滅亡していく」[20]。パロディ・ブームは用語の社会的定着と実践例の量産を達成したが、同時にパロディに対する価値観も決定づけることとなった。この語が一般に使われはじめた六〇年代当初から、低俗、俗悪な遊戯性のニュアンスが伴っていたが、八〇年代が見えてくる頃には、パロディは低級で閉鎖的な馴れ合いのような刹那的消費の方法として人々の脳裏に刻まれた。だが、「パロディの活力」というその言葉の裏に「犯罪者のごとき素振り」を期待する赤瀬川を含め、そうした捉え方のほとんどは基本的にパロディによって生じる効果のみに焦点を当てており、パロディがいかなる構造と論理において存在意義を持つかという形式的観点がすっぽり抜け落ちている。七〇年代を通じてパロディはファッションとして様式化することで「肥満」し、活発さを失っていったが、そこで廃れたわけではむろんない。パロディは標的の価値低下を目論むことも多いが、そのことは形式自体の低価値を意味しないのだ。

パロディという主題は、いわゆるフリーカルチャーなどの今日的問題にも引きつけて

(20)　赤瀬川「カリカチュアからパロディへ、そして…」前掲（9）、四〇頁。

考えることができ、実際に現在ではそうした文脈で俎上に乗ることが多い。だが、あくまで制度の設計によって解決し得るような、法整備や情報システム構築にかかわる問題は別として、ここではそのような文脈でさえしばしば等閑視されがちな、本質的なパロディ形式の意義について最後に触れておくことにしたい。

上述した低級な表現としてのパロディ観は、著作権という法制度の知識にも紐付いた価値観である。他者の著作物をおおっぴらに反復するパロディは、著作権法に抵触するゆえに忌むべき表現である、と。著作権法とのかかわりでパロディを形式として顧みる貴重な参照項であった「パロディ裁判」については次節以降で改めて論じる。ここで最低限いっておくべきは、一連の裁判では第二審の東京高裁判決を除いて、パロディという表現が成立し得るか、それが表現とみなせるかどうかについて、かたくなに言及が避けられたということである。パロディはそのままでは有罪とはいえない（誤解のないように強調しておけば、パロディならば無罪というわけではない）。というより、パロディを扱う言葉自体を、日本の著作権法は持たないのである。

法が定める著作権とは何か。それは、正統な利潤を生むコピーを保障、保護するために、表面的な結果に対して付与されるオリジナリティというステータスである。オリジナリティが付与されるのはあくまで表面でなくてはならない。なぜなら、表面＝決定済みの結果でなければ、安定した認識が確保できないからだ。著作権がつねに固有の作者名という問答無用の原点とともにあるのもまた、同じ理由による。法をシステムとして安定させ、著作物と呼ばれる結果を繰り返し同じとおりに再認しながら円滑にコントロールするためには、絶対に揺らぐことのない由来が不可欠なのである。それゆえ、著作権システムは、結果にさかのぼる産出の過程、技術の施された生成過程を参照することはない。そこではただ、作者と結果（表面）があれば事足りる。というより、その二点をつなぐ道程の多元的、動的なプロセスを参照すればたちまち規定が脅かされてしまうために、固定したオリジナルとしての結果（表面）と作者名が必要とされるのだ。法が扱う独自性《オリジナリティ》の概念は、技術を吟味する倫理的な判断から導かれるものではなく、閉鎖的に安定した制度のもとでのみ、著作物の表面、いや著作物という表面に貼り付けられるラベルなのである。(21) それゆえ著作権法は、標的テクストの表面を反復しつつわずかに何かしらのずれを持ち込み、ときには同一の表面を持ちながら成立状況のみをずらして批評的距離を生み出すパロディを、認識することができない。表面で識別できない以上、それはせいぜい汚れたラベルとしか見えないのである。人を欺くために複製を利用した剽窃と、複製の事実をあえて見せつけるパロディの二つがあったとして、見る者にその違いが明らかである場合でも、法がこれらを峻別することは原理的に不可能である。

パロディは、オリジナリティの概念を保管するこの制度こそを、模倣し、再演し、擬態する。その意味でパロディは、しばしばそう信じられているように著作権法と敵対するのではなく、むしろ同調する。先に触れた「情報の投げ返し」は、情報という表層のみでなされる伝達に対して、その表層性をそのまま用いて撥ね返す試行であった。あら

(21) 実のところ、こうしたオリジナリティ概念を保養している最たる機関は、美術館であるといわねばならない。キャプションと呼ばれる情報表記が代表しているように、美術館は作品のオリジナリティを保証するラベルを必要とする。「オリジナリティという主題は、真正性、オリジナル、起源という諸概念を実際に包含しつつ、美術館と美術史家と美術の制作者が共有するディスクール実践なのである。そして十九世紀全体を通じて、これらの全機関＝制度は、オリジナルの印、保証書、証明書を見出すために結託したのである」（ロザリンド・クラウス『オリジナリティと反復』小西信之訳、リブロポート、一九九四年、一三一頁）。

ゆることを結果として扱うほかない閉鎖システムの一元性を体現して見せる皮肉な反復。著作権法が産出過程、技術過程を見ないのと同様に、パロディは標的を表面として扱って反復し、プロセスは模倣しない。両者が立脚する視点のメカニズムは同一である。

したがって、表面のみを注視する表層的で皮相なパロディはキッチュとしてふるまうが、ファッション、様式として浮遊するキッチュとは異なるロジック——オリジナリティ概念が依って立つロマン主義、ないしそこで要件とされる固有性《キャラクター》、唯一性《ユニークネス》への本質的な批判——を持つ。複製を介した表現形式についてしばしばいわれる、歴史は過去との対話の連鎖でつながっているのだという常套句に対して、パロディのみは、表向きの反復の裏でその連鎖の切断を試みる。パロディが抵抗するのは、標的が代表している史的正統性としてのオリジナリティにほかならない。オリジナリティという言葉が発せられるときに見失われるものは何か。表面的に循環する制度以外の何が、表現を次代に持ち越すのか。その反面的、反省的な示唆こそ、パロディの意義であり意志である。パロディを笑うか笑わないか、許すか許さないかといった効果で測る観点は、もともとパロディが持つ表層性のさらなる反復にすぎない。パロディによって問われているのは、そのようにパロディを測ろうとする判断が基準とする「権利意識」の起源《オリジン》である。

未確認芸術形式パロディ——ことのあらましと私見

事件の発端となったグラビア特集を掲載した『週刊現代』が刊行されたのは、奇しくも、いわゆる千円札裁判*が幕を下ろした一九七〇年四月のわずか二ヵ月後のことだった。この特集を見た写真家の白川義員《よしかず》（一九三五―二〇二三年）が、自身撮影の写真がグラフィックデザイナーのマッド・アマノ（一九三九年―）によるフォトモンタージュ作品(1)のひとつに無断で素材として使用されていることを発見。著作者人格権の侵害をめぐって白川がアマノを相手取って一九七一年に開始した訴訟は、一九八七年の実質的に白川側の勝訴となる和解成立までじつに一六年もの歳月を費やすことになる。

　のちにパロディ事件、パロディ裁判などと通称されるこの騒動は、スキーヤーがシュプールを描く雪山の上に巨大なタイヤが合成されたイメージとともに広く知られる（図1）。これはもともと、一九七〇年一月にアマノが自費出版した作品集『ＳＯＳ』から『週刊現代』が抜粋して転載したもので、素材となった写真は白川が一九六六年に撮影して翌年の写真集で発表していたものだった。アマノはこの写真が載ったカレンダー（図2）を素材に使用したのである。

＊　本書「石子順造小辞典」「千円札裁判」参照。

（1）　アマノのフォトモンタージュを「作品」つまり著作物と呼ぶかどうか自体が裁判の争点と絡むため慎重に書かねばならないが、本稿ではひとまず措く。筆者は「作品」と呼んで問題ないと考える立場である。

（図1）

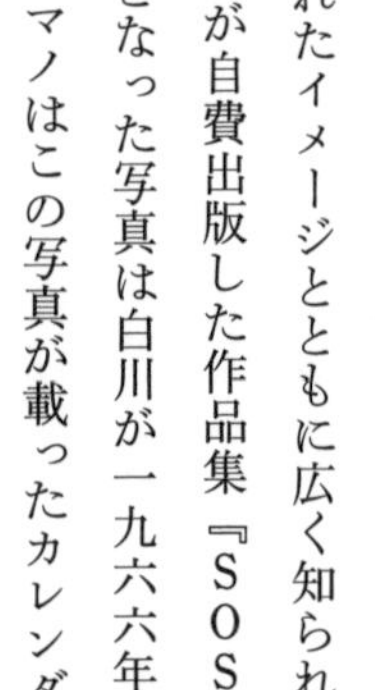

マッド・アマノ《軌跡》一九七〇年

「パロディ」というカタカナは、まさに一九七〇年代に隆盛して民衆の生活の中に定着していく。世間では複写機がオフィスに普及し、広告産業が猛烈な勢いで台頭、多彩な大衆雑誌が次々に創刊されていた。この事件は、当時から自覚的にそう呼ばれていた「複製の時代」の徒花であったといえる。

原告（白川）側は、①作品の無断盗用と改ざん、およびそれによる②制作意図の侮辱を主張した。対して被告（アマノ）側は、①モンタージュ写真は原写真とは別個の創作であり、②侮辱には当たらず、③正当な範囲の引用であると反論。

結果、一審の東京地裁（一九七二年）はアマノの行為が盗作であり著作権および著作者人格権の侵害に当たるとする原告白川側の主張を全面的に認容。控訴審の東京高裁（一九七六年）は逆転してアマノ側主張をほぼそのまま認めた。そして最高裁（一九八〇年）は高裁の判決を退けて侵害を認め、その後の審議を経て両者は和解に至った。

最高裁判決が示した引用の二要件説――著作権保護の例外として認められている（＝著作物を無断で利用できる）「引用」は、引用側と被引用側の著作物が明瞭に区別でき、かつ、引用側が主で被引用側が従の関係にある場合に成立する――は今日でも有力な引用基準の解釈としてたびたび参照されている（なお、審理中に和解成立した八七年の東京高裁を除くすべての判決はウェブサイトで見ることができ、(2) 東京ステーションギャラリー『パロディ、二重の声』図録（二〇一七年）に全文再録した）。

全六回の審理中、他がすべてアマノによる著作権の侵害を認める判決を下す中で、

（図2）

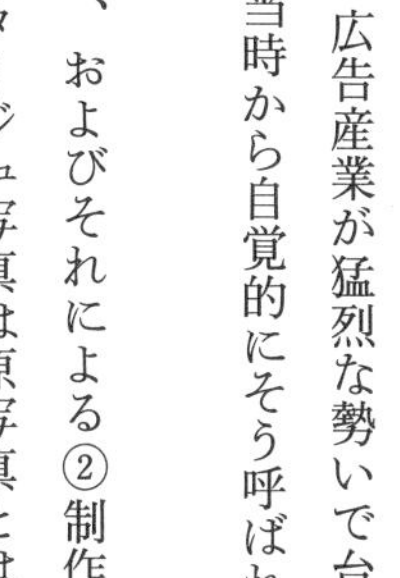

AIU一九六八年版カレンダー、一九六七年

（2）http://www.courts.go.jp/（二〇一九年一一月八日閲覧）事件番号はそれぞれ、東京地裁判決：昭和四六年（ワ）八六四三号、第一次東京高裁判決：昭和四七年（ネ）二八一六号、第一次最高裁判決：昭和五一年（オ）九二三号、第二次東京高裁判決：昭和五五年（ネ）九一一号、第二次最高裁判決：昭和五八年（オ）五一六号。

一九七六年の東京高裁のみがアマノの主張を認めたわけだが、表現の自由に大きく優位を与え、パロディを創作として最大限評価しようとしたその判断は大胆であったといえる。結論が他と異なるという以上に、美術史上の事例を挙げ、さらにフェア・ユース（自由利用、公正利用）の語――アメリカの著作権法において表現の自由と著作権との拮抗を調停するために設けられているが日本の著作権法上には概念として存在しない――を持ち出した高裁の判決文は、全審理の中でも特異であった。

この判決の重要な特徴は、パロディ作品としてアマノにおける新著作物の成立を明言したこと、そして、あくまで著作権法の範囲内で判断（要するに、正当な「引用」か否か）を行った他の判決に対して、本判決のみが憲法上の表現の自由に言及し、本事件を表現の自由と著作権との相剋という構図に位置づけている（そのうえで表現の自由の優位を認定した）点である。基本的に引用部分が多いか少ないかという量的な問題の範疇を出なかった一連の審理の中で、表現の自由を正面から扱った点においてこの判決を評価したい。

ある法学者による次のような意見もある。たとえば、著作物を構成する「形式」を「外面的形式」（客観的構成要素）と「内面的形式」（著作者の思想体系）に分けたとして、ふつうは前者が改変されても後者が変わらない限り同じ著作物とみなすことができる。とすると逆に、「外面的形式」はほぼ一致しながらも「内面的形式」が異なるアマノ写真は独立した著作物と解釈できる――つまり、見た目がほとんど同じであっても別々の独立した作品であり各々の著作権が保持され得る。[3] ぼくはこの意見に賛同する。そのような理路がなければ、他者の作品を表現に取り込むタイプの批評的な形式そのものがきわめて困難になってしまうのだから。

しかしながらこの高裁の判断にしても、「正当な範囲の引用」を根拠とするほかなかった。というのも、現行の著作権法はイメージの借用について「引用」として許されるか否かの基準しか持たず、本件で問題となったような、原イメージをほぼそのまま用いた派生イメージをそもそも著作物とみなしがたいからだ。

アマノのモンタージュは元の写真にわずかに手を加えることで大幅に意味作用を変化させるところに要点があるのだが、著作権法はこのような著作物の利用方法をそもそも想定していない。それゆえほとんどの審理は引用部分の量的多寡の問題に終始せざるを得なかったのである。どのような意味的な差があれども、著作権法的には内容を問わず他者の著作物の大部分を利用したモンタージュは引用を超える剽窃ないし改作とみなさざるを得ない以上、アマノの敗訴は端から既定路線であったといっていい。最高裁判決にわざわざ添えられた「パロディを否定するわけではないが、やりたいのなら素材となる写真を自分で撮影してモンタージュすればよい（大意）」という裁判官の補足は、笑えないが笑うしかない。他者の著作物を原典として取り込んだうえでなされるパロディや再解釈のような批評的表現を行うのに、わざわざ原典の著作権者当人に許諾を得るという滑稽なことは実際には考えにくいし、だいいち、自分で撮影した写真をモンタージュ

（3） 半田正夫「著作権をめぐる最近の判例について」『ジュリスト』六一八号（一九七六年八月一日）一一二―一一四頁。

せよという意見は議論されている当の表現方法の趣旨をすり替えてしまっている。

要するに最高裁の判決の上では、対象がパブリックドメインになっている著作物でもないかぎりパロディは違法だといっているに等しいが、これはすなわち、パロディは著作権で扱うことのできる範囲を逸脱している、法に反するというより埒外である、ということだ。「パロディ裁判」の通称に反して、これはパロディという表現を裁いたのではなく、ほぼ引用の成否のみをめぐって行われた裁判であり、福井健策が述べるとおり、パロディ的表現は著作権法にとって「未解決問題」(4)なのである。パロディは現行法において成立しない。違法であるというよりも、そもそも認知することができない未確認芸術形式または技術なのである。

フェア・ユース規定を持つアメリカや、パロディの権利を伝統的に認めてきたフランスなど、より柔軟なシステムの例は存在し、これらを参照する政府の動きもあるようだ。一方で、TPPで著作権侵害の非親告罪化が合意されたこと(5)で硬直化する懸念も取りざたされている。が、法的な談義はさておき、倫理的、美学的見地からいうべきことは何か。

いわゆるパロディ裁判は、独創性としてのオリジナリティを根幹に置く著作権法の設計と、もとより個人や自我のフレームを破壊すべくダダが生んだモンタージュやコラージュが、未だに緊張関係にあるという事例にすぎないということもできよう。あるいは未確認であるかぎり勝手にやればよいとでもいいたいところだが、現況は穏やかでない。

(4) 福井健策『著作権とは何か』集英社新書、二〇〇五年、一四〇頁。

(5) 二〇一八年一二月三〇日、「環太平洋パートナーシップに関する包括的及び先進的な協定」(通称TPP11)の発効に伴って、原則として著作者の死後五〇年までとしていた著作権保護期間は七〇年に延長され、加えて侵害罪の一部非親告罪化(被害者の告訴がなくとも検察官が被疑者を起訴できる)など五項目に渡る著作権法改正がなされた。

パロディ裁判のすべての審理を通じて欠落していたのは表現の受容者の地平に対する視点であり、これについては次節「二重の声を聞け」で述べるが、もうひとつの問題として指摘できるのは、制作という一連の体系が無視されている点である。一審および最高裁の判決が根本的に準拠しているのは、結果としての表象だけで判断すればよく、それを成り立たせている生成プロセスに配慮する必要はないとみなす思考にほかならない。ひとたび登録された表象は不可侵であり、引用を超える借用は許諾のないかぎりいかなる過程の成果であれ認められない、と。この司法の姿勢は千円札裁判と同一である。

その点、パロディを扱った最初の、数少ない、しかし化石のようなこの判例は、ネガティブな方便として働いてしまっているように見える。「パクリ」「トレス」といった符牒の下に日々私刑が繰り広げられる（裏を返せばオリジナリティを過度に信仰する）現代の病は、件の裁判同様の閉鎖的な思考に陥っており、その自粛傾向はますます強まっているといわざるを得ない。かつてとは比較にならないほど複製が容易になったメディア環境にあって、市民レベルで相互監視が猖獗を極め、その容易さがゆえに身近で抵触し得る著作権はいわばきわめて「フラジャイルな権利」と化し、過剰なほど近寄りがたい力を帯びている。しかしもともと著作権の理念的背景にある文化振興は、排他的な占有ではなく共有によってこそ促進されるものであることをあらためて確認せねばならない。

引用の例外として自由利用の規定が著作権法に盛り込まれることが望ましいと、ぼくは考える。まずは端的に、個別作品の評価や否定に及ぶよりも前に、あくまで自由利用の余地を考え、コラージュやモンタージュといった美術史上ごく一般的に実践されているすでに確立された方法を擁護し、その自由度が狭められないことを願う。仮にアマノのモンタージュを含むような表現が自由利用として認められたところで「盗作し放題」のような無秩序には結びつくまい（語弊のないように強調しておきたいが、引用される側の著作権はあくまで認められるという前提である）。それこそアメリカなど海外の著作権法のフェア・ユース規定にあるように、著作物使用の目的、それによって生じる機能や意味作用、すなわち生成プロセスに照らせば、単なる模倣や盗作とパロディは区別し得るのだ。

オリジナリティという概念は、コピーにこそ基礎づけられ、それらは互いに結託していたはずだった。

一方――オリジナリティ――は安定した価値を持ち、他方――反復、コピー、複製――は不信の対象とされる語彙であるにもかかわらず、ある種の美学的経済の中で（たとえば前衛芸術においてグリッドが反復されるように）、相互に依存し、相互に支え合いながら、一緒に結ばれているように見える〔……〕その向こうにいかなるより深いモデルも指示対象もテクストも存在しない、争う余地のない零の場。しかし、芸術家と批評家と観客の数世代が感じてきたこの根源性の経験はそれ自体偽

りであり、一個の虚構なのである。(6)

これを踏まえてロザリンド・クラウスが「コピーという概念を抑圧しないとはどういうことか?」(7)と投げかけ、モダニズム批評を次代へと進めたのもまたパロディ裁判と時期の重なる一九八一年のことであった。あらゆる事象が即座にコピー可能な環境と裏腹に複製への恐怖が蔓延する中で、批評の余地はまだある。

(6) ロザリンド・E・クラウス、小西信之訳『オリジナリティと反復』リブロポート、一九九四年、一二九頁。

(7) 同前、一三五頁。

二重の声を聞け——いわゆるパロディ裁判から

一九七〇代の日本の社会を席巻した「パロディ」という言葉ないし現象を振り返るとき、最大のトピックとなるのがあるひとつの事件であることは疑いを容れない。「写真著作権裁判」「合成写真裁判」「パロディ・モンタージュ裁判」など、立場や問題の所在の捉え方によって様々な呼称が生まれたが、新聞や雑誌の報道を通じて最も一般には「パロディ裁判」として流布した一連の裁判事案である。七一年の訴訟提起から足掛け一六年もの歳月を費やして争われたこの事件を、あらためて考察の対象としたい。本書別稿の「未確認芸術形式パロディ」「パロディの定義、テクストの権利」で述べたような今日の社会におけるパロディ観、ひいては図像《イメージ》をめぐる権利意識の根本を考えるには、この事件を参照することが最もふさわしいと思えるからにほかならない。

端緒となったマッド・アマノによる作品の雑誌掲載が七〇年六月。澁澤龍彦による翻訳およびその出版の猥褻性が問われた「悪徳の栄え事件」（サド裁判、六九年一〇月終結）、赤瀬川原平の作品をめぐるいわゆる「千円札裁判」（七〇年四月終結）など、前衛花盛りの六〇年代に社会的に話題を振りまいた芸術裁判に引き続き、本事件は七〇年代から八〇年代にかけて大いに世を賑わせた。

事の次第をごく簡単にまとめておけば次のとおりである。七〇年一月、グラフィックデザイナーのマッド・アマノはフォト・モンタージュ作品集『SOS』を自費出版した。その内容の一部を含む作品群が『週刊現代』同年六月四日号で特集されたことをきっかけに、このうちの一点に写真家の白川義員による撮影写真が利用されていることが白川当人の知るところとなった。シュプールを描くスキーヤーと雪山をとらえた写真に広告から切り抜いたタイヤを貼り付けたその一点、雑誌掲載時には《軌跡》と題された作品（本書一二六頁図1）においてアマノが素材とした雪山写真は、白川が六六年にオーストリアのサン・クリストフで撮影したものである。この写真は写真集『SKI '67第四集』において公表されていたが、フォトエージェンシー経由でいくつかのカレンダーに無記名で掲載され、アマノはそのうちのひとつである保険会社AIU社カレンダーを使用したのであった（同一二七頁図2）。制作と発表に際して白川の承諾はなく、写真の出所表記もなされていなかった。

件の『週刊現代』を発行した講談社が白川の抗議を受けて示談金の支払いに応じた後、白川とアマノは双方弁護士を立てて折衝にあたるも解決せず、翌七一年九月に白川はアマノを相手取って著作権・著作者人格権の侵害の訴訟を提起。そして以下六回にわたって法廷で審理がなされることになる。

①東京地裁判決（七二年）は白川の請求を全面的に認容。
②第一次東京高裁判決（七六年）は①を逆転してアマノの主張を認めて白川の請求を棄却。
③第一次最高裁判決（八〇年）は白川の主張を認めたうえで②に法解釈の誤りがあるとして破棄差戻し。
④第二次東京高裁判決（八三年）は①を維持してアマノの控訴を棄却。
⑤第二次最高裁判決（八六年）は白川の主張を認めつつ、請求内容について審理不十分として差戻し。
⑥第三次東京高裁（八七年）中に和解成立。

内容としては、第一次東京高裁をのぞいて、裁判所はいずれもアマノによる著作権の侵害を認める判決を下した。この事件はじつに多くの議論を巻き起こし、現在に至るまで法律学および文化論の両分野において議論が重ねられている。その言及の量、多様さ、社会的な話題性、参照や論及がなされている期間の長さ、そして問題の射程の広さのいずれを見ても、「わが国の著作権判例史上の最重要事件の一つ」(1)という形容もあながち過言でないだろう。

では以下に裁判の過程を順を追って詳述し、考察を進めたい。なお、この論考の目的はあくまでパロディという表現形式の社会的な扱われ方の一事例を研究することであっ

(1) 岡邦俊「「パロディ写真」の文化史的背景」『小野昌延先生記念論文集　知的財産法の系譜』青林書院、二〇〇二年、五五三頁。

て、原告被告両者の主張、そして法文については本事件の範囲内において最低限を紹介するのみに留めてそれらの解釈と吟味には立ち入らず、判決文に対象を絞って論じることとする。本事件をめぐっては、白川を擁護した写真家の丹野章、対するアマノ側に立ったグラフィックデザイナーの木村恒久らを筆頭に、表現者の立場からじつに多くの興味深い複製文化論が交わされたが、本稿でそれらを一つ一つ取り上げて論じる余裕はない。事件についてこれまで蓄積されてきた膨大な数の、そしてあまりに多岐にわたる論考を網羅することはとうてい困難だが、ここでは特にパロディという表現を検討することを念頭に置き、法廷においていかにこの表現の特質が浮き彫りとなったか、あるいは言説化されたのかを分析したい。

1 東京地裁判決（一九七二年一一月二〇日）

原告訴状、被告答弁書、および双方の準備書面[(2)]をもとに争点に関してまとめると次のようになる。まず原告白川側の主張――(1)アマノの行為は白川写真を無断盗用し改ざんした偽作であり、著作権ならびに著作者人格権を侵害している。(2)アマノの行為は白川作品のみならずそこに込めた意図を完全に破壊し、かつ茶化し侮辱している。(3)この侵害によって、山岳、スキー関係の撮影を続けてきた白川の活動、およびそれがあってこ

(2)『美術手帖』一九七六年九月号所収「現告訴状」「被告答弁書」「被告準備書面第二」「被告準備書面第三」「原告最終準備書面」。

そ得られた協力者の信頼が裏切られ、今後の活動に支障をきたす。

対する被告アマノ側の主張――(1)アマノ作品は芸術として社会的に認められたフォト・モンタージュであり、原写真とは異なる思想、感情を表現する新著作物であって偽作ではない。(2)アマノ作品は自動車公害の現況を風刺的に批評するとともに原写真の美的価値を批判するものであり、原写真の意図の破壊、茶化し、侮辱ではない。(3)アマノ作品は旧著作権法[3]で保証された「正当の範囲内に於ける節録引用」にあたる。また「正当の範囲」の当否は出所表記の有無と直接関係がないと法文を解釈できる。

これらの主張に対し、地裁判決は白川側の請求を全面的に認めた。要点は以下の三点。

1―a　アマノ写真が芸術として成立するモンタージュ写真であり、原写真とは別の思想、感情を表現する新たな著作物であるとしても、それが原写真の著作権を侵害しているか否かとはまったく別個の問題である。

1―b　原形がわからないようなモンタージュならまだしも、アマノ写真の素材は一目瞭然であり、承諾を得ていない以上、他者の著作物を取り込んだ剽窃である。

1―c　アマノは旧著作権法上の「節録引用」を主張するが、原作の思想、感情を改変して自己の著作物の中に取り入れて自己の著作物とすることは改作であって引用ではない。自動車公害の現況を風刺的に批評することは著作権侵害の正当化にはなり得ず、原写真の制作意図の破壊は明らかである。

「みずから原作を改変破壊しておきながら、それが原作に対する批評であるから、右の

(3)　本事件は、一九七〇年五月六日に公布の新著作権法以前の事案にあたるため、旧著作権法（明治三二年三月四日法律第三九号）が適用される。ただし、新旧の法文の変化は本事件の一連の判決に影響していない。

改変は原著作権者の承諾を得なくても著作権を侵害することにならないというがごときは、それ自体許されないといわなければならない」という一文の調子が示すように、地裁判決はアマノの行為と主張を厳しく断罪する内容となった。

ここで先行して表現の観点から述べておけば、この第一審判決は、パロディ裁判の終幕まで尾を引くアマノの行為と法との折り合いの悪さ、扱い難さを如実に物語っているといえる。判決はむろん各々の主張に対して逐次検討しているわけだが、あらためて要約して通覧してみると、上記1-a〜cは交差的に入り組んだ関係にあって論理的に明晰な判決文とはいいがたい。1-aは1-bによってほぼ打ち消されており、1-bのとおり素材となる他者の著作物が明白なモンタージュは許可を得ないかぎりすべて「剽窃」とみなすならばそもそも新たな著作物とはいえず、1-aを仮定する必要はない。新著作物でありなおかつ剽窃という領域は定義上存在し得ないわけだから（判決が「無断引用」の意味で「剽窃」の語を用いているのであれば、新著作物かつ無断引用という領域があり得るが、引用と、引用であることすら隠蔽して利用する剽窃とは語義が異なるだろう）、1-bならば1-cの検討余地も無用となる。そして、1-aのようにいうならば1-cで「思想、感情」の改変（による新たな思想、感情の表現）を審理することはもとより論点から外れるはずである。つまり、アマノの写真を新著作物とみなすか否か、そして白川・アマノ両人の表現思想が裁定にかかわるか否かについて判決文中で揺らいでいるのである。なお後述するように、「偽作」「剽窃」「複製」「引用」「改作」といったそれぞれ語義に微妙な差異のある概念が曖昧にいい換えられながら判決文中に混在しているところにも注意が必要である。この点において、下された判決そのものはさておき、地裁判決文はその内容として表現形式の認識に対する慎重さを欠いているといえよう。

2 東京高裁（第一次控訴審）判決 一九七六年五月一九日

地裁判決を受け、アマノはとりわけ同判決の「正当の範囲内に於ける節録引用」解釈を不当として控訴。地裁判決が、引用の量的多寡や引用する著作物の思想、感情の維持を「正当」の基準と解釈しているのに対し、正当性の判断基準は引用の「目的」にあり、したがってアマノ作品が社会的に認容されたフォト・モンタージュである（それゆえ引用の目的も認容される）ことが勘案されるべきであると訴えた。さらにこれを補うためにモンタージュに関する美術史上の解説とその評価、アマノ作品によって白川写真の芸術的価値が減失したとは考えられないこと、引用の出所表記の不要性に論拠を追加してアマノの行為の正当性を再度強調した準備書面が提出された。対して白川は、そもそも独立した著作物としてのアマノ作品など存在しないとし、アマノの「正当の範囲」および「節録引用」解釈も失当であると反論して著作者人格権の侵害をあらためて主張した。(4)結果、東京高裁は控訴人アマノの主張を認め、地裁判決を取り消した。要点は以下四

(4) 以上「被告控訴状」「控訴人準備書面」「被控訴人準備書面」『美術手帖』一九七六年九月号を参照。

点である。

2―a　アマノ作品は雪山にタイヤを組み合せることで虚構の世界を出現させ、原写真に表現された思想、感情自体を風刺、揶揄の対象に転換している点に創作力が認められ、原写真のパロディといえる著作物であって剽窃ではない。

2―b　アマノ作品は独自の著作目的に適合する形で原写真を利用しており、偽作とみなされない正当な範囲の「節録引用」にあたる。引用方法も美術表現として社会的に受け入れられたフォト・モンタージュの技法に従っており、客観的に正当な範囲の「自由利用」(フェア・ユース)として許諾されるべきである。

2―c　表現の自由を尊重するならば、原写真の一部が改変されても、白川において受忍すべきである。

2―d　素材とされたカレンダーに著作者が表記されていなかったならば、著作者名を調査してまで表示する必要はない。

このように第二審では逆転判決がなされ、地裁とは正反対にアマノ側の主張が全面的に認められることとなった。アマノのモンタージュを新著作物と言明して正当性を認容する判旨はすべての裁判過程を通じて唯一であり、美術史の事例検討を大きく取り入れた判決文中には、初めて「パロディ」という言葉が登場した。これは、審理前にアマノ側から提出された意見書における、鶴見俊輔や山本明によるパロディ論[5]を踏まえて採用されたものであろう。第一審の時点では「ブラック・ユーモア」や「合成写真」などの

(5) 鶴見俊輔「控訴人側意見書」、山本明「控訴人側意見書」『美術手帖』一九七六年九月号、一三四―一三六頁。

見出しが新聞に踊っていたが、以降「パロディ裁判」の通称が広まっていくことになる。そして、表現の自由に言及し、本事件を憲法第二一条が定めた表現の自由と著作権法との相克という構図に位置づけたのもこの判決のみであった。

フェア・ユース――アメリカの著作権法において表現の自由と著作権との拮抗を調停するために設けられている「自由利用」「公正利用」――という、日本の著作権法上には明記のない語をも用いながらアマノにおける表現の自由の優位を認定した本判決に対する法律学研究の見解は大きく分かれる。(6) たとえば半田正夫は、著作物を構成する「形式」と「内容」の前者をさらに「外面的形式」（客観的構成要素）と「内面的形式」（著作者の思想体系）に分けたうえで、「外面的形式」が改変されても「内面的形式」が変わらないかぎり同一著作物とみなすという通説を挙げ、白川写真の「外面的形式」がほぼ一致しながらも「内面的形式」が異なるアマノ写真は独立した著作物と解することができるとして判決を正当としている。また、アマノ側の事情のみを考慮しすぎているきらいがあるとしつつ、無断利用が可能な引用の「正当な範囲」の判断という難問に積極的に取り組んだ点で判決の意義を高く評価している。(7) その一方、別の論者からは「第一次東京高裁判決の、フェア・ユース論を中心とする著作権法の解釈論に対する評価はきわめて低く、ましてその文化論は、非法律的な領域に深入りしすぎるものとして異端視され、今では完全に忘れ去られてしまった感がある」ともいわれている。(8)

(6) 松田政行「今なぜ「パロディー」なのか」（『紋谷暢男教授古稀記念 知的財産権法と競争法の現代的展開』発明協会、二〇〇六年）は、本判決に好意的な論評として水田耕一（一九七六年）、岡邦俊（一九九〇年）、藤井義夫（一九七八年）などを、批判的な論評として阿部浩二（一九七七年）、和田新（一九七六年）、松井正道（一九七六年）、半田正夫（一九八〇年）をそれぞれ挙げている。

(7) 半田正夫「著作権をめぐる最近の判例について」『ジュリスト』六一八号、一九七六年八月一日、一一二―一一四頁。

(8) 岡邦俊「「パロディ写真」の文化史的背景」前掲、五六二頁。

3　最高裁（第一次上告審）判決　一九八〇年三月二八日

東京高裁の逆転判決を受け、最高裁は以下の四点を要点とする判決を下した。

3－a　引用というためには引用側の著作物と被引用側の著作物とを明確に区別して認識でき、かつ、前者が主、後者が従の関係と認められる必要がある。

3－b　アマノの改変の結果として白川写真の外面的表現形式は元と同一でなくなったものの、アマノ写真と一体化しながらなお白川写真の本質的な特徴は感得できるため、アマノ写真が白川写真と別個の思想、感情を表現しているとしても、同一性保持権の侵害である。

3－c　アマノ写真において白川写真は従として引用されていない以上、フォト・モンタージュが社会的に認められ、またその目的上必要であるとしても、正当な引用範囲といえず、著作者人格権侵害である。

3－d　許諾なく他人の著作利用が認められるためには、その表現形式上の本質的な特徴をそれ自体として直接感得させない場合にかぎられるのであって、同意がないかぎりアマノの改変利用は正当といえない。

以上によって高裁判決を斥け、その法解釈の誤認を指摘したうえで、判決文には裁判長による補足意見が付け加えられた。要約すれば次のような趣旨である。

最高裁の見解は、パロディと呼ばれる表現を故なく軽視、否定するものではない。だがフォト・モンタージュでパロディ写真を作る場合は、写真の性質上、原写真の図像と寸分たがわぬ複製と改変が同時に発生してしまう。原著作者にその改変の同意を得ることはパロディの性質上不可能といえようが、原写真がわからないほど細分すればパロディとして意義がほぼなくなる。したがってフォト・モンタージュによるパロディには同一性保持権の観点において宿命的な限界があるといえる。ただし、原写真の表現形式を模した写真を自分で撮影して素材にするなどすれば、侵害を回避することもできるだろう——。

本判決の核心は、法的に許容される正当な範囲の引用のための要件を明確に述べた点である。すなわち3−aに示された、引用と被引用の明確な区別、および引用が主、被引用が従という関係の同時成立である。これらが成立しなければ、被引用側の著作者の同意がないかぎり著作者人格権、同一性保持権の侵害は免れないとした。これら「明瞭区別性」「主従関係」を両軸とするいわゆる二要件説は、引用をめぐる後続の裁判事案において、引用の当否を判断するための有力な適用基準として踏襲されていくことになる。

ただし、3−bに挙げた点、判決文内の「本件写真〔白川写真〕の本質的な特徴は、本件写真部分が本件モンタージュ写真〔アマノ写真〕のなかに一体的に取り込み利用されている状態においてもそれ自体を直接感得しうる」という下りは、アマノ写真では引用と被引用とが明瞭に区別されていない（それゆえ引用ではなく改変である）ということを説明しているようだが、ここはややきわどいように感じられる。というのも、判決は一般的な挿図、参照図版や文章における引用符などを使った引用の明示方法などを想定し、そうした境界の設定がないことを「一体的に取り込み」と述べたものと思われるが、アマノ写真に関しては、判決文の中にまさしく「本件モンタージュ写真は、これを一瞥しただけで本件写真部分にスノータイヤの写真を付加することにより作成されたものであることを看做しうる」とあるとおり、出所を知らずとも雪山とタイヤの写真がそれぞれ別所から参照されていること、要するに区別は、一目瞭然であるはずだ。かように、少なくともこの事件の場合あえて言明する必要性の感じられない区別要件を判決が持ち出さなければならなかったのはなぜか。推察するにそれは、アマノによる表現と呼び得る範囲が物量的に少なく、アマノは白川写真をほぼそのまま利用してタイヤ写真を安易に貼り付けただけにすぎないという評価的観点に裏付けられた判断にほかなるまい。要点3-bをさらに要約すれば、アマノ写真は白川写真とまったく別の著作になり得ていないという文意だが、それ以上に「一体的」の一語に、他者の著作物に大幅に依存した創作性の低さという潜在的評価が含まれているのである。この判決文はそうした価値判断を含む観点を、直接文面には示さずとも（表現としての評価は権利の侵害とは無関係とする前提がある以上、示し得ない）、全体ににじませている。そしてそのことが、素材から自分で作ればよいという極論的な補足意見に結晶しているのである。

そして、その補足意見においてあくまで写真というメディアに限定して限界を指摘した点、すなわち、フォト・モンタージュは「写真というものの技術的特質から原写真のその部分をこれと寸分違わないかたちで取り込まざるをえない」と述べる部分は首肯しがたい。印刷物の切り貼りや線描の敷き写しなど、写真以外で同様の事態が生じる場合はいくつも考えられるのである。引用の成否という争点を度外視してすべて自ら制作すべきだという判旨ではむろんなかろうが、反復が伴うあらゆる表現がこの条件に当てはまる可能性があり、手で模写しようが機械で複写しようが問題の構造は変わらない。仮にアマノが白川写真のような写真を撮影し得たとしても(現実的ではない仮定だが)、類似が認められるかぎりなお同様の侵害訴訟は起こり得るわけであって、この「限界」の指摘が何を示そうとしたものかは判然としない。制作過程を引き合いに出すことは、あくまで結果に基づいて裁こうとする判決の姿勢に反してさえいるだろう。写真にかぎって弁じたのは一般化を避けて固有の問題に留めようとする配慮であったとしても、この補足意見は結局パロディという表現形式全般をほとんど真っ向から否定したものと映る。この最高裁の判定の影響力によって、以後のパロディをめぐる事案、ひいては社会的なパロディ観も、ある方向を与えられていくことになる。

4　東京高裁(第二次控訴審)判決　一九八三年二月二三日

差戻審に際して、白川は「著作者人格権、すなわち同一性保持権や氏名表示権及び著作財産権、すなわち複製権や頒布権」の侵害を明記のうえで、これまでと同様の内容を主張した。

対してアマノは、以下の新たな争点を加えた。(1)白川写真はフォトエージェンシーに預けられていた以上、不特定の利用者による複製、トリミング、合成、著作者名の非表記をあらかじめ許諾していたと考えられる。(2)アマノ写真掲載の『週刊現代』を発行した講談社と白川の間で示談が成立しており、損害賠償はすでに済んでいる。(3)白川は七四年三月の口頭弁論期日で著作財産権侵害に基づく慰籍料の請求を撤回しており、その後三年の経過によって時効が消滅している。(4)裁判過程で多くの報道がなされることで白川写真は著作者名とともに広く知れ渡り、白川の名誉はすでに社会的に回復している。

これら新争点について白川は、次のようにすべて否認した。(1)本件白川写真はもともとフォトエージェンシーに現像を依頼していただけのものだったが、エージェンシーの過失によって不当に利用されていた。(2)白川と講談社は示談において、当該示談が白川とアマノ間の損害賠償に影響を及ぼさないことで合意している。(3)著作財産権の侵害と著作者人格権の侵害は同一の不法行為から生じているのだから、前者だけが時効消滅することはない。(4)名誉は回復していない。

以上を受けて高裁は、第一次最高裁判決における上記3－bの同一性保持権侵害の判断にそのまま従い、氏名表示権の侵害も認めた。そして同3－c判断にも同様に従って、パロディであったとしても、改変を無制限に許容すれば明文の根拠なく著作者人格権の否定を招くためとうてい容認しがたく、アマノによる白川写真の利用と改変は限度を超えていると述べた。新争点についてはこう判断した。

4－a　フォトエージェンシーに預けていても、許諾なしにアマノの改変利用が可能だとする根拠はない。

4－b　白川と講談社の示談は講談社の関与部分の範囲であり、アマノの賠償責任はなお残存する。

4－c　白川の著作財産権たる著作物の複製頒布権については、その侵害について立証がなされておらず、また他のカレンダーへの掲載を許している事実もあり、損害賠償を求める理由はない。

4－d　白川写真が知れ渡ったところで、アマノ写真が白川の同意を得たものか、また社会的に許容されるのかについて確定していないかぎり、名誉が回復したとはいえないし、回復を示す理由もない。

かくのごとく、基本的に第一次最高裁判決に従い、著作者財産権に関わる点を斥けたほかは、すべて白川の主張を認めた。判決文では、損害額についての論及において白川の撮影にかけた労力や経歴を詳細に述べ、白川の被害に対する同情を印象づける内容となっている。

5 最高裁(第二次上告審)判決 一九八六年五月三〇日

再上告に対して最高裁は、アマノによる白川写真の同一性保持権侵害および氏名表示権侵害を認めた第二次高裁の判断を正当と是認し、違法を確認。そのうえで、慰謝料等請求部分について次のように不備を指摘した。

著作財産権と著作者人格権は法的保護内容に違いがあるため、両者を併せて請求するならば慰謝料額をそれぞれ特定すべきである。ところが原審は著作財産権侵害に基づく慰謝料額と著作者人格権に基づく慰謝料額の合計額のみを示し、その内訳を特定していない点で審理が尽くされておらず、この部分に関しては破棄を免れない。また謝罪広告請求について、白川の主観的な名誉感情を超える社会的名誉が毀損された事実が存在せず、その事実を推認もできないため、この部分も破棄して差戻す。

これら請求内容の厳密な検討についてはこの論考の趣旨とは直接関わらないため、白川主張をほぼ認容した事実の確認以上の考察は省略する。

6 東京高裁(第三次控訴審) 一九八七年六月一六日和解

再度差戻しによる控訴審において、蕪山厳裁判長は第五回口頭弁論(一九八七年四月)

で職権による和解を勧告。裁判長作成の和解条項案について三回の交渉を経て双方が合意し、ここにパロディ裁判は幕を下ろすこととなった。和解条項は二度の最高裁差戻し判決に沿うもので、アマノが白川に対して著作者人格権侵害による慰謝料を支払うこと、白川はその他の請求を放棄すること、本件について白川に何らの過失もなかったことを確認すること、などを示した。実質的に白川勝訴の和解である。和解条項の主要部分は次のとおり。

「控訴人〔アマノ〕は被控訴人〔白川〕に対して、本事件についての最高裁判所判決の趣旨に従い、本件著作者人格権（同一性保持権、氏名表示権）侵害による慰謝料として金四〇万円を、支払う。(9)」

7　総合的考察

(1) 受容者視点の欠如

以上の経緯をひととおり確認したうえで、あらためてこの事件で問題となったマッド・アマノの写真を記述しよう。

険しく切り立った雪山、そのいわゆるヴァージン・スノーの上に見事に整ったシュプールを描いて滑走する六人のスキーヤー。雄大な自然と高度なスキー技能をとらえた、専

(9)　松田政行「今なぜ「パロディー」なのか」前掲（6）、七二七頁より抜粋。

門的な撮影技術による理想的に美しい写真だが、シュプールの始点には明らかに非現実的な巨大タイヤの写真が挿入され、そのタイヤにはちょうどシュプールと同様に波状の溝が刻み込まれている。他のアマノ作品と併せて見ればモンタージュ技法はもとより明白ながら、この写真単独で見たとして、タイヤ上部が雪山写真から露骨にはみ出している点からも、別々の写真を組み合わせていることが容易に見て取れる。タイヤ写真を貼り付ける操作によってスキーヤーの滑走は逃亡劇に読み換えられ、逃げ惑う軌跡としてのシュプールは皮肉にもタイヤ痕を先取りする形状を描いている。かくして、美麗な風景はスラップスティック調の一場面に様変わりしてしまった。

各判決では、アマノのモンタージュ部分について、おそらくは客観性を担保すべく、センチ刻みで計測した数理的な説明がなされた。だがこの事件を考察するためにはいま前段で書いたような、表現として受けとめられ得る結果的な効果を視野に入れた記述を欠かすことができない。まず重要なのは、裁判過程でも頻繁に俎上に載せられた表現における「思想、感情」あるいは「意図」は脇に置きながら、あくまで外面的に認められ得る効果や機能を含めて図像を観察することである。第一次東京高裁以外の判決が踏襲した、侵害の成否を制作意図と切り離すという観点を裏返せば、表現は法の及ばない範囲で作者の意図と固く結びつき、ひいてはその作者の意図が作品の意味であるという理念が窺える。だが作者の意図なる要素は、しばしば素朴に信じられているように作品の決定要因とはなり得ない。いかなる意図が込められていようと、表現がその望みどおりに他者に伝わり受けとめられるとはかぎらない。罪の有無と意図とは別問題であるというよりも、そもそもつねに、表現が受容されるうえで意図は別問題なのである。その点、第一次東京高裁を例外として、判決はいずれも、意図もろともあらゆる意味的解釈を回避しようとするあまり、表現がはらむ伝達的意味をも等閑視している。すべての判決で欠如しているのは表現の成立要因としての受容者の観点であり、表現の主体性のみを見ることで表現の社会性が鑑みられていない。表されたものであると同時に、現れたものであると捉えないかぎり、表現としての図像を判断することはできないのである。

　受容過程を考慮に入れるならば、たとえば第二次東京高裁でアマノ側の控訴内容にある「ＡＩＵ社を含む自動車関係企業の姿勢に対する割切れない感情とともに」風刺を表現した、という意図は考察から除外される。原写真がＡＩＵカレンダーを参照していることは読者には不明なのだから。だが少なくとも、下敷きとされている写真が広く共感され得る理想美を示した雪山とスキーヤーの図像であり、その上に外的イメージとして非現実的なサイズのタイヤが付加されることで、元の真面目な写真が顕在的には持っていなかった喜劇性が伝達的意味として与えられていることは自明である。そのように読めるように受け手に提示されていた、という点の確認が必要なのである。『ＳＯＳ』であれ『週刊現代』であれ、件の写真はある一群の作品の文脈において示されていた以上、判決にいう「原写真の本質的特徴」を活用して変容させるアマノの手法は端から前提であって、わざわざ検討を経て導き出されるものではあるまい。

また、第一次最高裁の補足意見に看取され、本事件に対する後代の考察にも散見される、アマノの素材は轍状にシュプールが描かれた雪山であれば何でもよかったとする見方についても——この観点は後述するようにアマノの行為が風刺とパロディのいずれにあたるかの判断に関わるため検討に値するが——、右記と同じく受容を無視した作者主体の重視を指摘しておかねばならない。いかなる表現においても、素材となるモティーフ選択の必然性は表現とともに創出される。委嘱されたようなものでないかぎり、そうした必然性は制作に伴って事後的に生じるものであって、あらかじめ存在するア・プリオリな必然性など、ない。モナリザのモデルがモナリザその人でなければならなかった絶対的な必然性があるだろうか。いずれにせよ、ここで素材と呼ばれる要素は受容段階では必然として与えられているのであり、その選択を作者が左右し得たという判断は安易になされるべきものではない。

著作権法が著作者の利益保護をひとつの使命とする以上、制作意図を考慮に入れることは当然ではあるものの、表現を解釈するうえでは、常識的に推し量れる範囲で受容者、あるいは想定された読者に何が提示されていたかに触れないわけにはいかない。作者主体だけでなく受容者を含めて表現の成立を考える観点は、ちょうどこの事件と重なる一九七〇年前後にドイツで生まれた受容美学の根本的姿勢だが、あえて美学理論を援用するまでもなく、いかなる文脈で問題の写真が提示され、どのように受け止められたのかという表現の基本的にして重大な構成要素が一切考慮されなかったことには疑問が残

(10) たとえば、田村善之「写真の改変—パロディ事件第一次上告審判決」『別冊ジュリスト』一二八号(著作権判例百選第二版)一九九四年六月、一四一頁など。

る。本事件の全体を通じて、作者の意図を絶対視して作品と直結し、さらに作者と作品を同一視する表現主義的ともいうべき態度が貫かれており、そのようなあまりに神話的な表現観を払拭しなければ判断にバイアスが生じることは避けられないだろう。

8　総合的考察

(2)　引用か否か

本事件では、すべての審理において「引用」の成否が争点となった。その意味でこれは「パロディ裁判」と呼ぶよりも実質は「引用裁判」と呼ぶべきだろうが、ともあれあらかじめ指摘しておいたとおり、「引用」「偽作」「複製」「盗用」「剽窃」などの類似概念を混在させた第一審判決がまさに示すのは、そもそも著作権法（旧法と現行法のいずれも）にいう「引用」の概念自体が厳密に定義づけられていない事実である。

本書一〇四頁の定義集「パロディ辞典」には、「引用」の項目も設けておいた。引用は、Aの著作物の中にBの著作物を引き入れながら、あくまでAの文脈やコード（論理体系）を乱すことなく単一のままに保つ方法である。主に援用や参考を目的として使われるこの手法において、B（被引用テクスト）はA（引用主体テクスト）のコードの中に統一され、出所が異なっていてもＡＢ両者は決して文脈上の乖離を起こさない。では本事件に照らすとどうだろう。第一次最高裁判決には「〔アマノ写真が〕非現実的な世界を表現し、現実的な世界を表現する本件〔白川〕写真とは別個の思想、感情を表現するに至っているものであると見るとしても、なお本件モンタージュ写真から本件写真における本質的な特徴自体を直接感得することは十分できる」とあった。まさしくここで、ＡＢは乖離している。利用した他者の著作物における顕在的意味《デノテーション》を活かしたまま潜在的意味《コノテーション》を付加し、それらを単一コードに統合しないアマノの表現は、「正当の範囲」の当否を問う以前に、そもそも形式として引用ではないのだ。筆者の立場は、アマノの著作物性を言明しパロディを認定した第一次の東京高裁判決に近いが、そもそも引用でないという点でその判決とは考えを異にする。

　著作物の二次利用を扱う法律上の概念には「引用」のほかに「翻案」と「複製」があるが、これら二つは原著作者の承認なしに著作物の利用と公表を行えないことがあらかじめ定められているため、本事件のケースに対して日本の著作権法が適用できるのは「引用」という一本の物差ししかない。アマノの例のようにほぼ全面的に他者の著作を取り込んだ表現をも引用とみなす（つまりアマノの表現としての単一のコードを持つとみなす）ならば、第一次東京高裁判決をはじめ多くの論者が憂慮するように、実質的には引用の概念が崩壊し、あらゆる二次利用が引用を後ろ盾に無断で可能となってしまう。拠って立つ基準が引用というたったひとつの尺度であるかぎりにおいて、アマノの敗訴は当初から決定的であったといえる。

引用の定義を明らかにすれば、たとえばアマノ側から原写真の一部改変がなされても認められていることの証拠のひとつとして提示された、白川の同じ写真を使用した日本コカ・コーラ社のカレンダー（図1）は引用としてすぐさま説明できる。こちらのカレンダーにおける写真使用を白川は承諾しており、この証拠が判決で言及されることはなかったが、仮に作成された経緯を前提とせずに図像として解釈したとしても、意図を問いただしたり数理的に測ったりする必要もなく、これが広告として単一コードに統一されていることは認められる。このカレンダーとアマノ写真が受け手に発生させる意味作用の差は常識的なレベルで明らかだが、司法が依拠した法律の基準のかぎりでは原則としてその差を見分けることができず——それゆえにこそアマノの正当性を裏付ける証拠として持ち出されたのである——、いったん両者を同列に置いて差異を検討しなければならなくなるだろう。

9　総合的考察

(3) 風刺かパロディか

上述のとおりアマノの表現は引用ではない。引用ではないが、他者の著作物を丸々自らのものとした剽窃でもない。そこでこの表現の範囲を明確にするために、アマノの表

（図1）

日本コカ・コーラ社のカレンダー

現が風刺にあたるかパロディにあたるかについて考察し、アマノ作品の様態を分析することにしたい。

一連の抗弁や上訴において、アマノは一貫して彼の表現における自動車公害に対する風刺と、白川写真に対する美的価値批判の両面の目的を主張した。ここで前者を「風刺」、後者を「パロディ」として切り分けて考えることにしよう。風刺を広義に作用や機能的役割としてみなせばパロディに包含されるが、これもパロディ辞典に示したとおり、厳密に形式として考慮するならば風刺とパロディは特質を異にする。風刺とパロディを分かつ要点は二つある。ひとつは、その表現が設定する標的が表象（再現）対象の内側にあるか外側にあるか、である。雪山写真を表象しながらもアマノが表面上はそこに現れていない（外部の）自動車公害だけを標的にしているとみなせるのであれば（白川写真をただの手段としているとみなせるならば）風刺、あくまで雪山写真の境界内に留まり、その写真自体を批評に付しているとみなせるのならばパロディといえる。(11)

そしてもうひとつは、表象対象があらかじめモデル化（模型化、様式化）されているか否か、である。ひとたびモデル化された作品を対象としているならばパロディ、モデル化を経ていない現実の事物を表象しているとみなされるならば風刺である。たとえば政治風刺画を描くときに他者の描いた（モデル化した）政治家の似顔絵を用いることは不要である（むしろその場合、既存の似顔絵に対するパロディが生じることで風刺の標的に向かう通路は乱されてしまう）。アマノの例でいうなら、白川写真を、著作者名を知

(11)　同様に、ある二次表現がコメントしている対象の所在に基づいて、それが原著作物の外部にある場合を「ウェポン型パロディ」、内部にある場合を「ターゲット型パロディ」と分類する議論が法律学研究においてなされている（文化審議会著作権分科会法制問題小委員会パロディワーキングチーム「パロディワーキングチーム報告書」ほか）。本論ではこの名称を採用しないが、本論で前者を「風刺」、後者を「パロディ」とする分類の基準と概念は同一である。

るか知らないかによらず、ある具体的な印象を付与されたイメージに様式化された図像として扱ったものとみなせる場合がパロディ、モデル化を経ていないニュートラルな現実、つまりアマノが自ら撮影したものと見える余地が大きい場合は風刺である。

アマノは風刺とパロディの両方を主張したわけだが、上記どちらの基準を採ったとしても、形式として風刺に当てはまるならばその目的のために白川写真を使わなければならない必然性は低く、つまりは代替性があることになるから、この場合にのみ第一次最高裁による「素材から自分で撮ればよい」という補足意見は的を射たものとなる。雪山とシュプールがありさえすればどのような写真でもよかったというより、他者の作品が必須要件となっていない、ということになるのである。

ただし、アマノの主張する意図を脇に置いて問題の写真を見るとき、これが風刺であるかパロディであるかをすぐさまクリアに判別することは難しい。一九六七年の公害対策基本法公布・施行に象徴される公害問題への社会的関心の高まりからして、それから間もない時期に公表されたアマノの作品に読者が意味として自動車公害風刺を読み取った可能性はあるだろうし、現在であってもそのように読むことはできる。しかし意味としての（広義の）風刺でなく形式によって峻別するとき、アマノの写真の標的が白川写真の外部にあり、なおかつその原写真における他者のモデル化（白川の創作性）を除外しているとみなせるだろうか。筆者は、アマノ作品は形式としてパロディに当てはまると考える。

なぜならば、第一に、この総合的考察の冒頭におけるアマノ作品の記述で示しておいたように、白川写真がある理想的に美しい自然を描き出すために高度な技術を要したことは容易に推測し得ることであり、そこに現れた美的にモデル化された雪山やシュプールがアマノ作品の着眼点になっている蓋然性が高いからである。つまり標的はあくまで白川写真の境界内にあると見ることができる。アマノ作品はその理想美に対してある典型性を指摘しているのであり、そうした美しさがあってこそタイヤとの落差によって効果が生まれている。なお付言しておけば、パロディの標的が著名な著作物であることを条件に挙げる論は少なくないが、単体として著名でなくとも典型概念であればパロディは成立する。たとえば、特定せずとも教科書風の文体であるとかステレオタイプなある傾向の広告を標的とするパロディなどはあり得るし、無数の例がある。

ともあれアマノ写真において、モデル化された雪山を扱うことは不可欠な要素であったろう。もともと白川は、素材とされた写真の作者であるとともにパロディの一受容者として、自身の写真が作品であること（白川によるモデル化が施されていること）がないがしろにされていることよりも、作品としての写真に現された美質が、あからさまに汚されていることがわかるように表されていることに侵害を感じたのではなかったか。雑誌発表時に「軌跡」と題されているとおり、シュプールとタイヤの溝との一致こそがこのアマノ作品の肝であり、つまり元の写真の境界内に作品の要点を設定したうえで、元の写真の美麗さ、誠実さ、あるいは公的な写真の模範のような清潔さとの落差によって、滑稽を生んでいる(この操作を筆者は批評と考えるが、その批評が侵害に及ぶか否かは本論考が関与する範囲ではない)。むろん雪山とシュプールを捉えた美麗な写真はほかにもあるが、先述のとおりさらに絶対的な必然性を推し量ることはあらゆる表現の成立を疑う悪魔の質問であり、有効とはいえない。ここで代替の余儀なく白川写真そのものが標的となっているとみなすことが何ら不自然でないと確認できれば十分である。

第二に、先に簡単に触れておいたように、『SOS』や『週刊現代』で発表時に読者に対してあらかじめパロディの文脈が提示されていたと考えられるからである。アマノが既存の、情報産業を通じて生み出されたイメージを素材として、それらが情報社会の派生物として認識できる特徴を保持したまま、わずかな介入によってそのイメージの顕在的意味を変容させようとしていること――要するにアマノが「パロディ作家」であること――は了解されていたはずだ。世に流布するイメージという徴づけ=モデル化がなされた写真が標的であることは与件であり、問題の写真の素材のみがアマノ自身によって撮影されたものと読者に映った可能性はきわめて低い。アマノの両義的な主張はつまり、風刺的な意味を持つパロディ形式、ということになる。重ねていえばそこでアマノの操作は標的イメージに沿う形でなされており、それを受容者が必然的な合致と認識すると考えることは自然である。

そして第三に、何よりも第一次東京高裁をのぞく判決文のいずれもが、読者としての裁判官の解釈を物語るものとして、すでにパロディを説明しているように思われるからである。ほぼすべての判決文において、アマノの表現は「著作物とみなされるとしても」という譲歩的な仮定法で記述された。それは本事件の侵害事実を判断するうえでアマノの表現における新著作物の成立の当否は検討する必要がないという表明であるが、そのじつこれは、新著作物の成立を認めれば判旨とそぐわなくなることを避けるために導かれた予防線でもある。著作権法上には、他者の著作物を用いた二次著作物でありながら、引用でも剽窃でもなく、なおかつ新著作物であるという著作様態が想定されていないのである。アマノの写真が「本件写真〔白川写真〕とは別個の思想、感情を表現するに至っているものであると見るとしても〔……〕本件写真の本質的な特徴は、本件写真部分が本件モンタージュ写真の中に一体的に取り込み利用されている状態においてもそれ自体を直接感得しうるものである」という判決中のいい回しは明らかにこの領域に踏み込んでいるが、このような様態の表現の存在を特定することは根拠である法そのものに抵触する。だからこそ「としても」という譲歩によってかろうじて新著作物の成立の言明を避ける態度が固持されたのである。

アマノの表現においては、判決文がまさしく述べるように、アマノ・白川両者の表現が、ある距離を保ったまま併存している。そしてそれは、白川の著作物の外部に言及する風刺でなく、白川写真の本質的特徴を活かしたうえで成立している。だがこの様態を指し示す概念は法に用意されていない。かくして判決文は、そこに確かにある二重の声を、まるで聞こえないふりで堂々めぐりを行うかのようなものとなった。その堂々めぐりの中心にある概念領域こそ、パロディにほかならない。第一次東京高裁のみがパロディの語を用いてこの領域を果敢に特定しようとしたが、それにしても法において依拠できるのは引用という唯一の判断基準しかない以上、アマノの行為を引用とみなしたうえでその正当性を強弁することしかできなかった。だがその領域を特定し得ないことを間接的に述べたそれ以外の判決こそが、紛れもなくパロディの定義を示しているのである。

さて、先のようにパロディを区分したとして、仮に法律の内にパロディを認めるならば、大幅な二次利用を認めることで恣意的な濫用を生み、著作権概念の崩壊を導くだろうか。原理的にはわずかな操作によって、原著作物をほぼ変容することなくパロディは制作し得る。だがそれは必ずしもあらゆる二次利用の免罪符とはなり得まい。パロディの成立はひとえに、批評的距離が生み出されているか否かにかかってくるだろう。噛み砕いていえば、受け手にパロディとわかるかどうか、である。この点に関して、第一次最高裁が著作権の牙城として示した引用の主従関係の要件についても――この論考では引用とパロディを区別する以上すでにその要件の範囲外ではあるものの――検討しておこう。

おそらくは量的多寡を念頭に、最高裁はアマノの写真における白川作品を「従」とはいえないとした。だが、たとえば名高いマルセル・デュシャンによるパロディ《L.H.O.O.Q》（図2）において、髭を付け加えられたモナリザは「従といえない」か。ほとんど全面的にモナリザの表象でありながらなおこれがデュシャンの作品である（最高裁の区別でいえばデュシャンが主である）とみなせるのは、ここに皮肉な批評的距離が読

（図2）

マルセル・デュシャン《L.H.O.O.Q》一九一九年／一九六四年

み取れるとともに、前提として、意味を剥奪した既製品（レディ・メイド）を作品とみなす彼の手法が文脈としてあらかじめ与えられたうえでの発表作であるからである。その文脈上においては、後にデュシャンが制作した「髭を剃ったモナリザ」＝無加工のモナリザの複製をも、やはりデュシャンによるパロディ（この場合はいわゆるセルフ・パロディである）とみなすことができる。モナリザは著名であるとともにすでに著作権を失っているのだから本事件の参照例として適当ではない、という反論に対しては、アンディ・ウォーホルの例（図3）を挙げよう。ここで素材とされている塗り絵の図は著名でないとともに制作者の著作権が残っていた可能性が高いが、その図を大部分引き入れてなお、塗り絵における大衆的図像に対するウォーホルの批評的観点は、少なくともウォーホルによるポップ・アートのロジックを知る（論理的にではなくとも認識する）受容者には共有されていたはずである。あるいは木村恒久のコラージュや横尾忠則のパロディ、また長谷邦夫の一連のパロディ漫画などを挙げてもいいだろう。いずれにせよパロディにおいて主従を問うなら最終的な制作者が主であるというほかなく、原著作物の「本質的特徴」を活かして強調さえしながら「二重の声」を維持するパロディにおいて、主従を問うことはほとんど意味がない。

パロディを判別する最低限の基準は、想定された受け手（読者）に、パロディとしての文脈が示されているか否かである（現代では、その想定された読者がインターネット環境下で膨大な拡がりを持つために限定し得ない点にこそ今日的問題があるのだが）。少

（図3）

アンディ・ウォーホル
《Do It Yourself》一九六二年

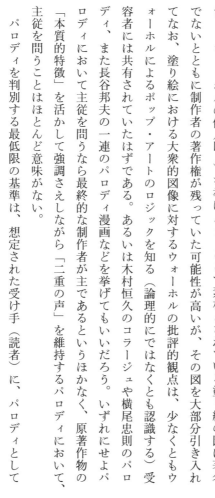

なくとも受容者における文脈の成立如何によってパロディは二次利用としての限度を持ち、その範囲内にあることで、原著作物に依存するだけのいわゆる「ただ乗り」とは区別される。

最も重要で最も単純なことは、あらゆるパロディは、想定された受容者に対して、それがパロディとわかるように、「二重の声」が聞こえるように、作られているということである。

10 おわりに

いわゆるパロディ裁判は、不幸なことに表現者同士が争い合い、訴訟提起から最終的な和解に至るまで一六年という途方もない時間を要し、表現に傾けられるべき時間や活力を大幅に奪う痛烈きわまる事件であった。また、判旨から離れて俯瞰すれば、「地球再発見による人間性回復へ」をテーマに掲げて活動した白川義員の山岳写真に表されたような（そして白川の支援者らが依拠する）穏健な美的理念と、アマノ（そして木村恒久をはじめとするアマノ支援者ら）のように、その美的理念の破壊をも美的概念に含む前衛の標榜する理念という、美術界において長らく並行したままコミュニケーションの不全を起こしている領野が直接交わるレアケースでもあったものの、その点に関して実りのある対話や議論は残念ながら生まれなかった。だが、この事件が巻き込んだ甚大な数の言論によって、表現を鑑みるための貴重な文化的財産は残された。この事件にかぎっていえば、パロディは全貌を現しながらも、法廷においてはわずかに顔を見せたのみで一貫して未確認領域に取り残されることとなった。

　最後に繰り返しておけば、この論考はあくまでも本事件で下された判決文に対する一考察であり、裁判で争った両人を否定したり擁護したりすることを目的とするものではない。マッド・アマノが白川義員の作品の著作権を侵害したという判決が下されたことは事実である。筆者が擁護するのはただ、法廷でないがしろにされたパロディという表現形式のみであり、表現の自由を最大限尊重する美術館（員）の立場に立って、その表現形式を正当に検討すべき余地を望むまでである。この論考は、法文に想定されない概念を扱うかぎりで法解釈論議から外れており、専門的な法律研究の論理や手続きにも則っていない。そして、もとより法にこだわろうとするものでもない。上述してきた内容がいわゆるフェア・ユースやパロディを認める規定の新設に向けた期待をはらんでいることを否定はしないが、一事件の判例のみを論じたにすぎない本論はその実現に与するものではなかろうし、与するに十分なだけの資料は示し得ていない。

　ここで確認されたのは、少なくとも一六年にもわたってついにパロディという表現形式は公的に正視されることがなかったという一点である。しかしパロディはもちろん、存在する。二重の声は、聞こえる。

パロディの定義、テクストの権利

1　パロディとは何か

二〇一七年に東京ステーションギャラリーで「パロディ、二重の声　日本の一九七〇年代前後左右」と題した展覧会を企画した。企画の根底にあったのはまず、展覧会を通して境界に触れたいという自分の関心であったと思う。これまで、美術分野を踏み越えて活動した評論家を取り上げてみたり、いわゆるファインアートとは性質を異にするジャンルをテーマにしたりしながら、美術館という空間ないし制度の中に異質のものをなるべく取り込んで、境界が露わになることで何らかの飛躍が生まれ得るという期待を常に抱いてきた。そのうえで、人物やジャンルではなく、今度は方法を——文学、音楽、演劇などさまざまな領域で実践されるパロディを——基準にすることで、また別の境界が持ち込まれるだろうという予測が自分の中にあったはずだ。あるいは、巷間にあふれている大衆的な文化にできるだけ接続したいというのがモチベーションであったかもしれない。「一九七〇年代前後」に時代を区切ったのは、展覧会というきわめて具体的な個別事例を扱う装置において焦点を絞るためであり、とりわけ雑誌を中心に市民レベルでパロディが多く実践された時代と思われること、そして何よりも著作権法に関わる判例上、最重要視されている「パロディ裁判（パロディ・モンタージュ写真事件）」（一九七一―一九八七年）を扱いたいという理由からでもあった。音楽や演劇まではカバーできなかったものの、文学、テレビ番組、広告、大衆誌、裁判など多様なメディアを取り込んで展示を構成し、ある程度問題を一般化して検討できたと思っている。タイトルにある「左右」とはこうしたジャンルの幅の謂のつもりである。いうまでもなく美術（館）にとって著作権に絡む諸々の問題は活動に常につきまとう悩みの種で、「コピペ」が非常に簡便になり、相互監視状態において窮屈な格好でたびたび社会的な問題になっているという背景も、企画に至る直接的でアクチュアルな発端であった。

いま一般化して検討云々、と書いたが、この展覧会の中で重要だと考えていたもののひとつが、パロディ他の概念を定義づけた「用語辞典」である。(1) しかし、一枚のボードにまとめて展示室冒頭に掲げ、カタログでは見開きにまとめた分量的な小ささもあってか、残念ながらこれはほとんど注目されなかったようで、開催以降に言及されたものをぼくは知らない。展覧会という場では往々にして、扱われるメインの主題が了解済みのものとして簡易に触れられたまま展開することが多いように思う。たとえば同じように方法を主題とした印象主義やキュビスムを扱った展覧会があったとして、それらの方法が一般化して検討されない限りはモネとかピカソとかがその方法や概念に紐付いた権威

（1）本書「パロディ辞典」参照。

として固定化あるいは強化され、たとえ同様の方法が別の仕方で彼ら以外によって実践されていたとしても史的叙述は揺るがず覆されることがない。このような一種の慣例を踏まえて、パロディを扱う以上はまずこれを定義することが必須と考え、なるべく精密な記述を試みた。パロディを論じた関連書籍をずいぶん調べてみたものの、多くは肝心の定義が曖昧であったり疎かであったり、あるいは俗説の援用といってよいものばかりで、端的で適切と思える定義が管見の限りではついに見つからなかったというのも理由だ。そこで主にミハイル・バフチンとリンダ・ハッチオンの議論を基礎としてまがりなりに書いたパロディの定義は次のようなものである（本書「パロディ辞典」（第二版）に記載したので、ここでは抜粋して示す）。

【パロディ】モデル化（模範化、様式化）された特定の先行テクスト（プレテクスト）を標的とし、その外面的形式を顕示的に反復しながら差異を強調することで批評する修辞的な表現形式、またそれによって生じた新たなテクスト。屈折的反復。替え歌。反復と差異の生成によってプレテクストの顕在的意味（デノテーション）を露出したまま潜在的意味（コノテーション）を追加し、単一の文法の中に混声的に二重のコード（論理体系）を共存させる方法で、プレテクストに対して主に価値解体的な負の効果を伴う。中立ないし正の効果、あるいはパロディ主体にとっての負の効果を持つこともあり、これらの効果は標的としてのプレテクストにのみ向けられるとは限らず、別の対象（二次標的）に向けられる場合もある。

ここではもうひとつだけ、パロディと非常に似通い、分類が難しいパスティーシュの定義も抜粋しておこう。パロディが語られるとき、じつはそれがパスティーシュのことを指している例は多々ある。

【パスティーシュ】先行して制作されたテクスト（プレテクスト）の外面的形式を顕示的に模倣しながら類似を強調することで批評する屈折した表現形式。またそれによって生じた新たなテクスト。文体模倣。物真似。パロディと酷似するが、パスティーシュは必ずプレテクストに完全に一致し得ない条件下において、差異よりも類似や近似を強調する。

パロディとパスティーシュの違いを端的にいえば、語釈の内に記した「替え歌」と「物真似」の違いに等しい。差異を強調するか、類似を強調するかの違いである。似ているようだが違うのか、違うようだが似ているのか。物真似に対して「そっくり！」という評価はあるが、替え歌を評してそっくりとはいわない。著名なマンガの一コマのセリフのみを変えた例を想定すればわかるように、パロディはまったく同一のイメージ（テクスト）を用いても成立するが、「そっくり」であることが肝にあるパスティーシュではこれが成り立たない。だからセルフ・パロディはあってもセルフ・パスティーシュというものはあり得ない。この点に留意して、それぞれの語釈において「反復」と「模倣」の語を区別して用いた。

この定義の当否についてはぜひとも諸賢のご指摘を賜りたい。ところで、いま引いた定義は展覧会図録への掲載版を若干改定したものだが、些少な追記や修正以外で新たに加えたのは、パロディの批評作用が働きかける対象についての説明である。「これらの効果は標的としてのプレテクストにのみ向けられるとは限らず、別の対象（二次標的）に向けられる場合もある」。これは、アメリカにおけるフェア・ユースをめぐる判例で、パロディは元ネタ＝プレテクストを批評対象にする必要があるとする条件が示されることがあること（たとえばジェフ・クーンズの《String of Puppies》事件[2]）（図1、2）を踏まえたものだ。

この判例を念頭に、プレテクストに対する批評がパロディの必須条件であるか否かを考えてみよう。たしかにパロディはプレテクスト自体への批評を原則とする。プレテクストの境界の外に標的がある場合はパロディでなく風刺である、とパロディ辞典には定義した。そのうえで第一に疑問が浮かぶのは、パロディはプレテクストだけを批評するのかという点だ。替え歌は元歌を批評し、それ以外の対象（先の定義で便宜的に二次標的と呼んだ対象）を批評してはならないだろうか。しかし、あるイメージのパロディを用いてそのイメージとは無関係の対象が標的となっている場合はたいへん多い。それど

（2）
ジェフ・クーンズの彫刻作品《String of Puppies》（一九八八年）に対し、写真家のアート・ロジャースが著作権侵害を訴えた事件。ロジャースの写真をほぼ忠実に立体化したクーンズは、これを社会全体に対する風刺またはパロディであるとしてフェア・ユースを主張した。対して一九九二年の判決は、パロディは取り込んだ作品自体を対象とする必要があるとしてその主張を斥けた。クーンズの作品はロジャース写真自体に対する批評となっておらずパロディは成立しない（フェア・ユースに当たらない）、と判定したのである。木村剛大「合法と違法の線引はどこに？　現代美術のアプロプリエーション」『美術手帖』（WEB）二〇一九年一二月二二日、https://bijutsutecho.com/magazine/series/s22/21006、［最終閲覧日：二〇二二年九月一五日］、など。

ころかむしろ大部分はそうしたパターンではなかろうか。替え歌のほとんどは元歌をおちょくるとともに、元歌とは関係のない別の対象をからかって歌われるはずだ。

そして第二の疑問は、あるプレテクストを反復的に用いながら、そのプレテクストに対して何ら批評がなく、二次標的だけを批評する形式というものがあるかという点だ。件の判例は、クーンズの作品は元の写真の批評にはなっていないと判断した。しかし、プレテクストを反復した時点で、肯定的であれ否定的であれ多少なりとも何らかの批評が生じることは免れないのではなかろうか。クーンズの作品は元ネタに対する批評が認められず、当の写真を用いる必然性がないためにフェア・ユースとは判断できない、あるいは剽窃であると判断されたわけだが、プレテクストを反復しておいて当のプレテクストに対して無色透明なテクストというものがあり得るのか、というか、批評の発生自体の有無を判別することがどのようにして可能なのか僕にはわからない（ジェフ・クーンズが、通俗的なイメージの一典型という批評を込めて、たくさんの子犬を抱えた人物の写真を顕わに示して用いたということは十分にいい得る。少なくともクーンズは制作活動を通じて、たんに幸せな情景の提示であるという素直な受容をさせないような作品の性格と文脈を培ってきており、二重のコードを認識される蓋然性が高い）。

パロディか否かの分かれ目は批評の有無というきわめて恣意的な基準で判断され得るものではなく、プレテクストを顕示的に反復しているか、反復を隠蔽（参照なしに自身でつくりだしたように偽る＝プレテクストがそもそも存在しないように見せかける）し

（図1）ジェフ・クーンズ《String of Puppies》一九八八年

（図2）アート・ロジャース《puppies》一九八〇年

て単一のコードとして見せているかの差によるものであろう。ともかく、元ネタを反復することで何らかの批評は生じ、元ネタ以外を標的とするパロディはあり得る。やはり、パロディの効果はプレテクストを標的とするのみならず二次標的にも向けられ得る、という定義を入れるのが適切だと考える次第である。

パロディは、プレテクストに新たなコードを貼り付ける、もしくは元にあったコードを引き剥がすことで、プレテクストの機能する場を転移させる運動であるといってもいい。転移した場でまた別のテクストが批評されることは多分にあり得るのだ。対して類似に本旨があるパスティーシュはプレテクストに向かう漸近運動であり、プレテクストの機能する場の転移が起こらないために二次標的が基本的に生じない。このように考えるとパロディとパスティーシュの違いがより明確になるだろう。

2 パロディは風刺でなければならないか

少々踏み込みそうになった法的な解釈の話は後まわしにすることにして、定義の話を続けよう。広くいって、パロディは修辞的な操作の一例であり、比喩の戯れである。既存の事物を活用し、価値解体作用を備えることの多いこの方法は、弱者としての持たざる者、とくに大衆によって古くから親しまれてきた。その意味では決して（少なくとも今日においてしばしばそう思われているように）胡乱《うろん》なものではなく、広々とした健やかな表現である。胡乱とみなされるのは、すでに定義内に書いたようにオリジナリティをめぐる倫理観に抵触すること、そしてまさしく否定的な価値解体作用を持つからにほかならない。

上記の定義は、この一種のステレオタイプ——パロディはまず風刺でなければならず、またそれは危険な表現である、というような——を念頭に置いて慎重に書いたつもりである。パロディが論じられるとき、ネガティブな作用ないし効果や機能に話題が集中してしまい、仕組みとして語られることがじつに少ない。そのとき、ほとんどの場合、パロディの作用と構造が（あるいは目的と方法が）混同したまま語られてしまっている。だが、効果についての言及を後半にまとめ、前半ではそれに触れないように書いた語釈の構成がそのまま示すとおり、パロディは何よりも構造であるとぼくは考える。作用や効果はあくまで構造から導かれるもので、決してその逆ではない。パロディは反復と差異の生成によって単一の文法の中に二重のコードをつくりだす修辞的形式である。風刺や揶揄といった効果に規定されるのではなく、この構造が当てはめられる文脈や状況によって、生まれ出てくる効果は多種多様である。すなわちパロディは必ずしも元ネタに対して否定や攻撃を仕掛けるとは限らない。その否定や攻撃以外の事例は、定義内に記した中立の効果や正の効果といった記述で各読者の内に思い浮かぶものがあるはずだと思うものの、ここに一般的な誤解があると思われるので、負の効果ではない効果が生まれているパロディについて具体的に示しておくことにしよう。

多木浩二は、天皇を戯作的に描いた明治期の錦絵について次のように述べている。

政治的事件の図像化にあたって、それを政治的象徴にするか、遊びとしてパロディ化してしまうか。この違いは微妙で、それぞれ混じりあい、どちらとも判定しにくいところに民衆の視点があった。〔……〕事実を物語化してしまう操作自体が、すでに民衆の政治的経験である。戯作には政治性があった。だがこの政治的経験は現実をじゅうぶん対象化して見るのではないから、「遊び」という、価値の解体作用をもたないと、もっと狡猾な政治があらわれれば、その操作のなかにそっくり回収されてしまうこともありえたのである。おそらくそのときに、この種の物語的虚構は現実的政治に抵抗できないか、それに同調さえする。

その例も早くからあった。天皇の位置が次第にはっきりし、天皇制が確立してくると、錦絵をもっとはっきりした天皇崇拝の文脈のなかに置くことも、物語のもとともとの曖昧さを利用してできた。明治も六年になると、六花園芳雪が天皇をただの公卿のように曖昧に描いた錦絵に、この絵は粗略にあつかってはならないという指示が記入されはじめる。すでに戯作的な態度が埋没して、天皇にたいする畏敬の念の強化を浸透させる機能にすりかわりつつあったのだ。(3)

(3) 多木浩二『天皇の肖像』岩波書店、二〇〇二年、一二―一四頁。

まずは古典的な御公卿様の図像をパロディにして、御江戸にやってきた天皇が錦絵に描かれた。戯作的な時事通信として庶民的な昔話に当てはめてほのめかされていた天皇像は、しかし、いつしか戯作的な効果を薄め（戯作として読み取るリテラシーが失われ）、畏怖すべき対象に転じてしまった。比喩が備える象徴化の働きによって、すなわち構造的な導きとして、パロディが尊敬や崇拝の意味をはらんで受け渡される場合も少なからずあるのだ。

これに絡んで、パロディ辞典では触れていない、いわゆる二次創作について書いておきたい。二次創作はパロディに当たるか、あるいは別の概念なのか。大塚英志は、高橋陽一のマンガ「キャプテン翼」の二次創作である「翼」同人誌を例に、これはパロディではないと述べる（なお、この書籍が刊行された一九八九年時点において呼称が一般化していなかった「二次創作」の語を大塚は用いていない）。

> ある時期から十代後半の少女たちが、〔……〕「翼」のキャラクターとその人間関係を使って、それぞれの「キャプテン翼」を書《ママ》いて売り出したのである。
> 彼女たちの作品をパロディと表現するのは正しくない。パロディとは強固なオリジナルが存在し、それに対する皮肉やおちょくり、もじりなどをいうのである。ところが彼女たちは高橋陽一の「キャプテン翼」から〈プログラム〉としての「翼」をとり出して、そのプログラムの秩序に従って自分たちの創意工夫をこらし、それぞ

れの「翼」を描いたのである。彼女たちにとって原作の「翼」は、そこから〈プログラム〉を抜きとるだけの素材にすぎなかったようだ。一度〈プログラム〉が彼女らの手に渡ってしまった段階で、原作も〈プログラム〉の枠の中で出現しうる一つのドラマにすぎなくなってしまう。しかも、彼女たちは「翼」における少年同士の関係に重点をおいて〈プログラム〉として抽出し、これを誇張して用いるので、「翼」同人誌のキャラクターは原作と似ても似つかないものとなっている。(4)

さてこの場合、「翼」同人誌をパロディと呼ぶことは本当に正しくないだろうか。大塚が述べるように「原作も〈プログラム〉の枠の中で出現しうる一つのドラマにすぎなく」なり、つまり「キャプテン翼」とその同人誌が原理的に等価になったとして、そして「翼」と同人誌の絵柄が大きく異なっているとしてもなお、それらがまったく対等なヴァリアントといえるかといえば、そうではない。ここであくまでも高橋の「原作」を持ち出さねば説明できないことがまさに示すとおり(「翼」同人誌と呼ばねばならないとおり)、「強固なオリジナル」(モデル化された特定のプレテクスト)はやはり前提として存在する。同人誌の作者や読者は原作をあらかじめ共有しているからこそこれを楽しむのであり、真に〈プログラム〉を抜き出すので足りるならば「翼」である必要すらないだろう。

大塚の挙げた同人誌の例は、プレテクストのオリジナリティを最も強く担保している

(4) 大塚英志『物語消費論 「ビックリマン」の神話学』新曜社、一九八九年、一九―二〇頁。

図像をそのまま用いることなく、それ以外のキャラクター名称や属性、人間関係を抽出しているために、顕示的な反復の性質が弱いという点にまず大きな特徴がある。しかし図像において「似ても似つかないもの」であっても、構造としてはパロディであるといえる。

パロディに対する最も大きな誤解は、先に述べたようにそれが負の効果を（必ず）持つと考えられていること、加えて、図像的な類似が必須条件であると考えられることのふたつである。定義の中に書いた「外面的形式」という語が取り違えられるかもしれないが、「外面的形式」は図像のみを指すわけではなく、外面に現れて（他者から）形式的に認識されている要素や特徴を含む。図像が似通うことなく、パロディは成立するのである。同人誌の例では、作者と読者の間で「翼」を示していると了解されているキャラクターや人間関係が反復され、コードは避けがたく二重化している。趣向を共有する者たちがプレテクストの残滓のようなものでさえ（もしくは、であるからこそ）嗅ぎ取って遊びとして楽しむこのテクストは、まぎれもなくパロディの一種であるに違いない。

引用部分における大塚の力点は「皮肉やおちょくり、もじりなど」に置かれているものと思われるが、パロディの効果がそれらに限らないことは前述したとおりだ。「翼」同人誌では中立や正の効果が強く現れているだろう。繰り返せば、パロディは構造に対する名称であり、そこで生じる効果はあくまで二次的なものである。皮肉やあてこすりなどを意図していなくとも、構造的にパロディは成立する。ここに混同があるがゆえに、オマージュかパロディか、といった意図をめぐる水掛け論が頻繁に起こってしまうのである。崇拝や尊敬という限定された効果、目的ないし機能を持つ方法を指すオマージュと、より広い構造としての方法を指すパロディを同列に対比することは立論として偽である。プレテクストを反復したオマージュはパロディの一機能として包含され得るのだ。定義が曖昧なまま意図や感情を引き合いに、パロディだ、いやオマージュだと論じられながら人々の欲望が剥き出しになることそのものが、先に少し触れたパロディという方法の大衆的な広々とした健やかさともいえるのだが。

念のため断っておけば、二次創作がパロディの一種であるからといって、いま引いた大塚の論は大きく揺らぐわけではない。愛好する対象を細分化して抽出し、それを隠喩的に示しながら変容させて楽しむファン文化が登場したことの指摘、そして、そこにおいて「どれがオリジナルであるかはもはや無意味であり、ただ〈趣向〉の優劣のみが有効とな」り、ひいては「〈商品〉を作ることと消費することが一体化し」「無数の消費者だけがいる」[5]状況が生まれつつあるという消費社会の展開、すなわち「物語消費」に対する大塚の分析の予見的な鋭さの価値は減じない。ここで事例として取り上げられた同人誌は未だパロディの範疇にあったが、さらに細分化と抽出、そして過剰化と加速化が進展した果てに、まさにオリジナルが無意味化した「データベース消費」（東浩紀『動物化するポストモダン』二〇〇一年）が生まれることになる。髪型、髪色、背丈、言葉遣い、服装、等々の要素が単一のモデルたるプレテクストに紐付けられることなく、まるでレ

（5）大塚、前掲（4）、二四頁。

ヴィ＝ストロースの構造主義人類学における神話素のように分配・交換・結合していくデータベース消費では、すでにコードが破れて分散し、もはやパロディの概念が当てはまらない。

3 パロディはアウトかセーフか

最後に法律との関わりでいくつか私見を書いておきたい。

ここまで述べてきた定義を法律に照らせば、景色は一変する。著作権法はパロディを定義していない（概念として想定していない）が、パロディに対してたいへん厳しい最高裁判決が下されており、正当な範囲を踏み越えた引用の一例として位置づけられているといっていい。[6] また、二次創作の概念は著作権法二条一項一一号に定められた「二次的著作物」（ある著作物を翻訳、編曲、変形、脚色、映画化などしてできた新たな著作物）にほとんど当てはまる。ただし二次創作は基本的に非正規、非公式のものとして楽しまれるという受容形態において二次的著作物を超える特徴を備えている。「表現上の本質的な特徴」を利用しているか否かといった司法独自の判断が蓄積されている法律上の複製、引用、二次的著作物等々の定義や解釈についてはここで立ち入らず、ご専門の筋にお任せしたい。

（6） 本書「二重の声を聞け　いわゆるパロディ裁判から」参照。

しかし、なぜこうも、パロディは著作権（法）とセットで語られるのだろうか。複製を介した表現ほど法に囲われて注視されるものはない。試しにネットで「パロディ」と検索してみれば、パロディとオマージュの違い、「パクリ」との差、どこまで許されるのか、といった構えの記事が無数にヒットする。そうした線引きに対して広く強烈な関心が抱かれているわけだが、特定の表現方法に対してこれほどに遵法精神のようなものが隅々まで行きわたっているのは不思議だ。多くの人にとっては不思議ですらないくらいに内面化された価値観だろう。けれどもたとえば裸体表現と比べれば、少なくとも今日においては歴然とした差がある。美と猥褻、といった特集が雑誌で組まれて誌面に弁護士が登場しないことはあっても、複製や引用が特集となると必ずといっていいほど弁護士が登場する。強い関心が抱かれているというより、複製は法に抵触するリスクが高い、あるいは背徳的であるという恐怖感情を人々は植え付けられており、極度に怯え萎縮しているといっていい。その怯えは美術館でも例外ではなく、あらゆる画像の使用について（著作権切れの図像でさえ）真っ先に権利を調査し許諾の手続きを行うことが倫理として定着している。

たとえば美術館で次のようなやりとりがなされることはしばしばだ。

A：美術作品をイラスト化するのは危ないですよ、この作家は著作権にうるさいイメージがあるし。

B：イラストレーターの主観や技術が介在するイラストなのだから、新規の表現として問題ないですよね。

A：作品の改変になるから同一性保持権に触れるんじゃないでしょうか？

C：ネット媒体に作品画像を掲載するなら、解像度をかなり低くする必要がありますね。

D：いや正当な引用なら解像度は関係ないでしょう。

C：著作権者はけっこううるさいですよ。とくにピカソとか。

みなが抑制の眼を内面化し、懸念の声があれば危うきに近寄らずで著作権絡みの事案は避けられ、萎縮は強まっていく。

他方で、画像を複製して利用する主体のみならず、利用される側（権利者）の意識もまた、ますます締め上げられている。たとえば最近、東京オリンピックに関連してエリック・カールの絵本『はらぺこあおむし』になぞらえてトーマス・バッハＩＯＣ会長らを風刺した戯画が世間を賑わせた（図３）。これに対して同絵本の出版元である偕成社は、「強い違和感を感じざるを得」ないとして、「お粗末」な風刺画だと断じる次のような抗議文を公表した。

（図３）

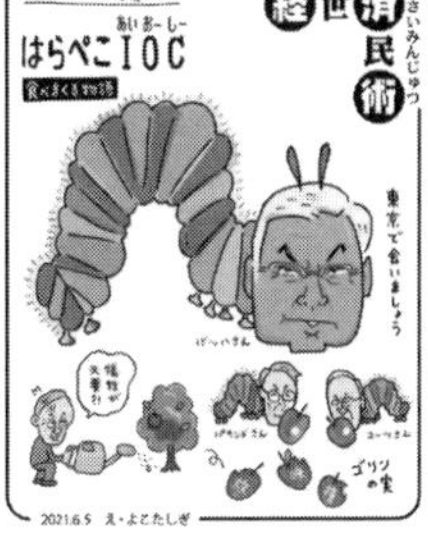

よこたしぎ「経世済民術」『毎日新聞』二〇二一年六月五日

『はらぺこあおむし』の楽しさは、あおむしのどこまでも健康的な食欲と、それに共感する子どもたち自身の「食べたい、成長したい」という欲求にあると思っています。金銭的な利権への欲望を風刺するにはまったく不適当と言わざるを得ません。〔……〕おそらく絵本そのものを読んでいないのでしょう。もし読んだうえでこの風刺をあえて描こうとしたのだとしたら、満腹の末に美しい蝶に変身する結末をどのように考えられたのでしょうか。

風刺は引用する作品全体の意味を理解したうえでこそ力をもつのだと思います。(7)

「お粗末」かどうかはさておき、ここで気にかかるのは関係者ないし権利者が、プレテクストにされた作品の意味を一方的に決定してしまっているところだ。ある作品に深く結びついた主体が、その作品を傷つけられた、所有しているものが奪われたと感じて、その当人の解釈以外を許容しない事例はこれに限らない。しかしテクストの解釈は、いかなる権限で所有され得るのか。たとえそれを生み出した作者であっても、テクストの意味や意図を占有することはできないというのに。法に定められた著作権は所有や譲渡も可能だが、テクストを解釈する権利は本質的に万人のものであり、奪ったり奪われたりする性質のものではない。その考え方の地平に立たねば、そもそもパロディは存在し得ない。

遵法意識は大切であろう。だが、複製、引用、パロディといった表現を語る際に必ず

(7) 今村正樹「風刺漫画のあり方について」二〇二一年六月七日、https://www.kaiseisha.co.jp/news/28125〔最終閲覧日：二〇二二年一月六日〕

アウトかセーフかという議論が伴うことは不健全というほかない。そこには表現の自由に法律が先立つ奇妙さとともに、判断が安易に放棄され、表現の問題が置き去りになっている危うさがある。複製をめぐる表現の射程は法の枠内を超えて法の根拠に届くものでもある以上、法律の埒外で議論されてしかるべき問題であるはずだ。窮屈になる一方の足枷がいつか解除されることを切に願うばかりである。

(III)

キッチュ

さあ、ご覧ください見てください、この冬まれなる展覧会、「石子順造的世界」の開催でございます。
高度成長まっ盛り、テレビにマンガにビートルズ、学生運動アングラポップ、反芸術にハプニング、うねりにうねった喧噪の昭和40年代を一身に引き受けた評論家がありました。美術とあわせてマンガを論じ、そうかと思えばキッチュを語る。10年ほどの活躍を残しこの世を去った個性にあふるるこの男、石子順造とは何者であったのか。
「現代美術」とは、いや「現代」とは、いやいや「近代」とは——前のめりの角張った言葉をたずさえて、深く広い視覚文化を徹底的に、いやテッテ的に掴まんとペンを走らせたその足跡は、今なお活き活きと輝いております。さて現在は、そのけばけばしくも豊穣な世界をいかに引き受けることができるのか。
美術発マンガ経由キッチュ行、まもなく発車いたします。

●休館日＝月曜日（1月9日は開館）、12月29日〜1月3日、1月10日
●開館時間＝午前10時—午後5時（入場は4時30分まで）
●観覧料＝一般：700（560）円、高校生・大学生：350（280）円、小学生・中学生：150（120）円
*（ ）内は20名以上の団体料金
*未就学児及び障害者手帳等をお持ちの方は無料
*常設展もご覧いただけます。
*府中市内の小中学生は「学びのパスポート」で無料
*本展覧会の他会場への巡回はありません。

石子順造 1970年
撮影：堀川紀夫

「石子順造的世界　美術発・マンガ経由・キッチュ行」(府中市美術館、二〇一一―二〇一二年)チラシ。つげ義春《ねじ式》(原画)一九六八年、作家蔵。題字:赤瀬川原平。石子順造肖像写真　撮影:堀川紀夫。同写真提供:谷川晃一。

「的世界」で考えたこと

一人の評論家をテーマとし、出展内容の三分の二が非ファインアートという物珍しさもあってか、「石子順造的世界　美術発・マンガ経由・キッチュ行」（府中市美術館、二〇一一―二〇一二年）は大いに話題にしていただいた。とりわけ図録は好評で（展示本体を抜きに図録だけが評判なのは悲しいのだが）、展覧会終了後も各所から関連の講演執筆を依頼されるのは光栄なことである。

しかしながら、はたして石子順造という人物は何を成し遂げ、石子以前と以降とでは何が変わったのか、と問われると――じっさい僕は幾度かそのように問われ、そのように問うツイートを見かけたりもした――情けないことにというべきか、実のところ、たいへんに答えづらいのである。

石子順造。一九二八年生まれ、一九七七年没。六〇年代特有の晦渋な言説の影響をもろに受けてやたら概念化を急ぐまわりくどい美術評論を書き、他に先駆けてマンガ評論の分野を開拓しつつも作者への思い入れに流されて多くは過剰な文学的解釈に陥り、またキッチュなる新概念の紹介者となりながらも結局は傍観者としてその本体に迫ることができないままに、ほぼ一〇年の短い活動を残して世を去った評論家——調べに調べあげた愛着あるこの人を貶めるつもりなどむろんないが、冷静に記せばこれくらいの評が妥当ではなかろうか。

旧友たちが口々に「生き急いだ」と述懐するそのおそるべき量の執筆を仔細に見れば、秀でたところはあるのだ。マンガやアニメへの着目とその変化に対する反応の速さとか、いわゆる「千円札裁判」の弁護側に投げかけた独自の批判の説得力とか、キッチュの個々の現われに対する分析にときおり強烈に輝く鋭さだとか。しかし総体を見通して際立った業績というものは、ない。そしてぼくは、それ以上に石子さんを祭り上げようとも思わないのである。

二〇〇〇年代に入って、一部では石子再評価の動きがにわかに沸き起こっていた。それは「もの派」に関連付けられた評価であったのだが、石子さんの活動のごくごくわずかな部分を取り出して——しかも石子さんの意図を必ずしも反映しない形で——世界的な評価を得たムーブメントに接続させようとする試みにはどうしても無理があるように思われた。それは結局ヘゲモニー争いに終わるのではないか。「浮世舞台の花道は 表もあれば裏もある 花と咲く身に歌あれば 咲かぬ花にも歌ひとつ〜」(テレビ番組「演歌の花道」のナレーション)なわけで、何でも表舞台に引っ張り出すのは野暮というもの、裏には裏の滋味がある。良い展覧会の中身がすべて名作名作家とは限るまいし、名作を集め名人の足跡を辿ることが名展覧会の保証になるわけでもない。居直るのでなくむやみな修正を行うのでもなく、なんとか裏道の暗がりをそのままに、表も裏もひっくるめて舞台全体を楽しみ考えることはできないものだろうか。それが、「石子順造的世界」の根にある考え方であった。

じゃあ、そもそもどうして石子順造か。なぜならそれは、少なくとも美術に関わる人物の中でただ一人彼こそが、戦後の日本が経験した一種異様な近代化を最もストレートに体現していたのだという確信があったからだった。石子さんの姿を借りれば、その近代化の中心を占める、比類なき賑やかさと魅惑を放つ六〇年代という舞台をパノラミックに見渡せるはずだ、そのように考えた。

五〇年代前半に大学時代を過ごした石子さんは、共産主義を経由して美術に関心を抱いた。高度成長の波にざぶざぶと洗われて既存のさまざまな共同体がみるみる崩れていく様に、彼はきわめて敏感であった。テレビ、週刊誌、展覧会、劇場といったメディアの整備にも促されて、美術なら美術が、マンガならマンガがそれぞれ固有の足場を固めていく。美術論、マンガ論、演劇論、映画論、果ては文学・音楽・経済・信仰などおそろしく多彩な文化の底流を「庶民」の軸でまとめあげようとした晩年のキッチュ論に至るまで、石子さんは目にしたことごとくと取っ組み合った。結果から見ればそれは彼のキャパシティを超える作業であり、焦点は分散してしまった。いや彼は一ヵ所に安住することができなかったのだ。どこかに留まって個別に自律の深まりに向かうことそのものが、彼の批判対象、すなわち「近代」であったから。制度論にこだわりすぎる癖も禍いして、軽やかに横断するどころか混濁した流れに翻弄される形で、石子さんはそのまま舞台裏へと追いやられていった。あまりにまじめすぎた野次馬、とぼくは書いた。

だが一方でその翻弄のされ方は、彼が誰よりも近代化の波と真っ当に向き合った証しでもあった。石子さんの活動時期である一九六〇年代後半から七〇年代にさしかかる時期は、芸術の普遍化と絶対化を極めた六〇年代のモダニズムに抗って、個別具体的な唯一性の取り戻しが模索され、作品という観念がほとんど崩壊することで日本に限らず美術分野全体がある行き詰まりに直面する時期にぴったり重なる。その潮流をまさしく体現するかのようにのたうち回った石子さんは、ふたたび芸術が復権し、開放的な気運の高まる八〇年代を目前にしてこの世を去った。

石子さんの不器用は重要な不器用である。廃れ行く数々の表象に寄り添った石子さんは、古い、懐かしいといった言葉で自身の下層に溜まった澱みの忘却に勤しむ近代の欺瞞を、身を以て示したように思えてならない。ジャンル間、あるいは個人間で広がって行く亀裂に危機感を抱きながらついに打開の方法を持ち得なかった石子さんの苦悩は、今日なお再考に値するはずである。わかりやすい枠組みに収めることでその苦悩をむしろ隠すことになってしまった展示は満足には遠い出来であったが、この先自分のやるべき仕事はいくらかつかめた気がしている。

●石子順造小辞典

石子順造の著述には、いくつかの同じ言い回しが頻繁に登場する。一度こだわり始めれば何年にも亘って追求する徹底した姿勢がここに端的に現れているだろう。また、そもそもは美術を論じる中で得られたフレーズがマンガやキッチュに対する評論に用いられるなど、それぞれの用語は石子が扱った多種多様の対象を接続する役割も果たしていた。

ここにその中から代表的なものを抜き出し、解説を付した。石子が抱いたテーマや彼のアプローチの方法、そして彼の目指した地点を把握するための手引きとしてご参照いただきたい。なお、並び順はなるべく石子の思考の展開を追うことができるように構成した。

【生体（いきたい）と死体（しにたい）】

相撲好きの石子が相撲の用語から引いてきた言葉。「相撲の勝負の判定に、「生体《いきたい》」「死体《しにたい》」と言う言葉があります。前者《ママ》は、たとえ外見はどの様であれもう運動体としての活動の再生力を喪失してしまった状態であり、後者《ママ》は、未だ活動源を残して運動体としての生命を保持しているものの謂です」（「死体《いきたい》解剖と生体《しにたい》解剖」『記録映画』一九五九年六月号。なお文脈から、「前者」「後者」は逆の誤記）。『記録映画』誌に掲載されたこの最初期の投稿において石子は、野田真吾と松本俊夫の二人の映画作家の文章を、「極めて論理明快」であるがそれは「死体」を相手にした鮮やかさではないかと批判。「創作主体、方法の問題ばかりが言われすぎ、享受・鑑賞に関する理論的整備が全然と言って良い程なされておりません」「不断に変貌し、発展しつづける外部現実と対応し、流動性を持ちながら、しかも本質的に不動な人間主体の恢復と、創作主体の確立、確保はいかに困難であるか。どうもその辺もやや図式的なきらいがあります」。要するに、批評は表現を享受する側の存在を忘れることなく、現実と具体的に関わるべきであり、さらにそれらは常に動いていることを意識せねばならない、という主張である。運動し続ける具体的な現実＝「生体」と取っ組み合う批評とは、いうまでもなく石子が終始貫こうとした立場であった。これを踏まえてこの頃の石子はドキュメンタリーという手法に可能性を感じており、一九六〇年に創刊された評画集『フェニックス』も同じ意図から生まれた試みである。この用語は、晩年の一九七五年にも登場する（「歌舞伎の小道具　事物の生体《いきたい》と死体《しにたい》」『LES JOYAUX れ・じゅわいよ』一九七五年三月）。

【リアリティとアクチュアリティ】

「どのような種類の表現も、ひとたびそれが独特な様式を持ち価値としての約束事の中で純度を高めていくと、民衆のなまの生活実感からは遠ざかってしまう。いいかえると、どのような表現も、独自なリアリティを獲得するにしたがって、表現のアクチュアリティを失ってしまうようなところがある」(「マンガの現状」『戦後マンガ史ノート』紀伊國屋書店、一九七五年)。

あらゆる表現に対して、生活との接続と具体性を求めた石子は、「アクチュアリティ」(活性、現実性、実状)の語をとりわけ好んで用いた。貸本マンガや初期の劇画、六〇年代後半の美術、ハプニング、そしてキッチュなどはいずれも「民衆のなまの生活実感」「生活者としての民衆の喜怒哀楽」の観点から選ばれており、そこから石子は「アクチュアリティ」を引き出そうとしたのであった。

これに対置される「リアリティ」(実在性、迫真性)の用法は石子特有で、固有性、自律性と言い換えられそうな意味で考えていたようである。たとえばマンガならマンガらしさ、というときの「らしさ」にあたるだろうか。すると石子は美術らしくない美術、マンガらしくないマンガ、あるいは表現らしくない表現を追おうとしたのだといえる。その姿勢は彼自身にも跳ね返ってくる問題であったはずだろう。すなわち石子は、「アクチュアルな」評論家となるべく、ある特定のジャンルにおける専門的な――「リアルな」――評論家となることを自らに禁じたのである。

【はばとあつみ】

この用語は、たとえば次のように石子が自らのテーマを端的に述べる箇所にしばしば登場する。「表現の問題を、人間の生きざまのはばとあつみ、すなわち〈歴史〉の問題として、再検討する」(「再び狂い咲きの季節を前にして キッチュ論ノート」石子、上杉義隆、松岡正剛編『キッチュ――まがいものの時代――』ダイヤモンド社、一九七一年)。洗練された一部の表現が「芸術」として表面にあるとして、その下層には洗練の過程で切り捨てられてきた雑多な「非芸術」が積み重なっている。その表面を含めた積層全体を、「はばとあつみ」と石子は呼び、ライフワークの対象とした。

ただしこれを、「視野を広く持った」とかあるいは「美術と日常との融合を目指した」といったような言い方にすり替えてしまうと、要点をつかみ損ねてしまうだろう。ふつう「視野」とか「美術と日常」などという前提そのものを疑うためにこそ、石子は「はばとあつみ」の語を用いたのだ。ここで石子が〈歴史〉というのは、時を経て体に染み付いたものの見方や考え方のことである。これは時代が変われば自動的に更新されるものでなく、注意してみないかぎりいつまでも「近代」は保留され、「現代」と呼ばれる様式だけが生み出されていくことになる、というのが石子の主張である。「ぼくにとって歴史とは〔……〕年表のことではない。ぼくの、いまここに生きている身体に、見えないけれど抜きがたく刺青され、また徐々に描きかえられているはずの身体性とでもいうべき知覚のあつみと、それと不可分に連動している想像力や概念のはばであり、その限界である」（「あとがき」『現代マンガの思想』太平出版社、一九七〇年）。「われわれは身体性ともいうべき知覚・認識のあつみとしての歴史から、そうたやすく自由でありえようわけはない」（「変革のにない手たち　明日の〈不確定性〉に賭けて」『美術手帖』一九七一年一月）。

キッチュ論、ならびに石子の評論の総体は、あらゆる日本人の「身体性」となった「はばとあつみ」を明るみに出すことで「近代」を検証しようとする試みであった。

【いつも処女であるようなあばずれ】

石子による民衆の比喩、もしくはその特性の要約。テレビコマーシャルの定義として用いたこともある。「新しいものをすぐほしがってたちまち古くしてしまい、じゃあ古いものはいらないのかというと後生大事にかかえこんでいる――素直で老獪で、冷淡でやさしく、ずるくて正直で、単純で複雑で――、なんとも両義的な化物が民衆なのである」（「定着と停滞の段階へ」『戦後マンガ史ノート』一九七五年）。これだけでは民衆とは正体不明なものだということを言ったにすぎないようにも思われるが、石子が強調したかったのは、良識的に黙認され、強いて触れられようとはしない民衆の否定的な側面である。石子は民衆の表現を俎上に載せながら、それをたんに持ち上げることも貶すこともせず、弱さと強さ、みじめさとたくましさとを同時にはらんだ姿をなるべく生きたままにとらえようとした。

今日ではこの用語のような言い方は「不適切な表現」であろうが、このように読み手の眉をひそめさせるような言葉使いそのものが、民衆の「ホンネ」に立ち入ろうとする石子の意図を含んでいる。

こうして論評対象の否定的側面にも積極的に目を向け、民衆（の表現）といわゆるインテリ（もしくは芸術）の双方に足を踏み入れながらいずれにも偏向しない微妙な立ち位置が、石子といわゆるサブカルチャー論者とを決定的に画する点といえよう。

【青い目】

「世の中が騒々しくなると、マンガ家はその青い目（批評の目）を開く」といわれているように、マンガの隆盛は、社会状況の微妙な発展への胎動を、敏感にキャッチして視覚化する」（『マンガ芸術論』序文、富士書院、一九六七年）。別のところで「外国のことわざ」であると石子は述べているが、典拠は不明。

石子は、マンガは転換期にある社会を射る生活者による批評であり、社会の動静を測るバロメーターであるととらえていた。美術評論を始めるのとほとんど同時に石子はマンガに着目しているが、それは自身がマンガに親しんできた（戦時中唯一のマンガ誌『漫画』を愛読していたという）ことに加え、彼の生きた時代の日本が転換期にあり、そこでマンガが「突破口のひとつとして能動的に機能しうる」と考えたからでもあった。じっさい、石子が活躍を始めた昭和四〇年頃は、大学生が熱心に白土三平などを読み、「右手にジャーナル（『朝日ジャーナル』）、左手にマガジン（『少年マガジン』）」とマスコミが報じたマンガブームが起こっていた。そこに石子は、民衆の生活実感に基づく不条理感と欲望の湧出、未知への志向を見たのである。

【マンガ】
「ぼくは漫画と書かずに、マンガと書くことによって、動画からテレビのＣＭまでをふくめて、できるだけ広く、今日の、とくに日本の現代マンガにそくして、内容や機能にふれてみたい」（『マンガ芸術論』序文、一九六七年）。同書中の分類として「漫画」という項目が設けてあるとおり、石子は、新聞や雑誌に載った、おもしろおかしく読まれる、子ども向けの、一般に「漫画」と呼ばれてきたものを一分野として規定し、それを含む広い領域として「マンガ」を考えた。

この設定には、石子独自の視点というより一九六〇年代前半の動向がまずは大きく反映されていよう。すなわち「漫画」と区別するべく命名された「劇画」の定着と流行、および必ずしも笑いを目的としない大人向け漫画の発展、そして東映動画や虫プロによるアニメーション制作や真鍋博・久里洋二・柳原良平ら「三人のアニメーションの会」の実験、そして横尾忠則や宇野亜喜良などいわゆるアングラ系のイラストレーターの台頭などである。その状況に加えて石子は、池田龍雄や河原温ら、漫画表現への接近を見せた新世代の画家たちへの期待も含めて、美術と比較・接続し得る領域としてマンガを広く再定義したのである。

大量に印刷・伝達され、したがって民衆と親近性を持つ、「事を描いた、わかる絵」＝人間の行為を内容とし、受け手としての民衆がコミュニケーションをとりやすい表現。これが『マンガ芸術論』における石子のマンガの定義である。評論家としての出発点から石子がマンガを介して美術を論じようとしたのは、民衆の実感、具体性という観点を重視していたためであった。

ただし、「後年になってマンガ表現が、昭和四十五、六年ごろを境にして、一つの転換を遂げた」とし、「マンガは民衆の批評的な発言だというのは、今日ではもはや、マンガに対して誤りに近い過度の賛辞」だと述べる（「マンガは漫画でなくなった」『月刊エコノミスト』一九七五年三月）ように、後の（おそらく一九七二年頃から）石子のマンガ論には、突き放したような論調が強まる。マンガが量産されすっかり日常になじみ「既製品化」された状況下で、「もはやマンガ論は、マスコミ論であり風俗論であるほかない」という見解は、マンガへの落胆の雰囲気で締めくくられる『戦後マンガ史ノート』へとつながっている。

【繫辞（コプラ）の理論】
繫辞《けいじ》は、日本語で「だ」「である」「でない」などにあたる語。「コピュラ」とも。美学者の中井正一はこの繫辞を映画にあてはめて次のように述べた。「小説では

「……である」といった、作者の肯定ないし否定の「コプラ」繋辞がついてくる。だから個人作者の観点が、一つ定まっていなければならない。ところが映画では、カットとカットの連続の間には「繋辞」「である」「でない」というものがなしにつながって、大衆の中にそのままでホリ込まれるのである。〔……〕トーキーあるいは字幕で通り一遍の「繋辞」「コプラ」をもってはいる。しかし、もう一つの大きなコプラは、大衆が「である」「でない」と胸三寸でつぶやくそのささやきの中にある。〔……〕映画は、何にもまして、その時代の人々の「願い」、「悲願」に最も近く構成されるべき文法を、みずからの構成の中にもっている」（中井正一「カットの文法」『シナリオ』一九五〇年七月）。

石子はこの説の「カット」を「コマ」に置き換えてマンガ論に応用し、カットよりも制約の少ないコマという存在の連続で構成されるマンガは、読者の能動的な参加と受け入れる度合いがさらに高いと述べる。「各コマのフレームを自由に変えられる点や、各コマにどのくらいの時間をわりふるか、あるいはコマとコマとをどうつないでいくかなどについても、マンガほど、受け手の参与が大きくものをいう表現も少ない」（「大衆芸術としてのまんが」『COM』一九六九年七月）。

大量に印刷され安価で手に入るといったメディア的特性（石子ふうにいえば〈場の問題〉）に加えて、こうした表現面においても、マンガは本質的に大衆的であると考えたのである。この延長で石子は、大衆と連動するマンガの象徴として「シーン」という静寂を指す擬音表現をしばしば例示した。「大衆である読者はそこで、いわば無音の音を目で聴くわけだが、このような表現は他のジャンルではおそらく不可能だろう」（同上）。多ジャンルにまたがって論を進める中で、ジャンルを腑分けする大きな制度的枠組みを意識せざるを得なかった石子は、このように表現における特性に対しても敏感であった。マンガの価値を低く見ることはむろんなかった石子だが、いたずらにマンガを芸術視することも批判したのは、そこに備わる独自の性質を考慮していたためである。

【評画】

「評画」というのは、一九六〇年六月一五日、画家伊藤隆史・鈴木慶則とぼくの三人で出版した『フェニックス』という画集のための用語だった。ぼくらはそれぞれの立場で反安保闘争に参加していたが、そのなかで三人の共同作業によるアジ・マンガをまき、それを後で画集にまとめた。それは「事実を描く」ことを標榜し、コラージュやフロッタージュなどのシュールリアリズムの方法を否定的に媒介として、絵画におけるドキュメンタリーの方法意識にたって、当時ぼくらがもっとも関心をもたざるをえなかった事件――政治的・社会的な事件から日常的あるいは性的な問題もふくめた――を、描いた」（『現代マンガの思想』一九七〇年）。

『フェニックス』序文にある「評画」（クリティカル・アート）あるいは「記録漫画」（ドキュメンタリー・カリカチュア）というタイトル内の翻訳が、この趣旨を端的に示しているだろう。石子によるマンガ史年表には『フェニックス』創刊が必ずリストアップされていることからも、相当の自負が感じられる。『マンガ芸術論』では「評画」として河原温の「印刷絵画」、井上洋介、岡本信治郎、辻まことらが挙げられている。（図１）

図1

【劇画】

「劇画」の呼称は、辰巳ヨシヒロが一九五七年一二月、貸本向けの短編誌『街』一二号に「幽霊タクシー」を発表した際に「劇画工房」と銘打ったことに端を発する。マンガから笑いの要素をなくし、心理的な描写を取り入れたリアリスティックな描法によって読者層の年齢を高めようと考案された語であったという。六九年には佐藤まさあき、さいとう・たかお、石川フミヤス、桜井昌一らが「劇画工房」に参加。関西在住の彼らの新たな傾向の漫画はその頃ちょうど最盛期を迎えようとしていた貸本店でヒットし、「劇画工房」の作に止まらず笑いの要素に乏しく暗い翳りをもった貸本マンガ一般の呼称として「劇画」の名が定着した。さらに時代が下ると青年読者層向けマンガの一ジャンルとして一般化されていくが、石子は貸本文化と劇画の隆盛の交差に「生活者の、生活のための苦闘」や「孤独な若者」のヤケクソな心情を読み取り、そこに意義を感じていた。「僕が、ブルー・カラーの物としての〔昭和〕三〇年代の劇画にこだわるのは、〝劇画ブーム〟とも言われた四〇年代のマンガの活況を意識してではない。より一般的、基本的に民衆の表現の出発が、そのような地平にあると思うからである」（『戦後マンガ史ノート』前掲）。（図２）

図2

【アンチ・マンガ】

つげ義春のマンガに触発されて石子が考案した造語。「つげ義春の足どりは、確実に生存の欲望の不条理性につきながら与えられてある日常性を、虚構ともいえる、ある種の仮空に逆倒していくアプローチを深化していく。つまりつげは、生まれ落とされて、いま、ここにいるという実在の諸関係を、異例の偶然事ととらえ返す視座にわけ入りながら、実存の解放を企図する。したがってことばは、ことばという約束事として、自意識の運動を安全に秩序づける契機を失い、物（オブジェ）となって、実体的なイメージとの照応を絶ってしまう。イメージは自律化しようとし、世界は、ぼくらの知覚の日常性を風景の彩りとして浮上させていく。ぼくはそのようなつげのアプローチに着目して、つげの作品を「存在論的反マンガ」（『ガロ』一九六八年二月号）と呼んだ。〔……〕以後ぼくは、つげのほか、言語とイメージとの実体的な信奉から自由な何人かの作家たちの作品を、便宜的に

(図1) グループ白『フェニックス』1号、グループ「白」事務局、1960年
(図2) 貸本劇画誌『迷路』創刊号、若木書房、1958年

類別する呼称として、「反（アンチ）・マンガ」と使っている」（『現代マンガの思想』一九七〇年）。

「何人かの作家たち」とは、つげと同じく『ガロ』への発表を主体とした林静一、佐々木マキらである。当時一般には「難解マンガ」と呼ばれたが、その「難解」さを石子は言語と実体のずれとみなし、コミュニケーションを前提とする通常のマンガとは異なるものとして位置づけたのである。所与の「日常性」の束縛から飛躍する表現としての石子のアンチ・マンガ評価は、時代的にも内容的にもハプニングへの着目と並行関係にあったと思われる。


【表現における近代】


主著『表現における近代の呪縛』（一九七〇年）のタイトルにも採用されたフレーズであり、これが石子の生涯をかけた最大のテーマである。

「現代美術」を規定するのがたんに時代としての「現代」ではないとすれば、いかにして美術は「現代」的になり得るのか。そのように問いを立てたうえで石子は、「近代」をテーマに掲げた。「現代」を実現する条件とは、「近代」を克服することにほかならない、と。そこで「近代美術」といってしまえば「近代」が前提として通りすぎられてしまうため、石子は「近代の美術」ではなく「美術の近代」を考察対象に据えたのである。

このフレーズは、そもそも宮川淳による次の言葉から引かれたものであった。「われわれに必要なのはタブラ・ラーサではなく、芸術における近代とはなんであったか、あるいは、ありえたかを確認することが、同時にその確認の手続きそのもののうちに、表現における現代を定立しうるような、二重の回路なのである」（「変貌の推移」『美術手帖』一九六三年一〇月号増刊）。

いかに人の知覚が、あるいはものの見方や考え方が「近代」に規定されて（「呪縛」されて）いるか。概念を駆使した論法を得意とした宮川と異なり、石子はこれをきわめて具体的に追っていくことになる。

「美術とは何か」という原理に向かう問いが六〇年代の「反芸術」を中心とした議論の争点であったが、そう問いながらも輸入された概念や作品を通じて「現代」ふうの様式が移り変わっていく様に違和感を抱いた石子は、「美術」よりも「現代」を、さらにそのために「近代」を考察する、というように対象をシフトさせていく。ともすれば論の対象を移していったことばかりが目立つ石子だが、彼の「近代」へのこだわりは、最終的に「現代（美術）」を問い返すためであったということは忘れてはならない点である。


【「AのB」ではなく「BのA」】

「近代の美術」ではなく「美術における近代」を問う、など、「Aの（における）B」という言い方を、「Bの（における）A」と裏返すレトリックは石子の常套手段であった。たとえば石子は次のようにいう。「〈自然のイメージ〉ではなく〈イメージの自然〉だ、というようないい方は、ちょっとした語呂合わせにすぎないみたいだが、けっしてそうではないはずなのだ。この転倒はきわめて重大である。なぜならその転倒のプロセスこそ、〈近代〉あるいはその延長線上における〈現代〉という歴史にほかならない、といえるからである」（「日本庶民の美意識〈イメージの自然〉「自然が美しい」と「美しい自然」と」『Ｆａｎ』一九七一年七月）。

説明するほど余計にややこしいかもしれないが、この場合、先のAには「一般に言われるような」とか、「普遍的な」、「ニュートラルな意味での」といった語を、そして後のAには「〜と言われるときに想定される特定のイメージ」、「〜というパターン」、「作られた制度としての」といった語を補足するとわかりやすい。上に挙げた例にあてはめればこのようになる——「（一般に言われるような、単純に時間で示される）近代」の美術ではなく、美術における「近代（と言われるときに想定される特定のイメージ）」。「（普遍的な意味で言われるような）自然」のイメージではなく、イメージされる「自然（というパターン、制度）」、という具合である。ややこしい。

何らかの言葉が発語されるときに、与えられたパターンを無自覚に受け入れてしまっていることにしつこくこだわった石子に象徴的な用語、用法である。「その転倒こそ歴史にほかならない」と石子が言うのは、つまりその無自覚な受け入れ方に「近代」（と言われているあるパターン）が潜んでいる、というわけである。

【眼を盗まれる】

「絵を鑑賞する」ことの言い換えで、一九六八年から翌年にかけて集中的に用いられた用語。六八年の「トリックス・アンド・ヴィジョン展」（副題は「盗まれた眼」）の序文に「絵画を絵画として成立させてきた従来までの視線が、要するに、眼を盗まれる体験であった」とあり、これが初出と思われる。

たとえば風景画であれば、その中にモチーフとして描かれた空や雲や山を、奥行きや空気感などとともに見る（感じ取る）のが一般的な鑑賞だが、物質としてその絵を見るならそれは絵具が付着した紙や布であるにすぎない。つまり、物質としては（「自然な」視覚によっては）見ないことが「鑑賞」であり、そうした見方によって成り立っているのが「絵画」である、というわけである。石子がここで「眼」といっているのは物質を素直に物質と見る視覚のことで、特定の絵具の塗り重ねに山なら山を見てしまう人の習慣を「盗まれる体験」と呼んだ。「盗む」という俗っぽい言い方を選ぶところが石子的といえようか。特に新しい論点ではないが、石子は同時代の美術のひとつの特徴を、この「盗まれている」という自覚に出発しているところにあると見て取った。鈴木慶則をはじめ石子が結成に関わった「幻触」メンバーは一時期いずれも「眼を盗む」イリュージョンを強調した作品を制作しており、「トリックス・アンド・ヴィジョン展」の内容はこの体験についての石子の考えが反映されている。

【目ざわり】

「目障り」を「目触り」と言い換えた石子特有の用語。「変ないい方ですが、このさい〝手わざ〟や〝手ざわり〟に対して〝目わざ〟、〝目ざわり〟という言葉を使わして下さい。目ざわりはふつう、視覚の惑乱であり、障害をいうのでしょうが、それととっていただいた上で、なお目が、今物を見ている、あるいは見ざるをえないでいる時の、自意識というふうに、かなり積極的に理解していただきたいのです」(「─討論のための問題提起─「目わざ」〈と〉「手わざ」」『眼』一九六八年六月)。

普段は気にもとめない足の存在も、怪我などをすればとたんに意識するようになることを「足ざわり」とでもいおうか、とも石子はたとえている。通常はいわば不随意的である視覚を、何らかのもの──特に美術作品など──に対してあえて意識的に、随意的に駆使する際に「目わざ」が作動し、そのときの感覚を「目ざわり」と呼んだわけである。

この用語によって石子は、実像(画布と絵具)である絵画がいかに虚像(絵画空間)として認識されているのか、「素直な絵の見方」とされるものがいかに限定的な制度に基づいているかを言語化しようとした。上野昂志が『イメージ論 石子順造著作集Ⅱ』(喇嘛舎、一九八七年)月報で指摘するとおり、おそらく初出は一九六八年の千円札裁判論「官許のデザインと芸術の陥穽」であろう。普段まじまじと眺めることのない=「目ざわり」でない紙幣のデザインを、国家の制度との関わりにおいて考慮する過程で生まれた用語と思われる。

論旨としては「眼を盗まれる」とほぼ同義だが、「目ざわり」はキッチュ論などでも見られ、長く使われた用語である。

【〈と〉】

石子は、文中で強調したい語句を〈 〉でくることを自分のルールとしていた。この二つの記号の間には「近代」や「場」など石子にとって重要な様々な語が閉じ込められたが、中でも最も風変わりで、また石子らしいのがこの「と」という接続詞である。

風変わりな、というのは通常この一文字を使うのを気にかけることなどほとんどないからだが、まさにその何気なさこそが石子の関心の対象であった。

「ぼくは、いわば約束事としての美術という問題にふたたび深入りすることになった。それはイメージ〈と〉言語、肉体〈と〉精神、現実〈と〉虚構、個人〈と〉社会、過去〈と〉未来などなど、対立物ないしその概念としてある接続部分を、関係の構造としてみること、いわば〈と〉の問題であった。しかししばらく考えていくうちに、〈と〉という言い方に前提される二元論的な論理がどうにもひっかかってしかたなかった。「現実の虚構性」とか「虚構の現実性」といってもいっこうにおかしくはない。そこでぼくは、たとえばイメージと言語なら、その両者を一つの構造として捉えうる、すなわちイメージと言語とを相互に8の字に連動する構造として、〈制度〉をいっそうはば広く、いわば歴史のあつみそのものとして考えるようになった」(「制度としての美術と美術としての制度」『表現における近代の呪縛』川島書店、一九七〇年)。

同時代の社会に不条理が満ちており、「現実」と呼ばれるものも与えられているだけの制度にすぎないのではないか、といった実感を強く抱いていた石子は、「現代」あるいは「現実」という言葉を、括弧付けなしに用いることに疑問を持った。そこから彼は「言葉とイメージ」というテーマを掲げ、言葉に対してそれに対応すべきイメージ(像)がちぐはぐになっている点において時代を読み取ろうと試みる。一九六五年のデビュー当初の石子はとくに言葉に課題を集中させていた。この問題設定に別角度の視点を取り込むべく、石子が着目したのが〈と〉であった。たとえば「現実と虚構」と言った瞬間に、そこで接続(もしくは対立)される語句は区別され、それぞれ安定したまとまりとして想定されてしまう。しかし「現実」は今や確固としていないとするなら、「現実とは何か」を問うのでなく、区別されてしまうその事態をまるごと制度と捉えて問題にしようではないかというのが、石子の考えである。

その具体化として、「現実〈と〉虚構」の双方に渡り合う表現や事象を探った「トリックス・アンド・ヴィジョン展」があるわけだが、〈と〉をめぐる思考はさらに対象を拡大して「芸術〈と〉非芸術」などに適用されていくことになる。「表現」全体を一元的につかむ視点を求めた石子のあらゆる仕事は、この〈と〉への問いを原動力としていたともいえよう。

初出はおそらく一九六八年四月の「トリックス・アンド・ヴィジョン展」パンフレットだが、前年の「美術における近代を撃つために」(「—すべては微妙な夜明けであるということについての前提の前提—美術における近代を撃つために」『ART21』一九六七年一月)はほぼ同趣旨の論考。(図3)

【↓↑】

この両方向の矢印を重ねた記号は、石子の文中の様々な箇所で頻出する。たとえば、「キッチュは、生活↓↑表現↓↑文化という動的な回路をめぐって、かなり広い意味・価値のカテゴリーをいう」(『俗悪の思想』まえがき、太平出版社、一九七一年)など。読んでわかるとおり(音読はできないが)、ある事象の内実が複数の既存言語にまたがっていることを示した言い方である。

用例は早い頃から散見されるため時期的な前後関係が微妙だが、〈と〉と同根の問題関心から生じたものであろう。〈と〉には慣例的な言辞への異議が込められているが、批判の目的でなく石子が自らの実感に基づいて語る場合にこの記号が用いられる。いずれにせよ、ひとつの言葉で書けば余白を切り落としてしまわざるを得ないあるあいまいな広がりを、なるべくそのままに、具体的(あいまいなのに

図3

(図3)「壮烈絵巻日本芸術界大激戦」『美術手帖』1972年5月号　絵:南伸宏

具体的というのはおかしいのだが——しかしそのおかしさに石子は苦心したのである）に言語化しようとした石子独自のいい方である。

【ハイレッド・センター】
一九六三年に高松次郎、赤瀬川原平、中西夏之らが結成した匿名集団。メンバーは三人に限らず、また結成前に高松と中西らが行ったイベント「山手線事件」も活動に含まれる。六〇年代前半の反芸術の潮流の内にありながらこのグループが一線を画すのは、反芸術のような即興的な感情の発露によらずあくまで冷静に練られた計画に基づいて活動を実行した点である。構成員の頭文字の英訳を並べたグループ名の法人ふうの響きがまさに示しているとおり、公共性を装いながら社会に介入し、社会における芸術のありよう、あるいはその逆を観察、検証しようとした。最初のグループ展「第五次ミキサー計画」に集合した紐（高松）、千円札（赤瀬川）、洗濯バサミ（中西）のオブジェに見られるような、限られた展示空間を超えていく増殖性にすでにその特徴は認められるが、個人用のシェルター受注、街頭ビラの配布など疑似公共的イベントによる社会介入行為をさらに洗練させ、六四年に銀座街頭で白衣をまとって無用の清掃を行う「首都圏清掃整理促進運動」で活動を終える。グループの活動時期に並行して巻き起こった千円札裁判も、公共圏に侵入する「直接行動」が招いた必然的結果であった（このグループの重要性が認識された背景には、千円札裁判の果たした役割が大きい）といえる。石子が「戦後の美術家の中で、ぼくがもっとも注目していた」と述べるこのグループは、七〇年代に入って美術への言及が極端に減る石子において、継続して俎上に載せられる例外的な存在であった。

【千円札裁判】
一九六四年から七〇年まで、赤瀬川原平の制作による千円札を模した作品が法に抵触するかどうかが争われた裁判。六三年、赤瀬川は個展案内状の片面に千円札の表面のみを一色で印刷し、知人宛に現金書留で郵送。ほかにも複製印刷をパネル化したり梱包作品に用いたり手描きの拡大図を作るなど、千円札はハイレッド・センター（ＨＲＣ）として活動していた赤瀬川の主要モチーフであった。これが別件で押収された書籍に掲載の作品を発端に警察、司法当局の知るところとなり、当時世間を騒がせていた高精度の偽札事件とも関連して六四年に取り調べを経て書類送検。偽札としては機能し得ないこの作品を赤瀬川は「模型千円札」と名付け、この時点でいったんは終息するかに見えたが、翌年捜査が再開。一一月に印刷業者二名とともに「通貨及証券模造取締法」（通貨及び証券に紛らわしきものの製造、販売の禁止）違反の嫌疑で起訴される。六七年六月東京地裁第一審で有罪判決、六八年一一月東京高裁で控訴棄却、さらに最高裁で七〇年四月に上告棄却され有罪確定。この裁判の歴史的意義は、事件性よりも法の場において芸術をめぐる言説空間がふくれあがった点にある。瀧口修造、中原佑介、針生一郎ら特別弁護人を筆頭に多くの美術家、思想家、評論家が公判に参加。弁護側の主張の要点「芸術であるから無罪」を示すために議論は「芸術とは何か」まで敷衍され、裁判過程で過剰なほどの芸術の説明がくりひろげられた。「芸術」に対してさめた態度で検証する立場はまさしくHRCの特徴であり、裁判がHRCによる（裁判自体はその活動終息後に始まったが）一大イベントと化したともいえる。むろん赤瀬川が払った代償は大きいが、実際この裁判を通じて、HRCは戦後美術史に位置づけられる存在となった。この事件に対する石子順造の立場については本書「石子順造と千円札裁判」を参照されたい。

【ハプニング】

「出来事」「事件」を意味するこの英語が美術の文脈に取り入れられて用語と化すのは一九六〇年代のことである。石子の解説を引用しよう。「ハプニングという語が正式に使用されたのは、アメリカの画家、作曲家、詩人でもあるアラン・カプローによってであった、といわれている。一九五九年カプローは、後にハプニングの画廊として知られることになるルーベン画廊で、自作のショーを開き、それを「六つの部分の十八のハプニング」と名づけた。画廊の内部をビニールのカーテンで六つに仕切り、各部分にタブローやオブジェを置いて電灯を点滅させ、観客は行為をもってショーに参加できるようなものであったと報告されている。（「……ハプニングは行為にかかわるどのような既成の認識からもはみだそうとする自由な直接性であった」」（「ハプニング　この永遠に不条理な営為」『週刊読書人』一九六八年七月一日）。

本書「石子順造的世界」で述べるように、芸術と日常の分け隔ての流動化、一回性、作者と観客という概念の無化などの性質を持つこのハプニングを、石子はあらゆる意味付けから自由な「不条理な営為」として評価した。石子の文章には一九六六年あたりから登場し、六七年、六八年にかけて最も強く押し出される。

おもしろいのはキッチュを収集したエッセイ集「ガラクタ百科」連載（一九七一―七六年）のひとつにハプニングが挙げられていることである。石子は、六八年に放映されて「ハプニング」の語を一般化させた日本テレビの生放送「木島則夫ハプニングショー」を踏まえて、キッチュのひとつに数えている。「それ〔ハプニング〕は、価値づけられた約束事としての既存の芸術を、生ま身の肉体にそくしてトータルに問い返そうとする表現への志向にもとづくものであったことはまちがいない。であることによってこそ、この語が、風化というよりは、より生動的で新鮮な印象で日常語になったのだとも思う」（「ガラクタ百科　5　ハプニング」『月刊百科』一九七三年八月）。物体に限らず、民衆が貪欲に取り込んでいく流行語や流行現象もキッチュであると石子が考えていたことを示す例でもある。

【もの派】

一九六〇年代末から七〇年代初頭にかけて現れた美術動向。木や石などの自然素材、紙や鉄材など、それ自体には特に美術的な価値を感じさせないような無個性の素材を、ほぼ未加工のまま提示する手法で特徴づけられる。その手法によって、人間と世界とを主体と客体に分け隔てる人間中心主義的二元論を超えて、自由に「もの」との関係を探ろうと試みた。野外に深さ三メートル近い穴を掘り、その穴と同じ形に成形した土を穴のそばに設置するという関根伸夫の《位相―大地》（一九六八年）がこの動向の嚆矢とされているが、明確なグループが形成されたわけではない。関根以外の主な作家は李禹煥、菅木志雄、高松次郎、成田克彦、吉田克朗、小清水漸、榎倉康二、野村仁、狗巻賢二、原口典之、高山登らで、とくに李を理論的支柱として展開した。グループを形成したわけでない以上、生前に自身はもの派でないと述べていた高松次郎など、作家、論者によってもの派と呼ぶ作家の範囲には幅がある。彼らに目立つ「作らない」姿勢は六〇年代前半の「反芸術」において醸成された傾向だが、現象学を援用した李の「あるがままの世界との出会い」、関根の「概念性や名詞性のホコリをはらってものを見る」といった老荘思想経由の言葉に代表されるような哲学・思想との強い結びつきも大きな特徴である。名称は当初蔑称として誰ともなく使われ始めたようだが、『美術手帖』七〇年二月号の作家たちによる座談会〈もの〉がひらく新しい世界」で「もの」という言葉が表面化したあたりに発端があるものと思われる。「前衛芸術の日本一九一〇―一九七〇」展（ポンピドゥー・センター、一九八六年）でまとまった形で紹介され、高い国際的評価を得ている。とりわけ「見ること」（観想）の重視と「作ること」（作為）の消極性において日本における影響が大きく、アルテ・ポーヴェラやシュポール／シュルファス、アンチ・フォームといった同時代の海外動向との並行関係、後世への影響や起源などを研究する試みがなされている。本書「石子順造的世界」で述べるとおり、石子は一九六九年頃のもの派胎動期に、この動向に急接近した。


【キッチュ】

如何物（いかもの）、まがいもの。本物ではないもの。偽物。あるいはそのような性質。ドイツ語で「路上からガラクタを集める」を意味するkitschenに由来するという説が有力だが、語源は明確でない。同じくドイツ語のverkitschen（安くする）を由来とする説や、英語のsketchの誤伝、ロシア語のkeetsheetsya（高慢な、気取った）からの派生などの説もある。一八六〇年代から七〇年代にかけてミュンヘンの美術商が「安手の芸術品」を指す専門用語として使い始め、二〇世紀に入ると産業革命後の都市化と大量生産化に伴って普及した。キッチュはあくまで正統性との関係を指し、文脈に応じてまとわりつく相対的な概念である。たとえば美術館において「本物」とされる美術品がいわゆる成金趣味的にもったいぶって飾られれば、キッチュとみなされ得る。既成の文化に対して疑問を投げかけることなく、ある創作物の本質的、構造的な真価でなく表層や表面的な効果を模倣するときにキッチュが生まれる。キッチュは慣習を強化し、様式化し、大衆の嗜好に寄り添うために親しみやすさやリラックス効果を備える。それゆえ、前衛芸術を「退廃芸術」と称して弾圧し、前時代的でわかりやすい古典主義を賛美したナチスのように、政治権力が大衆を操るためにキッチュを利用することもある。ただしキッチュは、大衆迎合的、通俗的、独創性がない、価値が低い、といったネガティブな意味合いを持つ一方で、高尚な芸術と対置されることによって反エリート主義として積極的に評価される場合もある。キッチュを理論化した主な論客に、ヘルマン・ブロッホ、ハロルド・ローゼンバーグ、クレメント・グリーンバーグ、マテイ・カリネスクらがいる。

石子順造がこの語を使用するようになったのは一九七一年頃からで、前年末にアメリカに滞在した際にイタリアの美術評論家ジッロ・ドルフレスGillo Dorflesの編著『KITSCH』(一九六八年、英語版一九六九年)に出会い、もとから抱いていた通俗表現への関心に示唆を得たことがきっかけのようだ。

石子にとってキッチュは、近代的な芸術概念を解体的に問い返す社会と生活に紐づいた観念であり、次のようになるべく広く定義している。「キッチュは、呪術性、実用性などの要素をふくみ、美的であると同時にしばしば倫理的で、礼拝的な価値評価の日常的な対象でありながら、時代とともに生まれまた消えていくアクチュアリティとリアリティの結節領域である。それは共同体幻想をあやうく自己幻想へと収斂させようとするメディアとしての力学を持ち、民衆の知覚の習いを、そのあいまいだが、しかしたしかなはばとあつみにおいて歴史化するダイナミズムである」(「キッチュ(俗悪物)論の所在アクチュアリティとリアリティの結節領域」『出版ニュース』一九七一年六月)。遡れば、キッチュの訳語について一章を割いたブルーノ・タウトの書籍(「いかものといんちき」篠田英雄編訳『忘れられた日本』創元文庫、一九五二年)など前例があるが、これをカタカナ用語として日本に定着させたのは石子の功績といえる。石子の活動は、上記ローゼンバーグやグリーンバーグのほか、大衆芸術の誇張された装飾、過剰さ、不自然さや人工性を「キャンプ」という用語を用いて評価しようとしたスーザン・ソンタグ(「キャンプについてのノート」一九六四年)、マスカルチャーを研究したマーシャル・マクルーハン(『メディア論 人間の拡張の諸相』一九六四年)との同時代性を持っている。

【群化社会/ハイマートロス】

いずれも石子の文章に、主にセットとなって頻出する社会学用語で、前者は神島二郎、後者は見田宗介からの借用(ただし後者は見田の案出した用語ではない)。

日本の急速な近代化によって形成された都市は、自然村（「第一のムラ」）から離れてふるさとを思い慕いながら孤立して働く出稼ぎなどの人々が雑居する「群化社会」であり、そこではたとえば学閥など、疑似ふるさととしての共同体「第二のムラ」が成立する、というのが神島の説（『近代日本の精神構造』一九六一年）。これを引き継いで見田は、一九六〇年代の高度成長の中で急増した家郷喪失（ハイマートロス）者である出稼ぎ労働者たちは、〈第一の家郷〉を失って放出されたエネルギーを体制の変革に向けることなく保守的な〈小さな家郷〉としてのマイホーム作りに向けており、「こんにちは赤ちゃん」などの流行歌がその精神的現れであると説いた（『現代日本の精神構造』一九六五年など）。

戦後日本の社会構造を説明する際、石子はほとんどの場合これらの説を引用した。「普遍的な美」や「芸術のための芸術」が一部の者によって生み出され、一部の者によって享受されている近代以降の芸術の状況は、個人と共同体の有機的な連帯が失われ分裂している社会状況とパラレルに対応しているとし、この分析をもとに石子は生活と芸術との乖離を批判した（たとえば「グラフィズムへの視点―その2　歴史という不可視の刺青―身体性としてのデザイン―」『デザイン』一九七〇年八月）。また特に劇画を論ずる中で、見田の述べるマイホームの夢想さえ持たなかった（持ち得なかった）ブルー・カラーこそが貸本マンガ、および劇画の読者であったと考察した。それゆえにこそ、高度成長の始まりにあたる昭和三〇年代の劇画の中に切迫した民衆の証言が、あるいは「アクチュアリティ」がはらまれていると石子は見たのである。

【丙午（ひのえうま）】

干支のひとつ。陰陽五行説では丙、午はともに火性の気であるため、丙午の年は火事が多いとか、さらにこの年に生まれた女性は気性が激しく夫の命を縮めるといった迷信が生まれ、この年の子の誕生を忌避する社会現象へとつながった。明治の丙午、すなわち一九〇六年の出生数もやや減少が見られたが、一九六六年の丙午では顕著に減少。石子の言葉をそのまま引けば、「明治以来の義務・科学教育とマスコミの巨大化、そして受胎調節の技術・知識の普及は、「丙午迷信」を克服できなかったばかりか、むしろ逆作用を結果した。マスコミが「丙午迷信」を迷信として周知させればさせるほど、受胎調節にかんする法律や技術に助けられて迷信は迷信でなくなろうとしたというわけである」（「俗神と文明」『小絵馬図譜』芳賀書店、一九七二年）。

石子はこの迷信の話題をキッチュ論の枕としてたびたび紹介した。石子がここに読み取ったのは、「生活者としての民衆の生きていくことの具体性」すなわち「何重ものタテマエとホンネの複合。ふつう背反すると考えられる価値観の共有。意識と情念の両義性」（『キッチュの聖と俗』前書き、太平出版社、一九七四年）であった。迷信を一笑に付すことと迷信を信じることとは別個に存在しているのでなく、それらが矛盾しながらも同居しているのが民衆の「あいまいだがたしかな実存感」だと論ずるのである。伝習的な価値観と輸入・移植された価値観が微妙に混交しているのが民衆の一面的に捉えられない具体的な姿であり、ひいてはそれこそが日本の「近代」像であると設定した石子は、一連のキッチュ論、あるいは俗神論によって、主に視覚文化における民間の伝習的な価値観の現われを追跡しながら近代のゆがみのありようを明らかにしようと試みたのだった。なお、次の丙午は二〇二六年。

【慰霊の泉】

一九六七年に靖国神社に建立された、井上武吉制作のモニュメント（図4）。石子の評論に最も多く登場する作品が赤瀬川原平の《千円札模型》もしくは《大日本零円札》であるとして、次いで言及が多いのがこのモニュメントである。

石子はこの作品に賽銭を投げ合掌する老婆を見た衝撃に出発して、なぜこのモダンな抽象彫刻が神社に調和し（てしまい）、すんなり礼拝対象にされ（てしまっ）たのかを問うた。W・ベンヤミンの『複製技術時代の芸術』を引きながら石子は、これは靖国神社の〈場〉によって起こった事態であると述べる。すなわち、個と社会が分断された「近代」の産物である「自己完結的」で排他的な美術作品としてのモニュメントは、かつての共同体の息吹を保つ礼拝の場である神社に包み込まれたために、賽銭箱と化したのだ、と結論づけるのである（「〈場〉は媒体ではない」『表現における近代の呪縛』一九七〇年）。石子は、神社や礼拝という行為になおも根深く残存する近代以前の姿を見るとともに、「近代（美術）」のもろさを示す具体例を《慰霊の泉》に読み取ったのであった。

図4

この論は、近代化によって削ぎ落とされていった民衆の願いや祈りを考察する文脈で『子守唄はなぜ哀しいか――近代日本の母像』（講談社、一九七六年）にも再度登場する。

【非学生ハイティーン】

石子とともに「漫画主義」同人の権藤晋（高野慎三）による、劇画読者の規定。『現代漫画論集』（一九六七年）所収「劇画」において権藤は、「劇画」の名称を生んださいとう・たかお、佐藤まさあき、辰巳ヨシヒロら「劇画工房」（一九五九―六〇年）が、マンガと劇画の相違を読者の年齢層に求めたところに着目。そこで想定され、また実際に貸本屋に足を運んで劇画を読んだのは、混乱の戦後復興期に中学時代を過ごした（劇画作者たちと同世代の）年少労働者としての「非学生ハイティーン」が多かったとした。これを踏まえて、作者と読者の双方が「社会的に認められないという現実感」や「〝泰平〟下での底の底の憤怒」を共有していた点に劇画の誕生と受容過程、そして独自の

(図4) 井上武吉《慰霊の泉》1967年

思想性を見たのが権藤の分析である。石子はこれを素直に受け入れられず、貸本の読者は「身分としての非学生」に加えて「心的ないい方〔……〕として「非学生」であると拡大して解釈した」（「劇画の論理」『現代マンガの思想』一九七〇年）。同「漫画主義」メンバーの梶井純（長津忠）が『コミック論』（喇嘛舎、一九八七年）解説「悪戦苦闘の批評世界」でこのエピソードを紹介し、そこに石子の「庶民性という位相での知覚の厚みの希薄さ」を読み取っている。

【瞼《まぶた》の母】

長谷川伸による一九三〇年の戯曲。やくざとして暮らしながら生き別れた母を探して旅する近江番場生まれの「番場の忠太郎」は、あるときついに母を探し当てる。しかしカタギでない自分を、それとわかりながらも我が子と認めぬ母を見て忠太郎はふたたび旅立つ。眼をとじれば瞼の裏に心の中のおっかさんが浮かぶ……という筋書き。舞台、映画、演歌などで繰り返し原作として使用された。

「瞼の母」を近代日本の「母」像、すなわち普遍的な「イメージの母」の典型と見てそこに石子が託したのは、「すぐれて日本的な、「皇国の理念」に見合うイコン」（「まず「瞼の母」を犯せ」『グラフィケーション』一九七二年五月）であった。日本の大衆文化ではなぜ頻繁に母が題材とされ、なぜ決まって優しく強くけなげな――聖なる姿で登場するのか。なぜ「女」として描かれないのか。その裏にある「不幸な母」像こそ、日本が近代化の過程で拭い去ろうとした（しきれなかった）俗性であると石子は洞察した。石子によるジェンダー論のひとつとして位置づけることができるだろう。著書『子守唄はなぜ哀しいか――近代日本の母像』は次の言葉で結ばれる。「〝母もの〟が、民衆の内なる天皇制としての精神構造と不可分な、しかも文化的な表現といえる」。以下は寺山修司との対談からの引用。「大衆の中で母が描かれる場合には非常に個別的に描いているようで実は非常に普遍的に描いているところがあるわけです。〔……〕東京に働きに出てきてふるさとの実際の個別的、具体的な自分の母親をイメージしながら、常にそのイメージはイメージの母の方へ、普遍性の方へ飛躍しようというベクトルを持っている。日本の近代化がヨーロッパ的唯一神を持たずに進んで個別化され、一見自立している風で実は孤立でしかなくて、という、そういう狭間で母ものが非常に根強いものとして確認されてきたんじゃないかという気がする。〔……〕とにかく瞼の母、イメージの母と母のイメージを峻別するということから始めなくちゃという感じですね。〔……〕一個の人間として、〝私〟として人間を見る習慣が、戦後三〇年たってもどうしてもできない。〔……〕その微妙な関係をはっきりさせて、いっぺん切っちゃわなければ、もうどうしようもないんじゃないかと思いますね」（「母のイメージとイメージの母」『月刊アドバタイジング』一九七五年九月）。

【ヘリコプター派】

これは石子の用語ではなく、赤瀬川原平と松田哲夫らが結成した「革燐同（革命的燐寸主義者同盟）」が石子を評した（揶揄した）言葉。「石子さんも燐寸の図像に興味をもった。しかし彼は、ボクたちの蒐集プロセスへのこだわり方を笑い、「ボクは山に登るんでも、コツコツ登ったりしないね。ヘリコプターで一気に頂上にいっちゃうよ」と豪語して「なに、それ見せてよ」と覗き込んでくるのだった。ボクたちは、即座に石子さんを「近代主義者」と決めつけ「ヘリコプター派」なる分派名を贈った」（松田哲夫「革燐同のこと、ヘリコプター派のこと」『彷書月刊』一九八六年六月）。知人による石子の似顔絵の頭部にプロペラが描かれることがあるのは、これが由来。

匿名の肉体にさわるには——石子順造的世界の手引き

1　陰画の認識論

たとえば、目の前にあるコップについて描出してみるとする。どんな色でどんな形か。どこで製造されたものか。どのように製造されたか。どこで販売され、どこで購入したものか。価格はいくらか。素材は何か。誰がデザインしたのか。いつから作られているのか。コップというものがいつからあるか。コップという語の語源は……ウィキペディアの一項目が際限なく更新され続けていくように、こうした記述はいくらでも膨らませることができる。だがこれはコップを考えることになるかどうか。いま戯れに連ねてみたように、コップにまつわる属性とされている要素を拾い上げているかぎりは、いつまでもコップに対する認識は変わらない。光ってきれいだとか、触ると冷たいとか、個人的な感情や感覚を連ねてみても同じことだろう。いずれにせよ眼前の対象を対象として認めるということが、ここで問題となる。

だから石子順造は、コップから考えない。彼は「めくり返す」という言葉で自らの方法を説明した。コップがあり、それを見ているぼくがいる、という関係を前提とはせず、コップとぼくがいるらしいそのあたりを支点にして、世界じゅうをそっくり裏返して考え始めるのである。

〔……〕ぼくの課題は、ぼくらが歴史的、社会的な実在であるということと、同時に存在・世界にのみこまれてあるという全体感との関係である。
ぼくはそれを知覚の習い《コンベンション》の構造を、生の欲望とのかかわりで、内側からめくり返すようにしていくことで問うことができるのではなかろうか、と考えだした。(1)

コップは、主にガラス製で円筒状の、飲み物に用いる容器、である。当たり前である。コップならコップを問おうとするとき、石子は、コップではなくその「当たり前」の方を注視する。コップが様々な当たり前を備えているのではない、逆にたくさんの当たり前によって、コップというものが成り立っているのだ、と。そのたくさんの当たり前こそが、石子のいう「歴史的、社会的な実在」としてのぼくらの「知覚の習い」にほかならない。ぼくらはその当たり前にあまりに慣れて（習われて）しまっているのだが、ほんとうは、手に持ったり牛乳を注いだり口をつけたり、もしくはコップという名前を与えるとき、その都度ガラスの円筒はコップとしての意味を持つのではあるまいか。当たり前のことを、当たり前であるからこそ明確な自覚のないままに、当たり前であると感

（1）石子順造『表現における近代の呪縛』川島書店、一九七〇年、二〇六頁。

じるとき、その感覚にはあるあつみがある。その感覚は、歴史を通じて培われてきた習慣や、近代と呼ばれる価値概念や、まさしく彼のいうとおり言語化しがたいもやもやした欲望などが堆積してできた分厚いレッテルである。このレッテルを彼は「制度」と呼んだ。コップがはじめからそこにあると考えてはならない。無数に貼られたレッテル（制度）をぐるんとめくり返して何かが現れたなら、いかにいびつであろうと（きっといびつになるはずだ）、それをコップと呼べばよい。いうなれば陰画の思考法である。石子は輪郭線を描かず、それを取り巻く空間をしつこく埋めることによって、コップを塗り残すのである。そのときもはや、コップとぼくとの境界は定かでない。それこそ「のみこまれてあるという全体感」である。

いっとき石子は、〈と〉という接続詞にひたすら固執した。そもそもコップ〈と〉ぼくというような主客関係を明快に設定する（輪郭線を引く）ことは有効か。いつからか与えられた「近代」なる借り物の価値概念を問おうとするなら、ほとんど肉体となり皮膚となってしまったレッテルのいちいちを剥いで、線引きを消してみなければ始まらない。あらゆる石子の仕事は、こうした認識論に関わっているといっていい。コップならまだしも価値観念が加わればたいへんにやっかいなのだが、ともあれこうしたアプローチを、彼がいかに自分のものとしたかを辿ってみよう。

2 ドキュメンタリーから

一九五〇年、東京大学入学。「ぼくは、御多聞にもれずけっこう政治的な学生で」(2)と石子が述懐するのは、彼が大学生活を過ごした五〇年代初頭が、嫌でも政治的な話題が耳に入ってくる時代であったことを指す。戦争を許さぬ憲法とは裏腹に警察予備隊という名の明らかな軍隊が整備され、戦争指導者がいつの間にか権力の地位に返り咲く。朝鮮戦争が始まり、日本が徐々に経済力を蓄えつつある中で、冷戦が第三次世界大戦に発展するのではないかという不安の強くあった頃である。早くから猛烈な読書家で、いわゆる左翼学生として権力を疑う眼を育んでいた石子であればなおさらであった。このとき「御多聞にもれず」石子が関心を抱いたのは、民主というときの「民」なる存在である。民衆、大衆、庶民、生活者、などと様々に名付けられるその、石子ふうにいえば「たしかだがあいまいなカテゴリー」は、結局彼の生涯のモチーフとなった。

戦後の現実、そして権力にからめ取られない民衆の生活やうごめきを描き出すこと。石子が出発点に据えたのはいわゆるドキュメンタリーである。その対象が不断に変貌する運動体であり、自分自身のことでもある以上、それを「民衆」の一語で言い切れるほど彼は楽天家ではなかった。これをできるかぎり正直に、具体化する方法として石子が惹かれたのが、シュルレアリスムを介した新たなリアリズムという花田清輝の提唱に端を発する系譜、すなわち文学では安部公房らの「ルポルタージュ文学」、映画では松本俊夫

(2) 同前、二頁。傍点は原文ママ。

の「アヴァンギャルド・ドキュメンタリー」、絵画ではいわゆる「ルポルタージュ絵画」として知られたような実践であった。(3) 池田龍雄を通じて特に絵画動向に導かれた石子は、学生を終えて職を得た静岡で、サラリーマン生活の傍らドキュメンタリーに関する評論執筆に情熱を傾けることになる。彼は周囲の表現者たちと小さな共同体を作り、詩や絵画による独自の制作を試みもした。

そのうちに、石子は既存のメディアの内に、すでにドキュメンタリーの礎とみなせる領域があることに気付いた。たとえば流行歌、たとえばマンガ*である。無数の人々が日々享受するそれらは、民衆と呼ばれる者たちの肉体そのものではないか。長い月日をかけて知らず醸成されたこの一級の資料の構造をつかむことができれば、最良のドキュメンタリーとなるにちがいない。石子は資料収集を始め、研究に乗り出す。静岡の仲間とともに、既存のマンガや絵画動向への挑発も込めて、戯文と組み合わせたシュルレアリスティックな風刺画を印刷物に仕上げた「評画*」集『フェニックス』は、ルポルタージュ絵画の変種として注目すべき到達点を打ち立てた。

3 受容者の眼で

そのようにして絵画やマンガに関心を抱いたときからすでに、先述の「めくり返し」

(3) これらの実践、特に「ルポルタージュ絵画」と花田清輝との関係については『Critical Archive vol.3 批評前／後—継承と切断』(ユミコチバアソシエイツ、二〇一七年)所収の拙稿「現実《インチキ》大合戦 花田清輝のシュル・ドキュメンタリズム」も参照されたい。

* 本書「石子順造小辞典」「マンガ」「評画」参照。

の思考は決定付けられていた。特定のマンガを論じるにしても、石子はストーリー展開や描写の良し悪しなどには向かわない。彼の念頭にあるのは、それを誰が、どのような場所で、どのように見／読み、その者たちの欲望や生活の機微が作中にいかに立ち現れているか、である。彼の評論はいつもドキュメンタリーとしての受容者論である。石子は天才を信じない。彼にとって「作品」とは、あくまで集団、共同体のうごめきが、たまたま突起して現れたものの謂いであった。

一九六五年、すでに三〇代も後半ながら評論家として独立した石子は、美術に演劇にマンガにと多方面で旺盛に筆を走らせていく。マンガでは、知人の若き編集者たちと六七年に立ち上げた本邦初のマンガ批評同人「漫画主義」の功績が際立つ。マンガ批評という新たなメディアは、作品単体で完結する評価に留まらず、読者論からジャンル全体の生態を観察しようとする石子の視野があってこそ確立されたのであった。演劇においては、折しも国内外で盛り上がりつつあったハプニング*の動向が石子を後押しした。幕やステージの境界を取り払い、演者と観衆を隔てようとしないラディカルな演劇や街頭パフォーマンスの数々は、受容者の変化を重視する石子の思想とまさにシンクロし、彼はハプニングの紹介・推進者として六〇年代後半の賑々しい文化活況の中へ潜り込んでいった。

石子の考え方に沿うなら、わざわざマンガ、演劇、などと区分する必要もないのだが、ここでそのように追ってみたのは、彼がさしあたり肩書の所在とした美術評論において、

＊ 本書「石子順造小辞典」「ハプニング」参照。

ある限界が露呈したことを言いたいがためである。美術においても、いつものように石子は「当たり前」の在り処を探した。たとえば、絵画。絵画における「知覚の習い」として彼が焦点を当てたのは鑑賞という行為であった。鑑賞は、見ることと同時に見ないことで成立している、と彼はいう。なぜなら絵画に表されたイメージを見ることは、それが物体としてキャンバスや絵具でできていることをあえて忘れることでもあるのだから。

この仕組みを裏返して、見ないことを見る、あるいは見ると見ないとの差が無化されるような地点があり得るのではないか、と彼は考えるに至った。絵画でありながら、それと相容れない物体であることが同時に強く意識されるような形式。見る、見ないの往還運動の果てに、新たな認識に基づく美術、もしくは美術という名を必要としない何かが生まれはしないか。石子がその具体的な実践と考えたのは、いわゆるだまし絵的なメタ絵画、すなわち、見ているというよりも、「制度」によって見させられていることを意識せざるを得ないような絵画形式であった。同じ頃、高松次郎を筆頭に、鑑賞という約束事を問い返す諧謔的な作品傾向が目に見えて現れてきていたことも石子の確信を促した。そして、このときの彼の考えに同調して生まれたのが、グループ「幻触」であり、その延長としてのトリックス・アンド・ヴィジョン展*という企画であった。

このあたりで、石子の思考は急展開を見せる。先に引用した「めくり返し」の言葉は、そのさなかに書かれた。めくり返しの先に、見るも見ないも、絵画なら絵画という

＊ 本書「石子順造小辞典」「眼を盗まれる」参照。

対象を特権的に区分しない、近代的な主客二元論を脱した無垢な「存在・世界」に近づけるかもしれない。いや現にそうなりつつあるのだ、と。しかしこの手続きは、あまりに性急であった。鑑賞の制度だといって事足りるほど美術は一枚岩ではなかったろうし、二元論だけで近代を集約させるのも無理があった。石子にしては「当たり前」の拾い方が粗雑であったのは、後に「もの派*」と呼ばれる一群の表現動向がこのとき顕在化しつつあったからにほかなるまい。国内で活動を始めて間もない李禹煥との出会いもあり、鑑賞対象としての「作品」を「作る」ことから離れて絵画彫刻の語彙から脱すると見えた動向の胎動に、石子は足早に美術という線引きの解消を、「存在・世界」の達成を、夢想したのである。

* 本書「石子順造小辞典」「もの派」参照。

4 キッチュへ

この展開の不十分さに気付くのに、そう時間はかからなかった。もの派が脚光を浴びる六〇年代末頃を境に、石子はふたたび民衆の生態観察に、印画の塗りつぶしの徹底に、立ち戻っていく。もはや彼は、制度を解消させるような急速な飛躍は求めない。もの派がもの派と名付けられてしまうように、いずれレッテルは貼り付いてくるのだ。とすればやはり、そうしたレッテルが育っていく運動を丁寧に記述していくに如くはない。そうして石子は、熟成されたレッテルの塊、いわゆる大衆文化の沃野に飛び込んだ。

キッチュ*なる概念を駆使して、彼の緻密でしつこい「陰画」は十二分に威力を発揮した。稚拙な絵が走り描きされた小絵馬に、わずかに眺められるだけの銭湯の富士山に、あるいはたった一枚のアイドルのブロマイドに、いかに民衆の生活が、願望が、喜怒哀楽が、歴史が、息づいているか。彼は確実に、彼独自の遠近法を身に付けていく。作者が、問題なのではない。カテゴリーが、問題なのではない。重要なのは各表現が棲息している場である——これが、石子の導いた結論である。近代彫刻が神社に設置されたとたんに賽銭箱に変容してしまうように、場所こそが内容を形づくる。石子なりのメディア・イズ・メッセージ、メディア決定論であるといってかまうまい。そこで「場所」と呼ばれるメディアは、あらかじめ存在するわけではなく、時と場合に応じて匿名の無数の人々によって、良くも悪くも創造されるフィクションである。だからこそ石子は、「ともに撃つ」という言い方を愛した。何かについて語ろうとするとき、その語りの前提に介在する線引き、制度を自覚するならば、撃つべきは対象とともにその対象を設定する主体である。フィクションの内容をいじったところでフィクションであることに変わりはない。自分で作ったフィクションに、自分で縛られてしまうということこそが一番おそろしいのである。この構造を踏まえない観点が保留されるかぎり、すべては先延ばしの更新になるだろう。後年の石子が美術を離れてサブカルチャーに向かった、というよく聞く説明が、不毛どころかまさしく彼の批判対象そのものであることは今更いうまでもない。コ

＊本書「石子順造小辞典」「キッチュ」参照。

ップは飲むための容器ではない、飲もうとするその容器がコップとみなされるだけなのだ。

見るにしても語るにしても作るにしても、踏み出した一歩は必ず何かを切り捨てる。たとえばホンネとか、恥とかいったものを、ぼくらは「民衆」なるあいまいさの中に投げ込んできた。だがじつは、切り捨てるものの方にこそ、見るに値するぼくら自身の肉体が脈打っているのである。いつか作ることと捨てることが同義となるとき、作者と民衆を分ける〈と〉は溶け合う記号となり、その分け隔ては意味を失うだろう。そしてそのときこそを、石子なら「現代」と呼ぶだろう。

石子順造的世界――脈打つ「ぶざまさ」を見据えて

1　はじめに――あまりにまじめすぎた野次馬

おいおいぼくの〈批評態度〉の変質のぶざまさに驚かれるだろう。それはついにぼく自身が、いわゆる外部志向型の、もっとも安全な野次馬の一人でしかありえなかったことを証すものでもあったろう。(1)

やじ馬とは、いわば庶民の別称である。やじ馬は、けっして目新しい事象から遠ざかろうとはしない。といってすぐ進んで、その事象のなかに自ら分けて入るのでもない。つねに中間的で、あいまいな自在さを保留しながら、旺盛な好奇心を燃やしつづけている。(2)

やはりあなたは野次馬ではなかったですか、と言えば石子順造は怒っただろうか。石子の自嘲を真に受けるわけではむろんない。ただ、彼の論を読み進めていくと、お

(1)　石子順造『表現における近代の呪縛』川島書店、一九七〇年、三頁。

(2)　石子順造「かもよしひさ=その空間表現の庶民性について」『かもよしひさ漫画集　昭和戯作三昧』ノーベル書房、一九七〇年、一〇六頁。

(3)　赤瀬川原平『追放された野次馬―思想的変質者の十字路』(現代評論社、一九七二年)、赤瀬川原平「まさに野次馬の時代だった」(平沢剛編『アンダーグラウンド・フィルム・アーカイブス』河出書房新社、二〇〇一年)など。赤瀬川の『櫻画報』は、連載開始時には「野次馬画報」と題されていた。

もしろそうな対象を見つけてのめり込もうとしてはその場の決まりごとに取り込まれまいと身を引き、醒めた目で見ていたかと思えば分け入って饒舌を浴びせ、そしてまた身を引いて……といった微妙な距離感がいつも気にかかるのである。石子と時代を共有した美術家の赤瀬川原平も「野次馬」を自称してはばからない人物だが、[3]多様なフィールドを軽やかに疾走する赤瀬川に対してこちらにスマートな跳躍はない。ただゆっくりと、一歩踏み込んでは一歩退き、という動作を何度も繰り返すばかりである。しかしその馬力たるや並大抵でなかった。繰り返される足踏みの果てにひづめは次第に穴を掘り始め、ついには地中へ向かって沈んでいくのだ。

> ぼくは、〈大衆文化〉を、できるだけ下から上へと照らし返すようなアプローチで捉えたいと思っている。下へ下へとかいくぐる手続きをとらない限り、〈大衆文化〉の衣裳は見えても肉体は見えず、体温には触れられない。[4]

走らず潜る馬が他のどこにいるだろう。果たして地中から見た世界とは、どんな眺めであったのか。「石子順造的世界　美術発・マンガ経由・キッチュ行」という展覧会は、石子が見ようとしたその世界の一端を覗かせてもらう試みである（図1）。

石子順造は、目に映るものすべてを疑って、誠実に、実直に、ひたすらしつこく問い続けた人物であった。問い、という言葉が石子の文章には何度出てくることか。美術か

（4）石子順造『戦後マンガ史ノート』紀伊國屋新書、一九七五年、一〇八頁。

（図1）

「石子順造的世界　美術発・マンガ経由・キッチュ行」展示風景

ら「ガラクタ」までじつにさまざまな事象を扱いながら、晩年まで美術評論家の肩書きで活動し、「やはりぼくは、いわゆる美術が好きなのだろう」(5)とつぶやくように書いている石子は美術評論家と呼ぶのがふさわしいと思うのだが、肩書きなどは他人の都合だ。大切なのはそのさまざまな事象を貫く視点である。問いに問いを重ねる野次馬でありつつ、一度踏みしめた場所からいつまでも立ち去ることのなかったこの世にもまれな美術評論家が目指したのは、あらゆる視覚文化を見通すことのできる一元論であった。この展覧会では「美術」「マンガ」「キッチュ」の三つの領域を手がかりとして石子の活動を追ったが、これも便宜的な分け方にすぎない。新奇なものに目移りして動き回るのでなく、しかし微妙な距離をとりながらの終始一貫した立場で培われた石子順造の眼を引き受けようとするならば、彼の好んだ言い方にならって「美術⇅マンガ⇅キッチュ」と往環しながらついていくほかあるまい。切れ目のないその足跡を把握するには、まずは総体として一望してみることが先決である。美術、映画、演劇、文学、詩、音楽、マンガ、テレビなど多様な文化領域と風俗とが交差し、また政治とも接近した混沌の一九六〇年代後半。まぎれもなくこの時代の落とし子であった石子は、そうした社会状況を一身に引き受けるかのようにきわめて広い射程の評論を繰り広げていく。その視点はどのように獲得され、どこへ向かおうとしていたのか。

(5) 石子順造『俗悪の思想』太平出版社、一九七一年、二六九頁。

2 「政治的な学生」から「評画」へ（一九五三→一九六四）

一九二八年に東京に生まれ、戦中に両親を失って親類の家を転々としていた木村泰典《やすすけ》は、旧制高校一年生の夏に愛媛県松山市で敗戦を迎えた。高校では理科乙類に入学し医学を学んだが、卒業の間際に肋膜炎で半年の入院を強いられる。一年遅れで東京大学経済学部に入るも、卒業の頃に肺結核でまたも長期入院。おそらくこのときに片肺を失った。そして転地療養のため静岡県清水市に移って鈴与倉庫株式会社に勤める傍らで執筆活動を始め、木村泰典は石子順造へと変貌していくことになる。一九五六年から六四年までの八年間（この間にも手術による入院を二度経験している）にわたるこの静岡時代は、後の活動の礎となる一方で、相次ぐ入院となじめないサラリーマン生活によって動きたくとも思うに任せない忍耐の時期でもあったようだ。「すべてからまさに脱落する形で、見知らぬ土地で(6)」と述懐する石子の口調は苦みを帯びている。

石子と美術のつながりが最初に見出せるのは大学卒業直後の一九五三年、同年生まれの美術家である池田龍雄との出会いである。池田へのインタビューによればこの出会いは、その頃池田らが組織した青年美術家連合（青美連）に関連していたという。そもそも経済学部にいながらいかなる経緯で美術に関心を持ったのかはわからないが、「けっこう政治的な学生(7)」と自ら振り返って語るように、全学連にも参加していたという石子は、社会、政治状況に対する異議申し立てを意識していた青美連に共感を覚えたのであった

(6) 『表現における近代の呪縛』前掲(1)、二頁。

(7) 同前、二頁、傍点は原文ママ。

ろう。池田との親交は深く、互いに自宅を行き来しては芸術論を語り合い、静岡に移った後も石子は池田を招いて個展や座談会を催し、静岡時代に書かれた文章にも池田の名が頻出する。そして石子を『現代美術』誌に紹介し、一九六五年の評論家デビューの橋渡しの役を果たしたのも池田であった。そのデビュー初回の論考である池田龍雄論は、次のように書き出される。「僕は、作家論を書くとすれば、先ず君をとりあげてみたい、と考えておりました。それは同世代者として間違いもなく共有したと思える一つの青春像の記憶を、可能な限り今一度現在時点で実体化し直してみようと思っていた、むしろ僕自身のためになのです」[8]。このように、「石子順造」の誕生にとって池田の存在はきわめて大きかった。

ともかく石子は、二〇代の半ば頃に自らのフィールドを美術評論に定めた。さらにいえば、それは石子にとっての社会である「日本の」「現代の」美術についての評論であった。初期の石子に顕著なのは「生体《いきたい》」や「アクチュアル」*といった言葉に象徴される「政治的な」スタンス、すなわち流動している現実への積極的参加を求める態度である。社会状況を観察し、そこから表現の必然性と有効性と意義とを見出そうとする姿勢は、その後一貫して保たれ続ける石子の思想の基盤となる。

自ら新たな潮流を生み出そうとする創造的意欲も旺盛であった石子は、一九五八年初頭、静岡の若い作家（の卵）たちとグループ「白」を結成する[9]。「人間不在の確認と、したがってその恢復を現実に積極的に参与し、その変革を志向する姿勢の下に計らんとす

（8）石子順造「池田龍雄論―他殺の〈像〉と〈ことば〉の自殺と―」『現代美術』no.3、一九六五年三月号、八頁。それにしても石子が著作に一度も池田龍雄論を入れなかったのはなぜだろう。

＊本書「石子順造小辞典」「生体（いきたい）と死体（しにたい）」および「リアリティとアクチュアリティ」参照。

（9）グループ「白」は池田龍雄や丸木位里、赤松俊子を静岡に招いたほか、上京して新海覚雄、針生一郎、桂川寛などと合評会や研究会を開いており、その人脈から社会主義的関心が強くうかがえる。

（10）石子順造「清水市グループ「白」」『美術運動』五七号、一九五九年二

る」[10]と宣言したグループ結成趣旨文は、高度成長下の大衆が「自動人形」としてマス化していく不安感や、社会を「トータルな視点で把握できぬ」焦燥感を深めている、という石子の当時の時代解釈[11]を反映していたはずである。

東京から評論家や作家を招いて研究会を開き、県内のみならず東京での展覧会参加などを活発に行いながら、石子は新たな美術運動を画策していく。石子の活動に独自の展開が現れるのは、一九六〇年前後のことである。この頃石子は、「変革期の人間とその状況を、表現としてアクチュアルに捉えるため[12]」の具体的な方法として、写真や映画のように美術にもドキュメンタリーが実践されるべきだと唱える。美術のドキュメンタリーといってすぐに連想されるのは一九五〇年代のいわゆる「ルポルタージュ絵画」であろうが、石子はその成果を踏まえつつ、社会の姿を記録するにはタブロー以外の形式も探られてしかるべきだと考えた。石子はここに、マンガを導き入れるのである。

> マンガは〔……〕本来その独自な成立要素として大衆性、笑い、風刺性、記録性などをもっており、それがまた独特な表現方法上の省略化、誇張化によって社会的に機能し、何時知れず受け手の意識の裏側を支えている秩序感、価値観を転位させてねむっている不満や欲望を表出させ、そうする積み重ねによって日常の観念性を内側から、徐々にではあっても変革させていくだけの効用をもあわせ持ちうる可能的なジャンルの一つであるはずなのです[13]。

月、五頁。結成趣旨の全文は不明であり、この文献に書かれた概略のみが見つかっている。以下そのまま引用しておく。「〔……〕不安と虚妄、不信と孤絶の打つ金属音に耳をとぎ、感性の結晶面を透明に保って、人間不在の確認と、したがってその恢復を現実に積極的に参与し、その変革を志向する姿勢の下に計らんとする。十九世紀的善意と妥協は、逆にサロン的虚飾と独善的自慰をしか結果しない。〔……〕現代芸術の課題的一般性と敗北主義的個別感の拒否の容認の下に、自由にして創造的な個性の葛藤の場を前提としてグループする〔……〕したがってこのグループ形成は、また自主的にマスコミ的集団化個性の標準的圧縮化に抗する創造的にして個性的な想像力恢復の指向である。多角的にして有効な刺戟の糧と相互に再生産して行こうではないか。〔……〕」。

ここで「本来」「はず」などと言葉をにごしているのは、現状のマンガへの不満を踏まえてのことである。石子は、現行の新聞の政治マンガなどは「現実肯定的か遊離的で」「無主体」であり、開くべき批評眼＝「青い目」*を開くことができていないと批判し、むしろ画家による「痛烈な現実変革派の社会的諷刺画または状況画」としてのマンガ的表現に希望を見出す。(14) すなわち、池田龍雄のペン画、河原温の「印刷絵画」などである。

マンガに着目した理由は、石子自身が貸本マンガの愛読者であったことに加えて、当時そのような絵画表現が顕在化しつつあったこと、さらに瀧口修造のいう「黒い漫画」も参照していたという。(15) 一九五六年、瀧口は日本アンデパンダン展の特陳「日本近代漫画史」をはじめとした漫画ブームと呼べる潮流にふれて、絵画に風刺的傾向が見られることを指摘して次のように述べていた。

人間の尊厳というものが、うららかな日々にも、たえず不条理やノンセンスと抱き合わせになっている。こんな時代の人間の空間を画家は敏感に反映せずにはいないだろう。人間をこうしたぎりぎりの存在にまで追いつめたところでの回復が画家の問題になる。最近の日本の若い画家たちのあいだに見られる一種の風刺的な傾向はこの間の状況を示すもので、これを〔……〕現代日本の「黒い漫画」とよぶことができるかもしれない。そしてジャーナリズムの「白い漫画」と対照して、絵画の大きな運命を考えることは無意味ではないだろう。(16)

(11) 石子順造「マンガの功罪Ⅱ（ママ）」『文化と教育』第一一八号、一九六〇年四月号、六〇頁。

(12) 石子順造「美術における方法としてのドキュメンタリー」『美術運動』六〇号、一九六一年二月、一五頁。

(13) 石子順造「マンガの功罪1」『文化と教育』第一一六号、一九六〇年二月号、一三頁。

＊ 本書「石子順造小辞典」「青い目」参照。

(14) 石子順造「マンガの功罪3」『文化と教育』第一二〇号、一九六〇年六月号、七〇頁。

これを受けて石子は彼なりに「絵画の運命を考える」べく、グループ「白」メンバーの鈴木慶則と伊藤隆史らとの共同で『フェニックス』を刊行し（一九六〇年）、「評画（クリティカル・アート）」あるいは「記録漫画（ドキュメンタリー・カリカチュア）」*なる造語を掲げて自ら創作にも参加するとともに、社会と美術とマンガとを接続するいくつもの論考（これらがもとになって一九六七年の第一の著『マンガ芸術論』となる）を重ねていく。また、早くも一九五八年の池田龍雄宛書簡に「私は今、流行歌集と漫画（各種の）をあつめています」（一二月九日消印）とあるように、石子は少なくともグループ「白」結成のすぐ後には着々と資料収集も進めていた。

日本の現代美術とマンガ、それらをつなぐ大衆性への着目と、社会性の意識。「石子順造的世界」展ではサブタイトルを「美術発・マンガ経由・キッチュ行」としたのだが、「キッチュ」の語に石子が出会うのはまだであるにせよ、「美術」「マンガ」「キッチュ」はそれぞれ貨車としてすでに始発時から石子号に連結されていたわけである。

3　制度と幻想とハプニング（一九六五→一九六八）

一九六四年の末に鈴与を退社して上京した石子は、いよいよ評論活動に専念する。創刊まもない『現代美術』を拠点にして始められた頃の活動は、基本的に静岡時代の延長

(15) 石子順造『マンガ芸術論』富士書院、一九六七年、二〇六頁など。

(16) 瀧口修造「白い漫画、黒い漫画―現代絵画と風刺性―」『読売新聞』一九五六年二月二〇日。初回に瀧口のテキストと岡本太郎の図版が載った後、図版だけの連載となる。紹介されているのは、順に福沢一郎、小山田二郎、鶴岡政男、勅使河原蒼風、池田龍雄、芥川紗織、河原温、浜田知明、藤松博の計九名。↓本書「俗悪の栄え」参照。

* 本書「石子順造小辞典」「評画」参照。

とみていい。池田龍雄を皮切りに中村宏、井上洋介、高松次郎らを論じていく連載に冠した「クリティカル・アーティスト」なる主題はいうまでもなく「評画」を踏まえた呼称であり、必ず戦後社会史の確認を基軸に据える論の運びにも、引き続く政治、社会動向との接続を重視する傾向がはっきり現れている。

石子の論が最も石子らしく肉づけされるのが、一九六六年から六七年にかけてである。この時期の石子は、いたる所に仕組みや決まりを見定めて、独自の用語をつなぎながら持ち前のくどすぎるほどの徹底した思考を回転させていく。いわゆる制度論に著しく傾倒するのである。そもそも石子に限らず、また文化領域に限らず、支配的価値観や既成の決まりごとに対する不満が社会的に噴出した六〇年代にあって、「制度」はこの時代を集約する一語であったともいえる。美術においては、ありとある制度、制約に対してほとんど無鉄砲に反抗した六〇年代前半のいわゆる「反芸術」を通過して、主な関心は芸術をめぐる原理的な問いへと収斂しつつあった。特にその中心をなしたのが、美術に「視覚の制度（〝鑑賞〟されるものであるという約束事）」もしくは「創造という制度（個人の手わざが美を生むという約束事）」を見て取ろうとする問題設定、すなわち「見ることとは何か」「作る（描く）とは何か」という問いであった。石子は、まさしく美術と制度との直接対決となった千円札裁判に関わり[17]、「戦後の美術家のなかで、ぼくがもっとも注目していた[18]」という高松次郎、中西夏之、赤瀬川原平らハイレッド・センター*の冷ややかに芸術を検証する態度や、中原佑介、宮川淳らの理知的、主知的な傾向の評論に大い

(17) 本書「石子順造と千円札裁判」参照。

(18) 『表現における近代の呪縛』前掲(1)、七〇頁。

* 本書「石子順造小辞典」「ハイレッド・センター」参照。

に感化されながら、(19) 芸術の原理的な問いへと引き込まれていく。そこで彼が手がかりを求めたのは、言語であった。そしてそのことによって石子は、思考の渦の深みに陥っていくことになる。

ぼくは〈今日の現実〉を文字にするのに困りはてて、先ず「現実」と書いて、その二字の上に「非現実」という三字を二重書きにし、それに〝ゲンジツ〟という仮名をふろうとしてみる。しかしこれでは字として判読できない。一度〝芸術〟と書かずに、生活、肉体、行為、精神、知覚、幻覚、想像力、幻想、統覚、観念などなどといった字をさほど重ね書きして、ほとんど真黒になった箇所の横に、〝ゲイジツ〟とルビをふってみたが、編集者は笑ってもくれなかった。(20)

石子は、「現実」と、あるいは「芸術」と書こうとして躊躇してしまう。なぜなら、そう書いた瞬間に特定のパターンとしての、既成の「芸術」概念を前提としてしまうからである。芸術は、「芸術」と書かれる以上は枠内に収まった制度であるしかない。その括弧づけを取り払う未知なる「現代美術」を論じたいのに、それを語るにはすでに括弧に入れられた「現実」や「芸術」といった既知の、制度としての言葉を使うしかない。石子がはまり込んだのは、そのような言葉のジレンマであった。もって回った言い方が多く晦渋な石子の文章は当初から揶揄の対象であったが、それは石子が硬い文体を好んだ

(19) 同時代の美術評論家の中で、石子は特に中原佑介に対して共感とライバル意識を抱いていたようである。対して、まったく批判を書くことのない宮川淳には敬服といっていい態度が見受けられる。「表現における近代」という語の借用をはじめ、六〇年代後半の石子には宮川淳からの影響が強くうかがえる。

(20) 石子順造「―すべては微妙な夜明けであるということについての前提の前提―美術における近代を撃つために」『ART 21』No.3、一九六七年一月、一三頁。

ことに加えて、使う言葉のひとつひとつに立ち止まっては注釈を差し挟み、言葉によって言葉を記述しようとする石子の誠実な、というか極度にきまじめな入念さに起因している。

書くにせよ口に出すにせよ思い浮かべるにせよ、ある言葉を拠り所にすることが、意味や価値観を限定してしまう。言葉を使うことで習慣化され「身体性」*となった意味づけや価値づけや考え方は、いかに語るべきなのか。言葉にまとわりついた既成概念をどのような言葉で振り払うことができるか。「〇〇と〇〇」という言い方に示される二元論的な考え方に対する考察（「〈と〉の問題」*）や、言葉の裏にある価値観を培ってきた「近代」への関心も、同様の問題設定から生まれてくる。石子の最大のテーマとなる「近代」については後述することにして、この頃の石子の言葉へのこだわりをさらに追っていこう。

言葉のジレンマといったところでむろん無言になるわけにもいかない石子は、「幻想」という語に活路を見出そうと試みる。「視覚と幻覚と欲望と」「権力もまた幻想の構造体」「幻覚の実体化と虚構」「共同体幻想を超克せよ」（いずれも一九六六年から六七年までの著述タイトル）と、当時の石子は「幻想」もしくは「幻覚」「虚構」というキーワードをしきりに繰り返している。右の引用にもあるように、石子は「現実」と「幻想」を重ねて考えようとした。すなわち両者は対立するものでなく、もとより「現実」自体、「現実」という言葉であらかじめ与えられた幻想にほかならない、と考えるのである。「現

＊　本書「石子順造小辞典」「はばとあつみ」参照。

＊　本書「石子順造小辞典」「〈と〉」参照。

(21)「最近になって、さかんに使われだした虚像という言葉には、もっと社会的な意味があり、そこがぼくには、よく判らないのだが、たぶんその発生はダニエル・J・ブーアスティンが一九六二年に出版した「イメージ」（訳書「幻影の時代」）によるのではないか、と浅薄な知識をはたらかすのだが、〔……〕現代はマスコミを媒体にして出来あがった虚像の氾濫時代だと、ブァスティンの流儀にならい、声を大きくして云うことになったのだろう」。植草甚一「虚像のなかに実像をもとめて」植草甚一、佐藤重臣、岡田孝彦、田名網敬一、原栄三郎『虚像未来図鑑』ブロンズ社、一九六九年。

実」と言われているものは、「現に事実としてあること」といった辞書的な、ニュートラルな意味をもつものでは決してなく、はじめから中身が決定している（習慣的にそう思い込まされている）まやかしである。「現実など幻に過ぎない」という諦念ではなく、「幻想としての現実」と言うことによって、石子は積極的な論点を探っていく。

テレビをはじめとするマスメディアの拡大に伴って実体でない虚像が巷間に満ちあふれ、あるいは幻覚剤の使用が流行した六〇年代後半、先にふれた「制度」の裏返しとして「幻想」とか「虚構」といった用語もまたこの時代を象徴する語であり、当時のさまざまな論者によって盛んに用いられていた。[21] そのなかで石子は、この語をとりわけ当時活発化した小劇場運動に絡めて考えている。石子は一九六六年から主に『日本読書新聞』紙上で集中的に演劇論を執筆しているが、はじめから虚構であることが前提である舞台という構造は、「幻想」と「現実」の関係を思案するのにふさわしい対象であったろう。「幻想としての現実」をいかに認識するかに課題を据えた石子がまず注目したのは、いわゆるメタ芸術である。すなわち、「現実」が幻想であるとして、むしろその幻想を自覚的に選び取ることによって幻想性を暴いてしまうような、自らの構造を自ら明かす表現である。たとえば劇中劇を駆使するジャン・ジュネの演劇や、[22] 石子が「御用評論家」を自称するほどの関心を寄せていた「発見の会」の「一宿一飯」（一九六六年初演、今野勉作、今野・瓜生良介演出）[23] などを石子が評価するのは、ともに舞台という虚構を醒めさせるメタ演劇であったからにほかならない。そして一九六八年の「トリックス・アンド・

(22) 石子順造「ジャン・ジュネ論—仮象への回転装置」『映画評論』一九六八年四月号。

(23) 「中心になる男二人の役を割りふるのに、三人の素顔の俳優が、舞台上でジャンケンをしてきめたり、ジャンケンに負けた残りの一人は、話の進行とは無関係に、ウィスキーをなめながら、舞台上で放映されつつあるテレビに見いったりしている〔……〕その男は、アドリブで進行中の劇の感想を述べ、解説者と喧嘩し、しかもそのアドリブも台本通りだったのだ、と暴露したりする。〔……〕最後は、観客の間から駆け上る郵便配達夫の出現で、しょせんすべてはお芝居だったんですよ、と醒めさせてしめくくられ〔……〕」。石子順造「今野勉が描く〝場〟としての演劇」『映画評論』一九六七年七月号、七六頁。

ヴィジョン展」は、美術における「視覚の制度」を暴くメタ絵画としての作品群を打ち出そうとする試みであったといえるだろう(24)（図2）。

しかしメタ芸術は「芸術」の枠を自覚させはするものの、その枠の成立を前提とせざるを得ない。したがって石子はさらにその先に目を向けようとする。どのような枠組にもとらわれることのない何かを求めて石子が可能性を探ろうとしたのが、同時代の美術動向であるハプニング*であった。

一九六七年の「すべては微妙な夜明けであるということについての前提の前提」と前置きした題を持つ「美術における近代を撃つために」から掲載誌をまたいで「ハプニング以降」へとつながる一連の論考(25)をはじめとして、この頃の石子の思考の核をなすのがハプニングである。「アクション・ペインティングからジャンク・アート（廃物芸術）、アセンブリッジ（集積）、エンバイラメント（環境）、そしてハプニングと続く一連の発展と五〇年代以降の美術動向の流れを捉えたうえで、石子はハプニングに「展覧会場や画布、額縁などのような、約束ごととしての絵画の標識から一切自由に、物体と行為とが等位に交錯しうる地平」「合理主義的近代の静的な二元論的思考を、一挙に超克しようとする手続き」への志向を読み取る(26)。石子の着目は、ハプニングの命名者であるアラン・カプローが示したルールのうち特に次の二点に向けられていた――「芸術と日常生活との間をできるだけ流動的に、不明瞭にしておくべきこと」「観客はまったく消去されてしまうように導かれなければならない(27)」。観客が行為を介して参加することで観客でありな

(24) 本書「トリックス・アンド・ヴィジョン展――盗まれた眼」参照。

（図2）

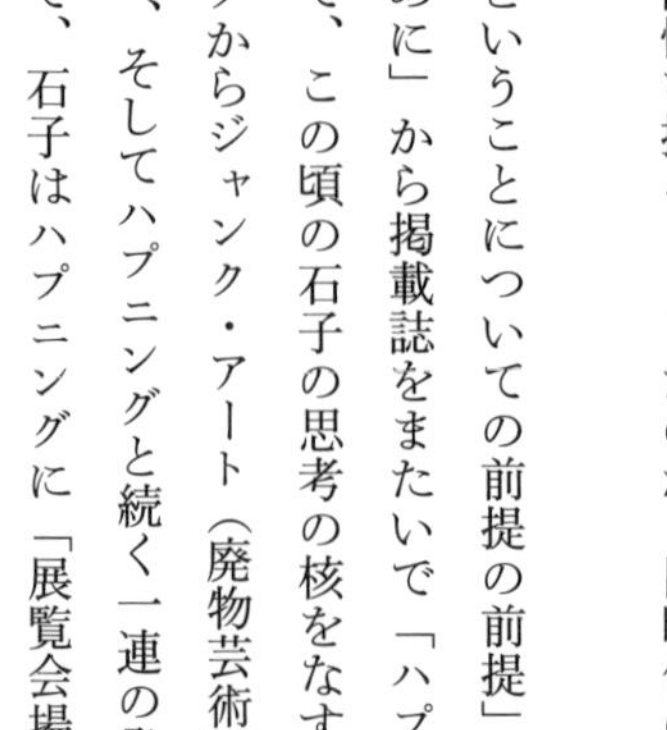

「石子順造的世界　美術発・マンガ経由・キッチュ行」展における「トリックス・アンド・ビジョン展」の再現風景

* 本書「石子順造小辞典」「ハプニング」参照。

がら演者と化し、また送り手も同時に受け手となることによってさまざまな境界をあいまいにするハプニングの構造に、「芸術」あるいは「日常」という括弧の消去を石子は透かし見ようとするのである。

ハプニングは行為にかかわるどのような既成の認識からも、はみだそうとする自由な直接性であった。〔……〕表現の受け手が、一方的に送り手の掌中に緊縛され、ひたすら表現者の創造的体験を追体験するといった、表現における静性な対立、従属の関係は排除されなければならない。現実と虚構、芸術と非芸術、肉体と精神、人間と物体、主体と客体、実体と虚構、創造と享受などなどというような対立的二者は、いわば〝と〟の部分で、重複する運動関係に集約され、劇化される。現実のままの虚構、非芸術でありながら芸術でありうるようなトータリティこそ、ハプニングの視座ではなかったか。〔……〕ハプニングが純粋、無名な行為による、果敢な存在回復の試行だったとすれば、それは一種の〝恐怖〟を伴わずにはおかなかったろうし、一度そこを通過したものは、再びもとのままではおれなかったろう。知覚や認識の日常性は、またたちまちその円環を閉じ、創造の潜熱を蒸発しようとする。創造者とは、不断にそんなバランスを扼殺し続けねばならぬ暴力の所有者だとして、今日かれらの自由はいっそう重く厚い。それは軽く薄い自由に織りなされた世の風俗とぴったり背中を合わせながら、しかしついに正反対の方向を凝視しつづけようと

(25) 石子順造「—すべては微妙な夜明けであるということについての前提—美術における近代を撃つために」『ART 21』No.3、一九六七年一月、石子順造「—すべては微妙な夜明けであるということについての前提—美術における近代を撃つために」『ART 21』No.4、一九六七年一二月、石子順造「ハプニング以降」『美術ジャーナル』六一号、一九六七年一〇月。

(26) 石子順造「ハプニング　この永遠に不条理な営為」『週刊読書人』一九六八年七月一日。

(27) Allan Kaprow, *Assemblages, Environments & Happenings*, 1966. 訳文は同前文中の石子の翻訳による。

する、永遠に不条理な営為であるだろう。(28)

特権的な作者が作り出したものを鑑賞者が享受するというヒエラルキー、芸術と非芸術との分断、「現実」という言い方で現実の可能性を習慣的に自ら枠づけてしまう考え方(「日常性」)、そうした一切の既成概念の解消。これを「存在回復の試行」と石子は呼び、いわばあらゆる「現実」を「幻想」化し、あらゆる「幻想」を「現実」化するような「不条理」を、石子はハプニングという「純粋、無名な行為」に託すのである。

たとえば、客席と舞台の差をあいまいにしながら多様な出来事を同時多発させる「発見の会」の「此処か、彼方処か、はたまた何処か」(一九六七年)、上杉清文、内山豊三郎作(29)や、展覧会場を抜け出して日常の事物を飲み込んでいくオブジェ(高松の紐のシリーズ、中西の洗濯バサミや《コンパクト・オブジェ》)、法に触れるほどまさしく芸術が非芸術領域にはみ出した赤瀬川の《千円札模型》といったハイレッド・センターの行為や作品(としか呼べないもの)を評価する石子の観点は、いずれもハプニングの文脈に裏づけられている。

しかし、制度への注目からその無化へと急速に向かい、「正反対の方向を凝視しつづけようとする」石子の論の展開は、大きな危険をはらんでいたはずであった。

(28)「ハプニング　この永遠に不条理な営為」前掲(25)。

4　転換点——存在・世界（一九六九）

一九七〇年の夏が近づいて、ぼくにはなにかが終わった、という感が強い。終わったというのなら、必ずつぎに新しいなにかが始まるのだろうが、そういった新しいものを待望する楽しみも、新しいものを生み出していく行動に加わる勇気も、どうしてもぼくには湧いてこないのだ。〔……〕今後考えてみなければならないことの多くに、ぼくも気がついている。それだのに、七〇年夏の、このある種の空しさは、一体どうしたことなのか。(30)

主に美術論を集めた著作『表現における近代の呪縛』は、このように何やら切ないあとがきで終わる。一体どうしたことなのか。この「ある種の空しさ」を、石子は自身が関わった青山デザイン専門学校（青デ）の学生運動に重ねて述べている。一九六八年の秋から同校の講師を務めていた石子は、翌年夏に始まった自主管理闘争に「輸血したり造血剤をのんだりして」まさに心血を注いで加わったが、結果として青デは一九七〇年二月に廃校が決定した。

石子が感じた喪失感はじっさいそこに起因するとして、しかし原因はそれだけでなかったろう。制度論の追求と「幻想」というキーワードの抽出、そしてハプニングの積極視と進んできた石子の論の展開は、青デ闘争の渦中である一九六九年後半頃に、あ

(29)「地下のホコリに満ちた砂利道をじかにふみこんで、一瞬の暗転の後背景を一気に落とした先に見えた高速道路。その下から客席にむかって疾走してくる自動車のライト。はるかに遠くかすんだ暗がりから「さる、さる、さる、さる、……」と口ばしりながら客席の間に走りこみ、立ちどまったかと思ったら「さる、といいながら私は去る」と叫んで、すばやく走り抜けてしまった小さな女優〔……〕。さびついたドラム缶の中に頭から入りこみ、そのままころがされた男や、全員が目にしみるほど鮮明に打ち、ふりまいてみせた最終の花火と焚火の情景など」。石子順造「ハプニング以後と呼ばれるもの——「此方か彼方処かはたまた何処か」に見る素手の体験」『映画評論』一九六八年六月号、七九頁。

る転換点を迎えることになる。右の引用で略した部分には次のようにある。

> ぼくの批評態度というか方法は、大きく変質してきている。ごく図式的にいうなら、文学的感想文から、認識論的エッセイに近づこうとしている、といえるようだ。それもなにやら存在・世界とのかかわりの問題と、知覚の日常性との問題に、大きく分極化しつつ〔……〕(31)

ここで追ってみたいのは、傍点をつけた「存在・世界」という用語である。この概念は、『芸術生活』一九六九年七月号巻頭を飾った特集「石子順造誌上ギャラリー」において、それまでの石子の美術論を総括するようにして提出された。冒頭のカラーページで、氷塊を展示室に置いた前田守一、和紙の四隅に石をのせた吉田克朗、油土の塊を画廊に積み上げた関根伸夫らを紹介した後に続く総論「美・世界・発見」は、川端康成の引用から始まる。

朝日に照らされたコップの「美しさに、はじめて出合ったのです。〔……〕このような邂逅こそが、文学ではないでせうか、また人生ではないのでせうか〔……〕(32)」という川端の言葉を受けて、石子は躊躇しながらも「このような邂逅こそが、美術ではないでしょうか」といいかえてみたい、という。いつもながら記号を駆使して入り組んだ文章を要約すれば、石子は、世界の中に限定された「作品世界」を作り上げて見せようとしてき

(30) 『表現における近代の呪縛』前掲(1)、二八一—二八二頁。
(31) 同前、二八一頁、傍点引用者。
(32) 川端康成「美の存在と発見」『毎日新聞』一九六九年五月三日。

た美術の「近代」は、人と世界とを主体と客体に分けて考える合理主義的二元論の歴史であったとして、「そんなわけはない。存在としての世界は、すでにその前に、在るものとして在るように、在ったはずである」と述べる。川端に加えて鈴木大拙から達磨の言葉を引き、川端から「感得」を、達磨から「正覚」なる言葉をそれぞれ借りて石子は次のようにいう。

〔……〕存在・世界を「感得」ないし「正覚」させてくれるような行為、事物の在り方のすべてを、ぼくは作品とでもいうしかない。われわれもその内にふくんで在り、ぼくが有ろうが無かろうが在る世界と、ぼくがかかわる、そのかかわりのさまを構造論的、認識論的に、ありありとあらしめてくれる、すなわち啓示してくれるような、その作品。(33)

そして「美術史的な用語としての、美術とか創造とかは、今や廃語と化そうとしている」という結論へ進めていくのである。この文章の直後に書かれたと思しき「現代美術の視覚」(34)も、同趣旨の論である。その中で石子は、テクノロジーを用いた芸術や環境芸術、コンセプチュアル・アートなど当時台頭してきた傾向は、いずれも個人が価値を創造するという近代の約束事への疑問に発しながらも「つくらない」ことにこだわることで結局は「つくる」「つくらない」の二元論に縛られていると断じる。その上で「もの

(33) 石子順造「美・世界・発見」『芸術生活』二三九号、一九六九年七月、三六頁。

(34) 石子順造「現代美術の視覚――〈見る〉から〈観る〉へ――」『美育文化』一九六九年七月号。

派＊」の嚆矢として名高い関根伸夫の《位相―大地》をはじめとして李禹煥、飯田昭二や小池一誠《かずしげ》などいくつかの作品に「七〇年代に向けた胎動」を感じるという。

そうした〈作品〉にぼくらが接したとき、ぼくらの内に〈感得〉ないし〈発見〉できるものは、在るがままに在りつづける世界の相とでもいうべきものであり、存在の構造それ自体の触知であろう。〔……〕ハプニングによってわずかに探られていた一元論が、今ようやく具体的な胎動となって現れている。[35]

他にも、スポンジの上に敷石を並べてその上を歩かせるという鈴木健司の作品に「ぼくら自身を包みとってある、ある存在・世界の全的な構造を、かいま見、感知することができる」[36]と評した論もあるが、いずれにせよ石子はここで、かねてから固執してきた「芸術」という言葉の（あくまで言葉の、であるところにポイントがあるのだが）廃棄へと一気に向かう。作品を〈作品〉といいかえているあたりに苦しさが窺えるように、世界を「啓示してくれる」のであればそれこそコップでもよいわけで、ここで石子はもはや美術評論家としての言葉を失いつつあるようにすら思える。右に引いた「現代美術の視覚」を大幅に加筆して『表現における近代の呪縛』に収めた際につけた副題「語りかけられているものは沈黙」が象徴するかのように、じっさい石子はこの後美術を積極的に語ることがほとんどなくなる。「七〇年夏」よりは一年も前のことながら、石子が感じ

＊ 本書「石子順造小辞典」「もの派」参照。

(35) 「現代美術の視覚―〈見る〉から〈観る〉へ―」前掲（34）、八頁。

(36) 石子順造「「今日の美術―静岡展」を見て」『静岡新聞』一九六九年九月四日。石子が評した鈴木健司《BASE》は大賞受賞作。

たという「空しさ」はここに発しているように思うのだがどうだろうか。

制度への問いから一連の思考過程をつなげることも可能であるとはいえ、この一九六九年には、使われる語彙や参照先の急な変化が目立つ。特に「感得」や「正覚」など東洋思想に由来する用語の導入などは、まったく唐突である。すでに気づかれた方も多かろうが、取り上げられた作品といい、「存在」「出合い」「在るがまま」といった言葉、さらには川端康成のコップのエピソードにいたるまで、それらは「もの派」の理論的中心人物、李禹煥の『出会いを求めて』(一九七一年)とあまりにも重複しているのである。李によれば石子とは六八年に出会い(37)、翌年『美術手帖』評論募集で佳作に入賞する李の「事物から存在へ」執筆期に石子が関わるとともに、「〔石子が〕本を出す時に、僕〔李〕の言ったことも入れる」こともあったという(38)。どちらが先に言ったのかといったことはどうでもよい問題で(「もの派」形成期に石子が関わっていることを主な理由に、二〇〇〇年代に石子への注目がにわかに高まったが、かといって短絡的に石子の価値にむすびつけるのは飛躍がある)、李が同時期に展開させていった理論を部分的に共有しつつ、石子はまだこなれない言葉を用いて性急に自らの論をまとめ上げようとしているかに見える。

それまで美術においては後追いの印象が拭えなかった石子の評論は、ここにきていわゆる「正統な」現代美術史とされている潮流の先端ときわどくすれちがう。そして石子は、この後ますます社会から離れて概念化し、「美術」らしく自律性を強めていく美術の進み行きに背を向けるかのようにして、「近代」へと潜り込んでいくことになる。

(37) 石子が「韓国の現代絵画展」を評した「絵画の現代化を問え—韓国現代絵画展をみて—」(『三彩』一九六八年九月号)は、李禹煥を日本で最初に取り上げた文章であるとされる。石子と李の出会いはこの直前頃であったと思われる。

(38) 『石子順造シリーズ第3弾 グループ『幻触』の記録(一九六六—一九七一)』虹の美術館、二〇〇五年一〇月、七頁。

ここで石子と美術の関係が途絶えてしまったと捉えると、彼の足取りを見失ってしまうことになる。そうするといわゆる美術評論家としての石子の評価はここ止まりになるが、くどすぎるほどのこだわりが持ち前の石子が容易にあきらめるわけもない。むしろここからが真骨頂なのである。と書いておいて、先に進もう。

5 マンガ――生活者の「ホンネ」と「ぼく」(一九六六→一九七六)

美術を軸として論を進めてきたが、ここで少しさかのぼって、石子とマンガとの関わりを見ることにしたい。静岡時代からあたためてきたマンガへの視線は、その後どうなったのか。

上京後、「評画」の理念を引き継いで池田龍雄のペン画や井上洋介らを評しながらも、美術と演劇が主な論及対象となる中でマンガについては表立って発言することのなくなっていた石子だが、一九六六年の末、『ガロ』に水木しげる論を寄稿。翌年春には権藤晋(高野慎三)、山根貞男(菊地浅次郎)、梶井純(長津忠)ら三人の編集者・評論家たちと批評同人『漫画主義』を結成し、ふたたびマンガとの関わりを深めていく。

マンガに関する評論というものが確立されていない状況にあって、マンガの原理的考察に始まり、石子自身が収集してきた豊富な資料をもとに作家別の比較や時代背景との対応を踏まえながら丁寧にマンガの機微を追う石子の論は、新たな領域を開拓しようとする意気込みも感じさせる（「マンガ」とカタカナで表記される用語自体に、石子の解釈が含まれていることにも注意されたい）*。戦前から事例を引いてくる史的観点、コマやフキダシ、描線などの技法面の分析、またそのような表現上の特徴とともにストーリー*を追いながら石子のマンガ体験がそのまま書き出されていくような語り口は、ほぼマンガ論のみに見られる特徴である。

石子のマンガ論のもうひとつの特徴は、特定のトピックが繰り返し現れる点である。美術やキッチュなどと並行して（後にはキッチュの一部として）論じられている以上マンガだけを切り出すのは避けたいところだが、限られた話題を深めていくように進む展開を見ていくと、マンガに対する基本的に一貫した石子の考えがよりわかりやすい（視点は揺らがずとも年ごとに細かく変動している石子の美術論に対してマンガ論の主題が安定しているのは、いかに美術がめまぐるしく様式を交代させていた（いる）かを示してもいるだろう）。以下、代表的なトピックである戦中マンガ批判、劇画論、ナンセンス／アンチ・マンガの三つについて観察していこう。

戦中マンガ批判は、すでに静岡時代の評論から見られる話題である。戦時中にいわゆる大政翼賛マンガに手を染めた近藤日出造を中心とするマンガ家たちが戦後になるとすぐさま大衆感情に沿ったマンガを描き、しかもなおマンガ界のトップに位置し続けるという状況を石子は激しく糾弾する。

＊ 本書「石子順造小辞典」「マンガ」参照。

＊ 本書「石子順造小辞典」「繋辞（コプラ）の理論」参照。

例のききなれた、「あの頃はしかたなかったのだ」といういいわけを聞かなければならないのだろうか。それとも一言でいって、「あんなマンガを描いた連中などは無視すればいい」のであろうか。〔……〕冗談ではない。ぼくはマンガの愛好者でありマンガはマス・ジャーナリズムの一部分でありながら、その影であり、同時に自己批判の鏡だ、というくらい過大評価しているものだ。

大衆の深い悲願や欲望をつなぎとめ、未来に向かっての突破口を作ることにも手を借《ママ》さなければならないマンガを、いつまでもそのような状態で放っておいていいわけはない。[39]

マンガ大家らの主体性の無さ、そして彼らを支持してきた民衆[40]もともに石子は批判するのであるが、後年になると、「近藤日出造らは、あきれるほどさんたんたる庶民の一人でしかなかった」「それはほかならず、自己疎外をさらに進んで深化していってしまう庶民性の半面であろう」[41]と述べているところに注目したい。民衆と密接した表現としてのマンガを論じていく中で、石子がその民衆像の認識を細分化していく過程をここに見ることができるのではないだろうか。石子は生活のレベルに根づいているからこそマンガに着目したのだが、大衆的であればそれでよいと考えていたわけでは決してない。「いつも処女であるようなあばずれ」*と石子が呼ぶとおり一面的には捉えられない民衆におい

(39)『マンガ芸術論』前掲(15)、一二六—一三二頁。

(40) 石子は「民衆」「大衆」「生活者」「庶民」といった言葉を多く用いる。「庶民(フォーク)」から「大衆(マス)」への転換を述べたダニエル・J・ブーアスティンの論(註21)も踏まえて使っているようにも見えるが、厳密に使い分けてはいなかったようだ。本論中ではおそらく石子が最も多用した「民衆」を原則として用いる。

(41)『戦後マンガ史ノート』前掲(4)、二六—二七頁。

* 本書「石子順造小辞典」「いつも処女であるようなあばずれ」参照。

て、戦中マンガの愚かさに現れているような、保身に走って権力に従ったり、習慣に無批判のまま日常性に没する「みじめな生きざま」もまたまちがいなく民衆のものである。「民衆」や「生活者」に重ねて「みじめさ」や「ぶざまさ」という言葉を石子は好んで用いたが、民衆を考えるうえで常に彼はその否定的側面に目を向けることを意識し、民衆像を一般化しないように気を払っていた。

戦中マンガに見られた保守性が民衆のタテマエの側面であったとして、石子が民衆においてで重視したのはホンネの側面、すなわち先の引用にある「大衆の深い悲願や欲望」、あるいは「民衆の内なる痛憤」(42)であった。そして、そのホンネの現れとして石子が評価したのが劇画*である。石子はとりわけ昭和三〇年代における初期の劇画にこだわった。石子は、この時代の貸本屋を仲立ちとしたマンガ作者と読者がともにブルーカラーの人々であったところに意義を見る。次のような石子の原体験は注目すべきだろう。

ぼくは、〔昭和〕三〇年代のほとんどを静岡県の清水市で過ごし〔……〕四年ほどは貸本屋の二階に下宿し、残りの四年半は小さな製茶業主の離れに住んでいた。二軒は近接しており、ぼくはずっと貸本マンガを読む機会に恵まれた。一番茶の収穫が始まると、ぼくの住んでいた離れは移動班(季節労働者のこと)にあけ渡さなければならない。二交代で昼夜ぶっ通し製茶しつづける移動班の男女に、貸本屋からマンガを借りてくるのがぼくの役目だった。ぼくは移動班が帰っていく初秋まで、酒

(42)『戦後マンガ史ノート』前掲(4)、二八頁。本文ではふれられなかったが、こうした民衆の側面を戦時下に描き得た漫画家として石子は下川凹天を評価している。

＊本書「石子順造小辞典」「劇画」参照。

を飲みながらかれらとマンガの感想を話し合うことができた。(43)

高度成長のさなか、劇画を描いたマンガ家たちと貸本屋に足を運ぶ人々はともに劣悪な環境下で日々を生き延びていた。劇画に対して一般にいわれていた残酷だとか陰惨だといった特徴は、すなわち高度成長の裏に鬱積した「民衆の痛憤」、切迫した怒りや恨みの現れであり、だからこそ貸本屋に足を運ぶ労働者たちにおもしろく受け入れられ、そしてだからこそ劇画には「すぐれて政治的でもありうるマンガ表現の秘密」(44)がはらまれていたと考えるのである。*水木しげるの描く「ねずみ男」に注目し、そこに「屈折した日本的庶民像」を読み取る考察(45)などは最も端的に石子の視点を示しているだろう。

それゆえ石子は、後に広く定着した劇画や、まさしく石子の活動時期と重なるマンガブームといわれた動向、またそこで人気を博したマンガの多くを評価しなかった。どのような年齢層、生活層にもスムーズに受け入れられるマンガは、本来の活性（アクチュアリティ）を失ってしまうと石子は考えるからである。

商品としての〈作品〉が氾濫しつづけ〔……〕マンガが欲求不満の解消剤的役わりを果しているとすれば、その衛生無害さは、体制の安全弁の一種というほかはない。マンガの衛生無害さは、欲求不満の代償としての役わりとともに、撃たれねばならないだろう。(46)

(43)『戦後マンガ史ノート』前掲（4）、一二七頁

(44)同前、一一四頁。

＊本書「石子順造小辞典」「群化社会／ハイマートロス」参照。

(45)石子順造「水木しげる論―その庶民的知覚を中心に―」『漫画主義』創刊号、一九六七年三月など。

(46)石子順造「〝衛生無害〟の漫画ブーム　それは体制の安全弁の一種に……」『週刊読書人』一九六九年七月二八日。

テレビなどを通じて商業的な成功を収めるとともに毒気を失っていくマンガや、たとえば『鉄腕アトム』における明快な正義と平和志向は石子の批判対象であった。[47] あらゆる人々に愛されるようなマンガの「良識」は、戦中マンガが象徴するように、たやすく保守へと転換し、制度を形成し、その制度に飲まれてしまうのだ、と。

石子が美術評論を行いながらマンガに着目したそのことよりも、彼がマンガのどこに評価のポイントを置いていたかにこそ注意すべきだろう。マンガと芸術を対置しただけではそれも単なる二元論にすぎない。生活のレベルに根づいた表現を考えるために生活者の姿をなるべく「アクチュアルに」理解しようとした石子は、大衆表現でありながら、かつ現実を変革する可能性を用意する表現として、良識の影にある後ろ暗い欲望を描いたマンガを積極視するのである。

ブームに収奪されないマンガとして、劇画とは異なる観点から石子が可能性を見出していたのがナンセンス・マンガとアンチ・マンガである。「ナンセンス・マンガ」もまたギャグマンガの一系列として六〇年代末に脚光を浴びた流行のひとつであったのだが、石子は「ナンセンス」をユーモアに近い意味で捉える一般解釈と異なり、字義どおり「無・意味」と受け止めて論じようと試みた。中原佑介の著『ナンセンスの美学』(一九六二年)も参照しつつ、石子はナンセンスを「日常的な意味や価値の秩序の全否定、ないし全断絶ともいいうる超越の志向およびそのカテゴリー」とし、「われわれが創作の名に値するなんらかの表現に到達しようとすれば、結果は、必ずやナンセンスにならざるをえない」

(47) 石子順造『現代マンガの思想』太平出版社、一九七〇年、一一八—一二一頁など。ちなみに手塚治虫と石子の間では論争があった。石子を「ズブの素人」として罵ったいささか感情的な手塚の「公開状」(『COM』一九六八年二月)に対して石子が反論を連発したまま終息するが、後に手塚は石子に作品の相談をすることもあったという。石子は松本俊夫、中原佑介、峯村敏明など多くの人物と論争を繰り広げているが、そもそも石子の活躍時期に雑誌上の公開論争は珍しくなかった。これも当時の文化状況のひとつの特徴といえるだろう。

と述べる。[48] 社会の表面的な繁栄や与えられた価値観からずれていく民衆の情念を宿したのが劇画であるとして、それをさらに不条理として打ち出し、日常性を変革しようとするものとして石子はナンセンスに期待するのである。富永一朗、砂川しげひさ、秋竜山、井上洋介や赤瀬川原平らを挙げながら六八年から七〇年にかけて集中的に手がけられるこのナンセンス論の観点は、明らかに同時期のハプニング論と密接にリンクしている。そして、所与の「現実」の枠を取り払おうとするマンガ表現の積極視はさらに、アンチ・マンガの評価へとつながっていく。

「アンチ・マンガ」[*]は、つげ義春を筆頭に林静一、佐々木マキら主に『ガロ』を発表の舞台としたマンガ家たちによる、言語化を拒否するような一連の作品にあてた石子の造語である。マンガの中で石子が最も高い評価を与えていたのがこの傾向であり、その強い注目のために石子は『ガロ』のお抱え評論家のようにみなされたこともあったようだ。ただし「ことばを視覚のリズムとしてとらえ、またことばとの照応関係を断ったイメージの自立性」[49]を描き出すアンチ・マンガは、可能性であると同時に、まさにその言葉を使用するしかない評論家である石子にとってかねてからの課題を突きつけられるものでもあったろう。所与の言葉からはみ出す表現をいかに言葉にするのか。醒めた目でアンチ・マンガの構造を論じたものも多いが、この意味でつげ義春の「ねじ式」に出会った直後に書かれた「狂雲の翳り」[50]の崩壊したような異例の文章は興味深い。「……」の記号を多用しながら浮かんだ感想をコラージュしたこの文章は、石子自身が結びで「文体と

(48) 『現代マンガの思想』前掲(47)、九九、一一四頁。

＊ 本書「石子順造小辞典」「アンチ・マンガ」参照。

(49) 『現代マンガの思想』前掲(47)、一六一頁。

(50) 石子順造「狂雲の翳り──つげ義春「ねじ式」のメモのメモ──」『漫画主義』五号、一九六八年七月。

かいうなにかに、なにかを探そうと、ぼくは焦った」と述べるとおり、「ねじ式」に対する当惑そのものであり、また新たな評論へのチャレンジであり、最大の賛辞でもあったように思われる。ナンセンス・マンガとアンチ・マンガへの評価はともに『マンガ芸術論』には見られず、『漫画主義』の同人活動が始められてから論の中に現れる。静岡時代に書きためた文章を主体とした『マンガ芸術論』は具体的なマンガよりも、マンガの機能とそれを取り込んだ芸術のあり方の考察であったのに対して、上京してから初めて、可能性をもって具体的に語りたくなるようなマンガに出会ったということだろう。

ともあれ、どのようなトピックにせよ石子のマンガ論の底を流れるのはやはり民衆の生活や日常性と表現との関わりの重視である。読者の積極的介入を必要とするマンガという表現がいかなる場において成立しており、どのように、また誰に読まれているのか。すなわち石子の言葉でいえばマンガの「ありよう」を、彼はいつも念頭に置いていた。そして、そこでいわれる「民衆」とは、ほかならぬ石子自身のことでもあった。石子は一九七一年から翌年にかけて長大な白土三平論を『ガロ』に連載した理由を「なによりもぼくのマンガ体験にとって、白土三平というマンガ家が一番大きな意味を持っていた」[51]からであると述べているが、マンガと民衆を考えるうえで、読者としての自分自身とマンガの関係を顧みることは必須の作業であった。生活と遊離していく芸術を批判する石子にとって、マンガは自らの立脚点を確認する基準であり、生活者のアクチュアリティを自らの感覚に沿ってはかるバロメーターであったのである。石子のマンガ論にとりわ

(51)『戦後マンガ史ノート』前掲(4)、一七七頁。

け「ぼく」という主語が目立つのもこのためだろう。そしてこのマンガ論が基点となって、さらに広いカテゴリーとしての民衆の表現であるキッチュへと石子は関心を寄せていくのである。

6　キッチュから現代へ（一九七〇→一九七六）

さて、「存在・世界」なる用語で希望的に現代美術の行く末を語りながら、まさにそのことによって決定的に「芸術」と決別せざるを得なくなりつつあった石子は、なおもこの「存在・世界」を見つめ続けていた。

存在・世界が在るがままに在るといったところで、ぼくらが日常生活を超越して、その外に生きつづけることはできない。とすればぼくの課題は、ぼくらが歴史的、社会的な実在であるということと、同時に存在・世界にのみこまれてあるという全体感との関係である。
ぼくはそれを知覚の習い《コンベンション》の構造を、生の欲望とのかかわりで、内側からめくり返すようにしていくことで問うことができるのではなかろうか、と考えだした。(52)

(52)『表現における近代の呪縛』前掲(1)、二〇六頁。

石子は一九七〇年頃を境にして、「芸術」という言葉や概念を注視するよりも、それを作り上げてきた「近代」という大テーマを強く意識し始める。石子のいう「近代」とは時代区分のことではなく、「近代」と呼ぶことで知らぬうちに作り上げられてきたある価値概念である。人々がその価値概念に縛られているとして、では縛られない本来の「生の欲望」とは何であり、意識することもない習慣的な「近代」の受け入れ(「知覚の習い」)をいかに自覚化し得るか。かつて石子は「芸術」と日常生活との分断状況についてこのように述べていた。

ぼくらの生活的知覚からすっかり遊離してしまった〈芸術〉は、まさにそのゆえに精神や価値の具体性を自己放棄してしまったのではないか。いやぼくらがぼくらの日常性との断絶の上に、絵を〈芸術〉づけてきたのではなかったか。(53)

ここでいう〈芸術〉にこだわり続けていた石子は、「ぼくら」の方へと視線をシフトさせるのである。石子は表現の送り手よりも、受け手を強く意識しだす。ジャンル内の問題を問うよりも、そのジャンルの確立を裏づけてきた基盤へと論点を「めくり返」したのだ。その基盤が石子のいう「近代」であり、その標本として石子が手がかりを求めたのが「キッチュ*」であった。

石子は、現代美術における専門的な評価と非専門のそれとの乖離に発して、「芸術」が

(53) 『マンガ芸術論』前掲(15)、二四二頁。

* 本書「石子順造小辞典」「キッチュ」参照。

排除してきたキッチュを取り上げることによって、生活者、あるいは生活者としての自分自身に引きつけてその落差を考えようとしていく。キッチュについて考えることは「ぼくら」の生活の本性を考えることであると同時に、その「ぼくら」が価値づけてきた「芸術」を考えることにほかならない。

キッチュという語によって、従来までほとんど資料としてしか顧みられなかった、あるいは資料としてすら無視されてきたある種の表現を、回顧的ないし趣味的にあさり集め、珍重してみせようというのではさらにない。そうではなく、この語によってかろうじて意味されようとする、生活↔表現↔文化のあいまいでしかしたしかなカテゴリーを、そのはばとあつみにおいて再検討してみたいばかりである。とりわけてそのことは、〈現代〉と呼びならされ、流行として現象化しつつある様式と、そのすぐ底部での〈近代〉における価値観もしくは世界観の崩壊過程とのずれを、再々度、今後のわれわれの表現の課題として自覚化してみるためにも、欠かせない要件だとぼくには思える。いいかえるなら事あるごとに、いなせなポーズでわめかれる「近代の超克」というかけ声の、かけ声としてもなんとも古色そう然とした印象のなかで、いかに抜きがたくわれわれが、その身体性化されてある生活者としての知覚のレベルで〈近代〉に呪縛されてあるかという反省に、それはつながる。「近代の超克」を、外在的に自明な、したがってあたかも技術論をベースにした進歩の概念で彩ろうとするその語り口に、まさに〈近代〉がありありとあらわれるように、われわれはここで――ぼくなりにいわせれば、ふたたび狂い咲きの季節を迎えようとしているここで――、〈近代〉という価値と様式概念の成立と分化を、その道程で棄却してきたもろもろの表現の側から問い直してみなければならないとちがうだろうか。すなわちわれわれは、表現における〈近代〉とは何であったかを、制度としての芸術からいっそう自由に問う、その問いのありようとしてのみ、わずかに表現の〈現代〉を啓示しうるばかりなのではなかろうか、ということである。

キッチュは、総じていえば〈近代〉において〈芸術〉と呼びならされ、〈前衛〉あるいは〈創造〉という言葉で価値づけ、囲いこまれてきた表現が、知覚・認識の総体にかかわって、制度的にもごく特異な浮標でしかなかったことを(だから不必要だったといいたいのではなく)明らかにするだろう。つまり〈芸術〉を芸術たらしめてきた〈非芸術〉(反芸術ではない)の領域としてのキッチュの検証は、生活と文化といった二分法が、どのように成立しえたかを、おそらくはそのような二分法を、生きることの具体から無縁なものとして捨象してしまった人たちの知覚、想像力、概念の重層化したあつみの構造に逆照射すべく、ぼく(ら)の注意を誘うにちがいない。(54)

「現代美術」の本来のあり方に向かうために、石子は「近代」の「非芸術」を考察するという一見逆向きの進路を取るのである。仮にキッチュを「受け手である大衆の趣味に

(54) 石子順造「ふたたび狂い咲きの季節に」『季刊 写真映像』八号、一九七一年四月、一〇三頁。

迎合するようにつくられた安手の通俗物一般(55)」と説明したとして、では大衆の「趣味」とは何か、何をもって「通俗」というかなど、細かく説明しようとすれば一筋縄ではいかないやっかいな用語であるのだが、少なくとも石子は国内外のさまざまな論者の説を参照しながら、キッチュについての明確な定義を慎重に避けようとした。なぜなら、定義すればそれもまたジャンルとして固定化し、芸術〈と〉キッチュの不毛な対立図式に陥ってしまうからである。まともに見られることがないようなものであるキッチュは、それゆえまともに見られたとたんに活性を失ってしまう。絶えず流動的に変貌する民衆と密着したキッチュは、常に未決定でなければならない。

いわゆる大衆文化を表面的になぜまわしただけでは、きっとだまされる。大衆は、化け物なのである。〔……〕論者が一定の知的高みに立って、およその知り顔に分析した大衆文化論なるものはきまっておもしろくない。なぜなら、いわゆる大衆文化はつねに生体《いきたい》なのだからである。それを死体《したい》なみに解剖できる手つきとは、ほかならず論者の反大衆性(反常民性)を証そう(56)。

それまで使用されていた「俗悪」「いかもの」などの訳語ではなく「キッチュ」というカタカナを石子が意識して用いたのも、図式的な価値づけの網から自由であろうとしたためであった。キッチュという語を日本に定着させたのは石子その人だが、この語の紹

(55) 石子順造「キッチュ　大衆のホンネの文脈」『月刊アドバタイジング』一九七四年一二月号、九七頁。
(56) 同前、同頁。

介者であること以上に、価値観抜きに通俗表現を扱おうとする柔軟な視点の先駆性にこそ意味がある。重要なのはキッチュとは何かではなく、キッチュによって石子が何を考えようとしたかである（図3）。

一九七〇年代の石子の論の対象はほとんど雑多な通俗表現とマンガに占められるが、ここで美術、演劇、マンガなど、それまで語られてきた各論のすべてがキッチュ論としてまとめ上げられていく。キッチュ論は、美術を通じて深めた制度論と、マンガで培った読者論の合流である。晩年の石子が「母もの」や「俗信」などに関心を寄せていくのも、キッチュ論からのなだらかな延長であった。石子の活動を美術論、演劇論、マンガ論、母もの論、俗信論、あるいは民俗学などと切り分けることはそれこそ「近代」の尺度から見た分類であり、またそれはあくまで石子の論じた対象を基準としているにすぎない。「キッチュ論」というとき、それはキッチュを対象とした論であるのか、キッチュを介して「近代」を問おうとするアプローチであるのかを意識する必要があろう。アプローチの側に重点を置けば、彼の活動は最初から最後までキッチュ論に貫かれていたということもできるのではなかろうか。美術とマンガを同時に論じ始めた初期から、社会状況や生活との接続を必ず踏まえる石子の姿勢に変わりがないことはもはやいうまでもないだろう。石子をジャンル概念でつい腑分けしてしまう「近代」的観点に用心しながら、その歩みを追っていきたい。キッチュ論を掴むことができれば、石子の思想をわがものにできるはずだ。

（図3）

「石子順造的世界　美術発・マンガ経由・キッチュ行」展示風景

石子自身は、「生活のなかのグラフィズムともいうべきもの」に関心を持ち始めたのは一九六八年頃であると述べているが、[57]強く打ち出されるようになるのは一九七〇年からである。マッチラベルを論じた同年三月の「表現における情念について」あたりを皮切りに、夏にはペンキ絵（背景画）を調査するために多くの銭湯を訪れている。「キッチュ」の語が最初に登場するのは、おそらく翌年四月の「情報社会とキッチュ」である。[58]キッチュという「あいまいでたしかなカテゴリー」をあいまいなままに具体化すべく、石子は町に繰り出し、ひとつひとつを調べ上げ、猛烈な勢いで論を積み重ねていく。迂遠なレトリックの多い癖のある論調がそれほど弱まるわけでもないものの、七〇年代の石子の論は対象のバラエティと具体性が際立っている。ここでひとつひとつを見ていく余裕はないが、ブロマイドの背景はなぜ空白のままにされているのか、造花が単に花の偽物でなく人工物としていかに機能しているか、近代美術のモチーフにはなぜ母像が選ばれないのかなど、いずれも今日ならカルチュラル・スタディーズやジェンダー論と呼ばれるであろう優れた論考が揃っている。

では、こうしたキッチュ論によって石子がその先に見据えていたものとは何であったのか。生活から離れて自立した「芸術」という約束事を育ててきた「近代」をテーマに設定したうえで、彼は「生活者の知覚のはばとあつみ」に根ざした非芸術としてのキッチュに着目した。しかし石子はキッチュを賛美したのではない。批判対象としての「芸術」に非芸術を対置して後者を持ち上げるのであればわかりやすいが、そうした固定化

(57)『表現における近代の呪縛』前掲（1）、二〇六頁。

(58)キッチュに焦点は当てられていないものの、すでに石子の「空間空論（アカデミックス）のすすめ」（『美術ジャーナル』六二号、一九六七年九月）ではグリーンバーグの引用内に「通俗物」のルビとして「キッシ」が登場している。

を導く論法は、すでに述べたような理由で選び得ない。また、「近代」を検証したからといってそれ以前に戻れというのでもない。「問い返す」「問題とする」「今一度検討する」「確認する」といった述語がキッチュ論でよく書かれるのだが、では問い返し、検討したうえでどうしたかったのか。それを経てどのような変化を石子は想定していたのか。キッチュの表面的なまがまがしさに惑わされていると、この点が見えづらい。おそらくはその見えづらさのために、石子は芸術に対するカウンターとしてキッチュを持ち出したのだと見ている石子順造評価も少なくない。しかし石子自身が幾度も強調しているように、彼はキッチュを肯定も否定もしない。そして「芸術」から目を逸らしたのでも、外部に逃れたのでもない。彼が芸術全体を否定したことは一度もなく、むしろこのうえない信頼を寄せているのである。石子が愛想を尽かしたのは、制度を純化させていった限りでの〈芸術〉であり、その括弧づけのない芸術そのものを切り捨てたわけではない。ここを注意しなければ、石子の活動のすべてを見失うことになるだろう。石子は、いわゆるサブカル論者と括られるようなありふれた野次馬では決してない。彼はたしかに、あり得べき芸術の「現代」を見ようとしていた。

一瞬切り裂くように、国家権力をイマジナリイにモデル化してみせたといってもいいその〔赤瀬川の「千円札模型」の〕表現の開示を、ぼくは、そのよこしまさ、あるいは不吉さのゆえに、あえて〈創造〉と呼ぶ。そこには、表現におけるアクチュアリティとリアリティの統合が、あるいは芸術の政治力がある、とはいえないか。芸術の〈近代〉が、その純化の過程で喪失してきた、本体としての生活⟷表現⟷文化の統合への志向が。〔……〕ぼくなりのキッチュへのアプローチは、論理的には、「千円札模型」に集約されるような、よこしまさの解明であり、おこがましくいえば、その啓発である。(59)

石子が信じたのは、「芸術の政治力」である。いつのまにか与えられてしまっている「現実」に抵抗し、変革しようとする意志。あるいは石子がいっとき「存在・世界」という言葉に託して夢想した、所与の制度からの解放。「芸術」と呼ぶことで「近代」が作り上げてきた価値概念が、まさにその「現実」を作り上げ自ら縛られもする生活のアクチュアリティに根づかないかぎり、本来の〈創造〉たる政治力は生まれはしない。生活の中にいかに制度が染み込んでいるか、そしてそのときどきの民衆の欲望がいかに現れているかを検証するために、石子はキッチュという対象を選んだ。ぶよぶよとして容易に捉えがたい「生体」のキッチュを丁寧に観察しながら、石子はときに危機感を、ときに芸術、いや「芸術などといった用語を必要としない、いわばあいまいきわまる表現一般の呼称」(60)の芽を探ろうとした。たとえば、軍服の兵士が礼拝する図を描いた「兵隊拝み」の小絵馬に、必ず松＝待つの図が描かれていることを石子は見逃さない。「武運長久の絵馬は、ひそかに無事の帰還を祈願するものでもあって、ストレートに護国の鬼とな

(59) 石子順造「キッチュ　この大衆的表現　その〝無名性〟ゆえの特異さ」『週刊読書人』一九七二年二月七日。
(60) 石子順造「芸術に「脱前衛・脱自立」はありえない（下）」『週刊読書人』一九七〇年一一月二三日。

って散ることを祈念したものではない」[61]。このように、表向きのタテマエに隠れた民衆のひそかなしたたかさこそを、石子は取り出そうとしたのである。キッチュには、タテマエにたやすく流されてしまう大衆のかよわさと、大衆の率直なホンネの双方がはらまれている。したがってキッチュはそれ自体可能性ではない。しかし「みじめ」で「ぶざま」な、かつ「弱さ故の人間の複雑さや豊かさ」[62]を備えるキッチュこそ「現代」を模索する芸術の糧となり得る。キッチュに現われたタテマエを自覚し、批判し、かつホンネを積極的に押し出して進んで「よこしま」であろうとすることを、石子は〈創造〉と呼ぶのである。

このように見てくると、いかに石子が終始変わらぬ考えの持ち主であったかがわかるだろう。マンガの機能を論じた静岡時代の石子の文章は、すでにそのまま彼のキッチュ論のエッセンスでもあり得ている。

マンガは本来その独自な成立要素として大衆性、笑い、風刺性、記録性などをもっており、それがまた独特な表現方法上の省略化、誇張化によって社会的に機能し、何時知れず受け手の意識の裏側を支えている秩序感、価値観を転移させてねむっている不満や欲望を表出させ、そうする積み重ねによって日常の観念性を内側から、徐々にではあっても変革させていくだけの効用をもあわせ持ちうる可能的なジャンルの一つであるはずなのです。[63]

(61) 石子順造「民衆の未来祈願、絵馬」『流動』一九七四年五月号、一六八頁。
(62) 「民衆の未来祈願、絵馬」同前、一六九頁。
(63) 石子順造「マンガの功罪1」前掲(13)、一三頁。

さまざまに論の対象を変転させたと見られがちな石子であるが、彼はやはり最初の地点から一歩たりとも立ち去らなかったのではあるまいか。そしてだからこそ、石子は過去の人物として済ますことのできない思想を築き上げた。「生体」を見据えた石子の論は、なおも活き活きと脈打っている。石子の目から見れば、二一世紀に入った今日は未だ、いやいっそう「近代」の深まりの中にいるのだろう。次のような一文は、現在に当てはめてもまったく有効性を失っていないように思える。

かつて劇画は、貸本という非文化的な地平の所産であった。孤立した若者たちの錯綜した怨念と曲折した欲望をひめて、生業としてひっそりとあるいはじめじめと、しかし懸命にかきつがれることによって、やはり同じような読者たちに共有される表現だったのである。それが、今では、すっかり主要な〈大衆文化〉になってしまった。〈健全〉な〈娯楽〉になりおおせた劇画は、もはやキッチュの俗悪性やアクチュアリティをすて、しごく衛生無害な、そういってよければ風俗の一教科書に変質したというものである。昭和三〇年代の半ばを前後して、《繁栄》の路線から棄却されまいとする必死のあらがいが、いやおうなく孤立から自立への道を模索させ、その宙づり状態に耐えさせたのだった。それはむしろ、いっそうの混沌を辿る道でしかなく、けっして整序され組織される方向へと歩むエネルギーではなかった。
だが、今日ではどうか？　宙づりの状態に耐えるのではなく、自ら整序を急ぎ、なにやら絶対的、完結的な美や力を希求する弱さ、甘さの反面で自慰的、一時的に求められる娯楽としてのマンガであるように思えてならない。この場合に浪費されるエネルギーは、他律的な方向づけをも容易に許してしまうものだろうということである。マンガに限らず、今日のほとんどのキッチュが、そのような情況としてあるようだ。〈大衆文化〉ないし〈若者文化〉ということでなら、『日本沈没』に代表される昨年の危機感とやらや、今春あたりからめだちはじめたオカルト・ブームとやらも、同類亜種と思えるのである。すなわち、地震危機説は地震待望論であったことによってブームとなり、オカルトは、科学不信ではなく、近代的な科学人の素朴な副産物にほかならないということである。それらは、いずれも〈自由〉と〈平等〉が保障されていることになっているはずの日本の《民主主義》と、そこでのほがらかな絶望が結果したあっけらかんとした自閉症の所産ではないだろうか。どうしようもないといった無気力、無責任の居直りは、地震による一切の破滅を無意識に期待する夢として紡ぎ出され、またはせめて科学では律しきれない非合理性を、あってほしいと待望させよう。いずれにしても、情況の混沌を未知へ向けてつき返そうというのではなく、そしてその未知を自分たちのものとしようとするのではなく、中間層化した意識と感覚を温存したまま、状態の変化だけを待つ、しごく良識的、保守的な遊びと思えてならない。(64)

(64) 石子順造「危機としてのキッチュ——「愛と誠」考」『現代の眼』一五巻、一九七四年九月、六〇—六一頁。

たとえば、匿名でありながら保守性へと陥りがちなインターネット上の表現だとか、美術の価値を高く保ったまま「敷居」を下げようと苦心する美術館や、その一方で泰西名画展に行列ができる現状、あるいは爪に飾り付けをしても髪を切ってもアーティストと呼ばれるほどに「アート」の語がキッチュ化しながらなおその裏に漂う価値観であるとか、石子の論の適用範囲は身のまわりに無数に思い浮かばれよう。自らの論は「私論」であると述べ、「ぼくは、ぼくなりに」と繰り返した石子にならって[65]、私たちが自身の生活感覚に目を凝らした先にはじめて石子順造的世界は垣間見えてくる。冒頭では石子を「世にもまれな」人物として半ばふざけて書いてみたのだが、石子の活動が奇異に映るのであれば、その奇異に映る度合いが、まさしく私たちが「近代」を受け入れている度合いに相応しているはずである。

(65) 『戦後マンガ史ノート』前掲(4)、一七七—一七八頁。

石子順造と千円札裁判

石子順造の文章に最も多く登場するアーティストは、赤瀬川原平である。「石子順造的世界」展で設定した三つの軸「美術」「マンガ」「キッチュ」すべてに赤瀬川が関連しており、赤瀬川を論点とした文章に限らずそこかしこに名前や作品が取り上げられている。一例を挙げれば石子の編著『マンガ家・イラストレーターになるには』（一九七二年）の終章において、この書の本来の趣旨からすればまったく唐突に千円札紙幣の話題を持ち出して締めくくるといった調子であった。

とりわけ石子が高く評価していたのは《模型千円札》や《大日本零円札》など、紙幣をモチーフとした一連の作品である。石子と赤瀬川の直接の関係も、千円札を模した赤瀬川の作品の違法性が争われたいわゆる「千円札裁判」*に始まる。かねてから高松次郎や中西夏之らハイレッド・センター*の中心人物に着目し評論を重ねていた石子は一九六六年、戦後日本の美術史上最大の事件といって過言でないこの裁判に際して組織された「千円札懇談会」に参加する。

以来石子は千円札裁判と赤瀬川の千円札関連作品に対する膨大な文章を執筆していく。

＊ 本書「石子順造小辞典」「千円札裁判」「ハイレッド・センター」をそれぞれ参照。

赤瀬川当人以外で、これらについて石子ほど多く言及した人物はおそらくいない。ただし、石子のとった立場はたいへん微妙であった。赤瀬川の作品を評価しながらも、数多くの論者が公判に参加して弁護・証言を行う中で彼は（請われもしたようだが）一度も法廷に立つことなく、さらに弁護側を批判しさえした。弁護側の主張に対して石子の考えが折り合わなかったのである。石子の考えとは、次のようなものであった。

まず、紙幣とは何か。紙幣が単なる印刷された紙切れでなく「お金」であるのは、国が制度によってそのように定めているからである。だから紙幣は国家権力の象徴ともいえる。そして私たちは、千円札をはじめとする特定の紙を「お金」として使えることを何の疑問もなく、当然のこととして受け入れている。本当は紙切れであることをわざわざ意識することなく、図柄を正確に思い出すこともできないほどに、あるいは、紙幣そのものに対して欲望を抱いてしまうほどに、もはや紙幣は国民の「身体性」*となっている。逆にそうでなければ国家は円滑に進むことができない。この「当然のこと」を私たち（国民）の日常、もしくは現実と呼ぶのであれば、そのとき「日常」や「現実」は国家権力に与えられているまやかし（「幻想」）ではあるまいか。

五百円札や千円札の図柄や大きさは、その手ざわりや使い方までふくめて、いつしれずわれわれの日常的な感覚や意識のありようそのものの運動にぴたりと密着してしまっており、〔……〕こうした経過の中で、われわれの知覚が、まさに〈国民〉化

＊
本書「石子順造小辞典」「はばとあつみ」参照。

すなわち日本人化されていくことに重大な問題がある〔……〕(1)。

たとえば赤瀬川がテレビ出演中に《模型千円札》を燃やしてみせたのは、燃やせるのに燃やせない（燃やすことがはばかられる）紙幣という制度を批判的に告発したのであり、彼の作品は「現実の幻想性、欲望の不条理性にかかわっていこうとする、存在回復のための表現」(2)にほかならない――石子はそう捉えたのであった。

それゆえに、赤瀬川の作品が芸術行為であり、表現の自由に属する問題だから犯罪でないとする弁護側の主張に石子は納得できなかった。石子の評価は、犯罪的であること、法に抵触するところに要点をおいている以上、「検察側の起訴と全く同じ理由」によっていたからである。

むろん石子は有罪を望んでいたわけでもない。彼は、弁護するのであれば「芸術である、だから犯罪でない」ではなく、「芸術である、だけど犯罪でない」もしくは「法律違反ではない、だから犯罪ではない」と主張すべきであると述べた。法の下に「芸術である」ことを認めさせ「無罪」に結びつけることは、権力の制度を露呈させたはずの赤瀬川の作品をまたも制度の中に収めてしまうことにほかならない。合法であることと芸術として認められることは無関係であるにもかかわらず、弁護側の主張はそれらを混同してしまうのではないか。法は、法の根拠を問うたこの作品を本来裁けないのだから「無罪」でなく裁判自体の不当性を、もしくは「不起訴」こそを勝ち取るべきだ、としたの

（1）石子順造「明日のイラストレーター」石子順造編著『マンガ家・イラストレーターになるには』ぺりかん社、一九七二年、二三九―二四〇頁。

（2）石子順造「権力もまた幻想の構造体　工藤晋「〝あいまいな海〟今何処」に答える」『日本読書新聞』一九六六年一〇月三一日。

である。

結局裁判は、弁護側（「芸術である、だから犯罪でない」）と検察側（「芸術であっても犯罪である」）の主張が平行線を辿ったまま、有罪判決が下されることになる。仮に石子の主張が反映されたとして成功したかどうかはわからない（法に法を問わせるという石子の言い分はたぶん通用しなかったろう）が、石子は「この裁判それ自体を、自分の思想形成の一端として、自分の中にとりかえそうとする態度」[(3)]で自らの言説を紡いでいく。本物でも偽物でもない「模型」という概念を赤瀬川の作品から取り入れてキッチュ論と接続させたり（市場の流通に紛れ込むことができることを想定した偽造紙幣が、紙幣の構造を模したいわば本質的なコピーであるとするなら、赤瀬川の「模型」紙幣は機能を持たない＝構造なき表面のみのコピーであり、それはキッチュそのものといえる）、あるいは弁護側への批判を敷衍させ、制度（パターン）の中に収まり日常から離れていくかに見える「美術の近代」*を打開する手がかりと考えたりもした。

ぼくがここでこの裁判にふれたのは、崇高な精神性と高貴な価値づけによって額縁の中におさまり、一般大衆の日常性からほとんど隔離されてしまった近代芸術の、その没日常性を言いたかったからである。ぼくらの生活的知覚からすっかり遊離してしまった〈芸術〉は、まさにそのゆえに精神や価値の具体性を自己放棄してしまったのではないか。いやぼくらがぼくらの日常性との断絶の上に、絵を〈芸術〉づけ

（3）石子順造「芸術と犯罪——「千円札模型」上訴のために——」『三田文学』五四巻九号、一九六七年九月、一六頁。

＊本書「石子順造小辞典」「表現における近代」参照。

てきたのではなかったか。(4)

一九六七年の時点で「脳皮に火傷したみたいに、この裁判のことがはりついて(5)」いると述べていた石子だが、晩年に至っても千円札の話題が絶えることはなかった。火傷は最後まで癒えることはなかったようである。

(4) 石子順造「ふたたびマンガと絵画と芸術と」『マンガ芸術論―現代日本人のセンスとユーモアの功罪』富士書院、一九六七年、二四二頁。

(5) 「芸術と犯罪―「千円札模型」上訴のために―」前掲(3)、一五頁。

「トリックス・アンド・ヴィジョン展――盗まれた眼」
――一九六八年の交点と亀裂

一九六八年四月、主催の東京画廊と村松画廊の二会場を使った出品作家総勢一九名によるこの大規模な企画（図1、2）に、石子順造は中原佑介とともに作家選考者として関わった。

五〇点をゆうに超える出品作において、アメリカから流入した色彩彫刻やプレキシグラスなどの新素材の使用といったこの時期ならではの表面上の要素に加えて際立つのは、遠近法の立体（実体）化などによる絵画手法の強調、鏡の使用、名画のパロディなどに見られる方法上の共通性である。「トリックス・アンド・ヴィジョン」（T&V）――石子に従えば「幻覚と幻視」と邦訳されるこのタイトルがほのめかすように、いずれの作品も、主に錯視効果を利用して視覚（特に絵画において慣例となった視覚）を挑発的に意識させる傾向を共有していた。

現代美術専門ギャラリーの草分けであった東京画廊の企画は、オーナーの山本孝の発案を評論家の言説でバックアップする体制を基本としていたが、T&Vの内容には石子

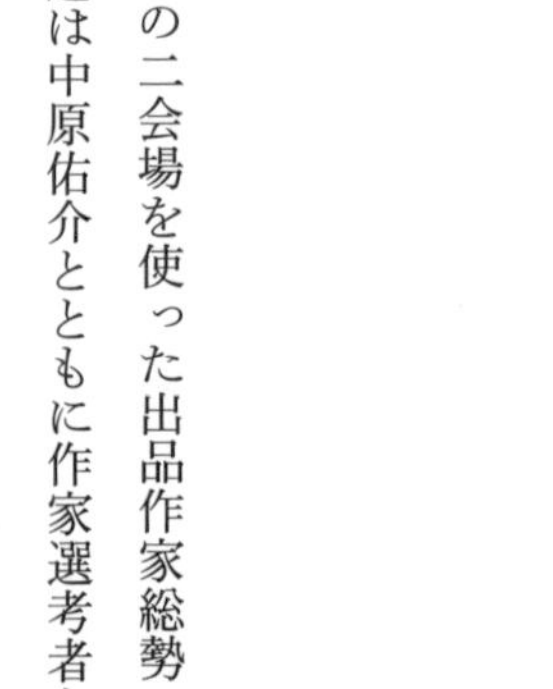

（図1）東京画廊での展示風景

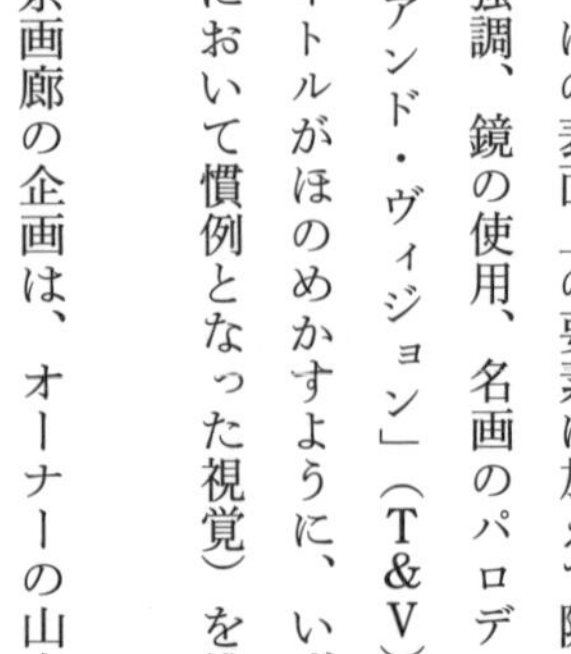

（図2）村松画廊での展示風景

の考えが大きく反映されていたとみられる。副題の「盗まれた眼*」は石子の言葉であるし、出品作家のうち七名は石子が結成に関与したグループ「幻触」と「GUN」のメンバーであり、また出品作のいくつかは石子がかねてから名を挙げて詳述していた作品であった(1)。

ではこのときの石子の考えとはいかなるものだったか。石子は展覧会パンフレットの序文で、〈と〉という接続詞*にひたすらこだわりながら、次のように述べる。

> 絵画を、物にかかわる視線のあるパターンであったとして、そのパターンであることの覚醒からしか、美術の現代は始まるまい。いや、そこから出発することで、現代が始まろうとする(2)。

石子の関心の焦点は、端的にいえば「見ること」にあった。絵画を見るという体験が、一定の絵具の塗り重ねに風景や静物などを認識するという約束事(「視線のあるパターン」)であるなら、それを疑ってみなければ「現代美術」は実現されない、約束事を通して知らぬうちに意味と価値を生み出している「見ること」こそを考えねばならない、という主張である。これを踏まえて石子はT&Vにおいて、その約束事の中にありながらも、それでいて同時に、見ているものが絵具などの物質にすぎないことを意識(「覚醒」)させるようなメタ作品――「視覚としての立体・理念とか、理念であるオブジェともい

* 本書「石子順造小辞典」「眼を盗まれる」および「〈と〉」参照。

(1) T&Vについて詳しくは拙稿「「トリックス・アンド・ヴィジョン展――盗まれた眼」について―最近の調査から」『府中市美術館研究紀要第一五号』(二〇一一年)、「「トリックス・アンド・ヴィジョン展」研究追補および石子順造関連文献目録補遺」(『府中市美術館研究紀要第一七号』二〇一三年)を参照されたい。

(2) 石子順造「絵画論としての絵画」『トリックス・アンド・ヴィジョン 盗まれた眼』リーフレット、東京画廊・村松画廊、一九六八年四月。

たのである。

えるもの」(3)——として、錯視効果をあえて用いた一群の作品に新たな時代の到来を期し

この企画の約二年前、六六年頃から石子の文章には「幻想」、「虚と実」、「見ること」といった言葉が登場し始める。その直接の契機として挙げられるのはすでに述べた千円札裁判と、いわゆる「影論争」*への参加であろう。影だけを描くことで「不在を現す」という謎掛けめいたテーマを投げかけた高松次郎の「影」シリーズ(一九六四年—)をもとに中原や宮川淳らが交わしたこの論争に関わった石子は、「見えない」ものを「見る」こととはいかなることか、もしくは「見ている」ものを「見ない」こととはいかなることであるのか、といった問いを反芻していた。(4)これがT&Vに活かされたわけである。

ただし、この石子の関心は、そもそも石子に限らずこの時代の美術界全体に、さらには社会に広く共有されていたものであったことを見落としてはならないだろう。高度成長も頂点に達しつつあったこの頃、急速な近代化から生じた社会の軋みは、公害の糾弾、ベトナム反戦運動や大学紛争といった形でさまざまに表面化していた。テレビの普及に伴って世間にあふれた、実体としてつかみ所のない(幻のような)「情報」もまた、良くも悪くも現実を揺さぶる材料として注目を集めていた。そこで浮上したのが「幻影」「虚像」といったキーワードである。(5)そのうえで、制度としての社会に対して違和感が抱かれ異議申し立てがなされるのと同様に、約束事としての絵画が問われ、あるいは小劇場で不条理劇が、あるいはアングラ映画が、またあるいはサイケデリックムーブメントが

(3) 前掲(2)「絵画論としての絵画」。

* 本書「石子順造辞典」「千円札裁判」参照。

(4) 石子順造「知覚と統覚と幻覚と——影か柳(まこと)か佑介さんか——」『眼』No.12、一九六六年五月一五日号。

(5) たとえば当時話題になった本にダニエル・J・ブーアスティン 星野郁美・後藤和彦訳『幻影(イメジ)の時代』創元新社、一九六四年、(原題は *THE IMAGE*)がある。

起こっていたのである。T&Vを当時の時代状況抜きに考えることはできないし、そうであるからこそ、芸術と風俗、あるいは政治がきわどく交差したこの時代を凝縮したようなT&Vの意義があるはずである。

とはいうものの、メタ芸術を看板に掲げて理知的な問題提起を試みたT&Vは、少なくとも表面的には上述したような意義を強く押し出していたとまではいいがたく、その規模に反して当時はほとんど無視された。「もの派―再考」展（国立国際美術館、二〇〇五年）において、もの派の起点のひとつとしてT&Vが紹介されて注目が集まった背景には、同時代的な無視に対する反動もあったろう。一方でT&Vを後の美術動向へとなだらかに接続させようとする動きがあり、他方でT&Vは「トリックアート」という謎の用語を介して美術の娯楽化に大いに重宝されている側面がある。対して「石子順造的世界」展においてT&Vを一部再現したのは、この後しばらくしてから社会事象や風俗へ徐々に視点を潜り込ませていくことになる石子の思想の変遷の一断面を示すとともに、それと相反するかのように美術が自律性を深め純粋になろうとしていく直前の境目にあった、社会と美術とが最も接近したひとつの具体例を見返そうとするためであった。

(Ⅳ)
悪

口上　歌が生まれるとき（祈祷師たちのマテリアリズム）

江戸の片隅の、暗い暗い吹き溜まり。その暗さを掻き集めて濃密に沈殿させたかのような粗末な棟割長屋の中で、ボロをまとった数人の男女が這いずるように暮らしている。泥棒、遊び人、桶屋、夜鷹、飴売り、アル中、鋳掛屋、病人、など。殺風景という形容さえはばかられる穢れに満ちた空間に飛び交うのは愚痴や罵り、からかい、恨み節、すすり泣きばかり——ゴーリキーの戯曲を翻案した黒澤明「どん底」（一九五七年）に、じつに象徴的なシーンがある。

ある夜更け、今際《いまわ》の際にいる老婆がのべつ続けている弱々しい咳き込みを尻目に、奥に集まってカルタ賭博に興じる男ども。「コンチキショウ！」。遊び人の喜三郎（三井弘次）が一枚のカルタを床に叩きつけたのを合図に、唐突に、威勢よく、男たちの口囃子が始まる。喜三郎の細く突っ張ったよく響く声は、手札の出し合いに同調しながら四分の四拍子を刻み出し、即興的なお囃子は次第に鬼気迫る様子で熱を帯びていく。

コーンコーンコンチキショウ。
トントンチキメ、トンチキメ。コンコンチキショウ、コンチキショウ。
アー地獄の沙汰もォ金しだいッ。チョンチョンチキチョン、チョンチキチョン。

仏の慈悲もォ金しだいッ。こっちはオケラだスッテンテン。
テンツクツク、テンツクツク……
小判の雨でも降れば良いッ。チャンチキチキ、ドンツクドン。
ヒャラリィリィトロヒャラリィ、ヒャイトロヒャイトロヒャラリィリィ……

じっさいにこのように賑やかなカルタがあるのかどうか。おそらくは演出と思しいが、この強烈にやるせない祝祭の沸騰は、映画「どん底」のライトモチーフとなっており、ラストシーンの捨て鉢の舞い踊りに至るまで幾度も形を変えて現れる。
いずれにせよ、歌というものはきっと、このようにして生まれるのだ。ため息とも呻きとも知れぬ言葉ならぬ言葉が、リズムとメロディを得て意味論的意味を超え、にわかに音声的意味として流れ出す。ふだんの生活からは締め出された、人為で制御しがたい言語の及ばぬ自然状態が、ふとしたスイッチで生活に侵入するときに萌芽するものこそ、文化である。「どん底」において登場人物は皆、もとより生活の境界に立つ落伍者だ。屋内外の区別すら危うい、両義的な社会の周縁そのものであるこの長屋は、すでに文化装置たる劇場空間に他ならず、そこで人間たちは易々と境界を超えてアクロバットを披露し、どなり、叫び、笑い転げ、反社会的な立ち回りの挙句ついにはあの世へすら足を踏み入れて行く。それら蠢きやアクロバットの数々はどれも、いわゆる呪文なのだ。内側から秩序が崩壊し、その破れ目を通して外から異物が召喚される。そうしてそのとき、歌が、悲喜劇が、芸術が、生まれ落ちる。

芸術家たちは、制御しがたい偶有的な異物を手なづけ、あるいは異物と格闘するシャーマンである。その手なづけや格闘は、決してリニアな原因と結果のプロセスに還元されることがない。制作と完成との境い目に生起する力学、その内的な原理、もしくは呪文の秘密は、制作を同じようになぞっても、たとえ完成の現場に居合わせたとしてさえ、感得され得ない。

アブラカダブラでも、チチンプイプイでも、テクマクマヤコンでもよい。およそ呪文のたぐいが音とリズムでできており、嬰児の発する喃語《なんご》に似ているのには理由がある。それは必ず、混沌と秩序との、意味と音声との、呻きと歌との双方に属していなければならないのだ。あらゆる呪文は、外界ないし異界の制御しがたい異物が侵入してくる周縁に身を開いて、固まりきらないアマルガムを練り上げる半言語である。

「岡本」と「タロー」は手をつなぐか

いまや岡本太郎はエジソンやナイチンゲールと並んで伝記に取り上げられるまでの「偉人」となった(1)。このままではいずれ彼の顔が印刷された紙幣が発行されたっておかしくない、とは言いすぎか。しかしそんな夢想さえ誘うほど、美術家として稀有の知名度を誇る岡本である。だからこそ、その活動のひとつひとつは幾度も再検討されるべきだろう。未だ不明点も多い彼の膨大な仕事の全貌解明もさることながら、それこそ伝記のタネとなる逸話の類いは特に考え直されていい。逸話はいつしかきれいに濾過されて、いいとこどりの伝説になってしまうものである。

その一例として、岡本が残した逸話の中でもとりわけ名高い「縄文の〝発見〟」について考えるところから始めてみよう。博物館で出会った縄文土器に受けた衝撃を雑誌に発表、たちまちその影響が美術界に伝播した、とされるこの〝発見〟とは一体何であったか。いやそもそもなぜこれほどに評価されることになったのか。話題となる頻度の高さに反して、その前史や波及の内実を含めたこの論の意義は意外なほどふれられることが少ない。前後関係から切り離された出来事が歴史に刻まれること、つまりこれが「伝説

(1) プロジェクト新・偉人伝『この人を見よ！　歴史をつくった人びと伝(5)　岡本太郎』ポプラ社、二〇〇九年。

化」にほかならないわけだが、ここではそれにいくらか抗ってみることにしたい。(2)

おそらく最も知れ渡った解釈は、かつて考古学のみが対象としていた縄文時代の遺物を岡本が芸術とみなしてその美を認めた、というものだろう。だがこれではいくらか誤解がある。芸術家が美的関心から縄文の遺物に着目した先例はいくつも見つかるし、それだけで逸話となるには至らなかったろう。では何がポイントだったのか。一言でいうならそれは、「縄文」の概念化、であった。そもそもこの文章(3)は土器を賛美する作品論である以上に前衛の態度表明としての伝統論として書かれており、その骨子は「弥生」と「縄文」との対置である。前者の特徴を近代まで続く悪しき情緒主義と喝破し、後者こそが現代であるとの主張が彼の意図だった。そこで焦点を土器に絞り込んだところが岡本の慧眼である。それまで遺物が美術に引き寄せられた例では像《イメージ》として――つまりは人や動物の形をしていて――美術に類比しやすい土偶が選ばれるのが常であったのを、岡本は土器から論を始めることによって現代彫刻に匹敵する「空間性」という観点のもとに土器も土偶も一括した。そうして「縄文」(と「弥生」)は考古学の用語から独立した概念として抽出され、これによって「縄文土器論」は初めて一般性と影響力を持ち得たのである。

じっさいこの論の前後の変化は目覚ましい。にわかに土器が注目され始めるとともに、遺物を形容する言葉もそれまでの「原始的」「素朴」「簡潔」などに代わって「怪異」「躍動する空間性」といった表現が使われ始める。そして「縄文的」/「弥生的」という分

(2) 以下の考察は『府中市美術館研究紀要第一三号』(二〇〇九年)所収の拙論「「縄文」はどのように美術と関わってきたか――岡本太郎「縄文土器論」前史とその波及について」に詳述した。

(3) 岡本太郎「四次元との対話――縄文土器論」『みづゑ』一九五二年二月号。

類が土器や土偶そのものから離れて、建築などの他分野でも広く活用されるようになる。果たして岡本の視点は、新たなものの見え方をも作り出したのである。

ただし、岡本の画期性をあらためて賞賛して終わるわけにもいかない。たとえば、岡本流のあの熱っぽい文章とともに、ときにはそれ以上に評価されるあの迫力ある土器の写真。雑誌掲載時には写真家が撮影したものを使用し、大幅に論を書き換えて著作『日本の伝統』に収録するにあたって岡本自身が再撮影した経緯は知られていたが、その写真家についてはなぜか見過ごされてきた。その名は、藤本四八《しはち》という(4)。真黒の背景、正面性を避けた動的な構図、側面からの強いライティングによる劇的な表情の強調。過去の造形に対する新鮮な視線を見事に視覚化したこの手法は岡本の指示によるものとされていたが、じつはこれは、すでに藤本が実践していたテクニックであった(図1)。どちらが撮影を主導したかは不明にせよ、岡本の縄文写真を論じる際には藤本の名が取り上げられてしかるべきだろう。

いや、これはまだ小さな問題であるかもしれない。というのも、「縄文の〝発見〟」の評価には、さらに大きな問題が横たわっているからだ。すなわち、「発見」という言葉の裏に妙な価値付けが隠されていないかどうか、である。

岡本の論を、博物「資料」から美術「作品」への「格上げ」と受け止めれば落とし穴にはまってしまう。土器に美を感じるとして、考古学の観点はどこかへ追いやられてしまうのだろうか。岡本を評価するとき、無視とまでいわないが、ともすれば博物学の成

(4) 初出の『みづゑ』には撮影者表記がないが、同じ写真が掲載された『美術手帖』(一九五五年一二月号)に記されている。藤本については次の論考も参照されたい。増田玲「鑑賞の位相——土門拳と藤本四八の仏像写真をめぐって」『現代の眼』五八〇号(二〇一〇年二月)。ちなみに藤本は岡本と同い年で、二〇一一年に生誕百年を迎えた。

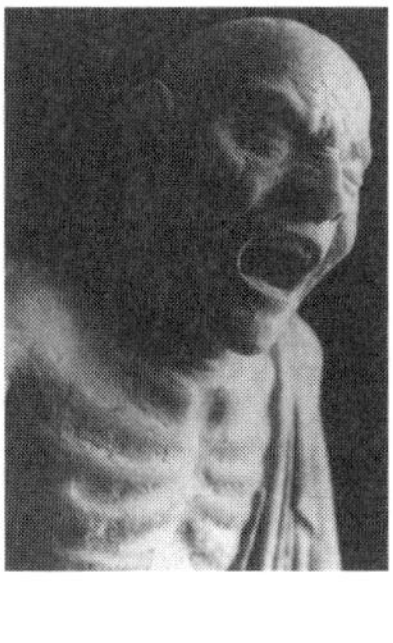

(図1) 藤本四八《法隆寺塔塑像の中羅漢》一九五〇年

果を低く見積もり、利用するための踏み台として扱ってきてはいなかったろうか。土器土偶を境目にして、美術（館）と博物（館）は未だ互いに距離感をつかみあぐねているといっていい。この意味で「縄文土器論」は、「資料」と「作品」との間の底深い溝にふれている。

このような状況は何も「縄文」に限ったことではない。美術の価値判断で測ることが別の大きなものを切り捨ててしまいかねないという悩みは、岡本太郎をめぐって常に頭をもたげてくるのだ。たとえば、テレビに登場して人気を博した岡本、いや「タロー」をどう評価するか。ここで書いてきたような「岡本」と国民的愛称としての「タロー」とは、いつも馴染むことなくすれちがってきた。彼が被ってきた極端な毀誉褒貶は、要するにこの二面性に基づいている。大衆的人気を得れば目を背け、忘れられた頃に持ち上げる、というふうに。

「太郎ほど虚名の高いわりに正当な評価をうけることの少なかった画家も珍しい」とはすでに一九六四年の雑誌記事に見つかる一文である。[5] 二〇〇〇年前後から最近まで、「岡本太郎ブーム」ともいえる賑わいの中でこの文句はよく聞かれたが、生誕一一〇周年を迎えた今、もはや繰り言はやめにしたい。ここにいう「正当な評価」を求めれば、きっと岡本太郎像は画一化し、ますます「伝説」へと近づくばかりだ。あるいは、この「虚名」もまた「正当な評価」と考えることはできないのだろうか。岡本自身は次のようにいう。「芸術は商品であることを拒絶する気配によって生きる」と。[6] けれども、紛れもな

（5）無記名「岡本太郎の個展」『芸術新潮』一九六四年二月号、二二頁。

（6）岡本太郎「祭りの王様」『朝日新聞』一九七一年七月一七日夕刊。

く彼は商品《タロー》となることによって稀有の大衆性を獲得した（渋谷駅への《明日の神話》招致運動で掲げられたキャッチコピーが「ハチ公から太郎へ」であったのは象徴的だった（図2）。ハチ公と並ぶのが作品名ではなく人名であるところがミソである）。それがすぐさま悪いこととはいえないだろうし、まして芸術を否定することにはなるまい。ハチ公と《明日の神話》でも、太陽の塔フィギュアと《太陽の塔》でもよい、それらをまるごと抱えて「岡本」でも「タロー」でもない「岡本太郎」を考える視点はどこかにないものか。それはおそらく岡本のみに留まらず、より広く大衆と芸術を考察する有効な手立てとなるにちがいない。

「八面六臂」「多面体」と称されてきた岡本ではあるが、彼の顔は大きく分けてふたつある。だからこそ扱いにくく、だからこそおもしろい。二〇一一年、東京国立近代美術館で開催された展覧会「生誕一〇〇年 岡本太郎」の先行チラシには、「芸術？ そんなものはケトバシてやれ！」とうそぶいた岡本の言葉が使われているが、芸術の殿堂に他ならない場所とこの言葉とのちぐはぐさを、矛盾や欺瞞と捉えてはつまらない。これは岡本太郎でなければありえない事態であり、そこに意義があるはずだ。岡本とタローは手をつなぐか、それこそが当面の問題である。

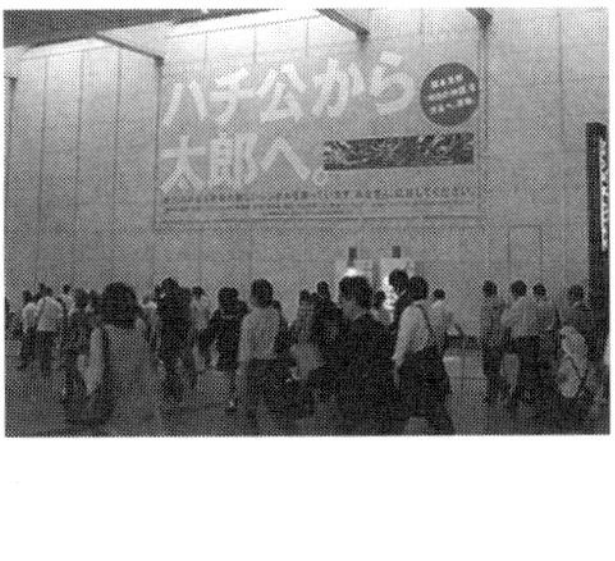

（図2）《明日の神話》招致ポスター
渋谷駅、二〇〇八年

俗悪の栄え——漫画と美術の微妙な関係

1　漫画とマンガ

日本の一九五〇年代は、そのちょうど折り返し地点、というより昭和二〇年代から三〇年代に入る頃を境にして、ゆるやかに変質し始める。後藤誉之助による予言的な宣言「もはや戦後ではない」が発せられたのが一九五六年。敗戦からおよそ一〇年が経過し、占領下の混乱と回復が繁栄へとシフトする。一九七〇年代まで続くいわゆる高度成長の下で起こっていたのは、世代交代であった。アプレゲール、戦後派の登場である。

漫画分野の一九五〇年代もまた、黄金期と呼ばれる一九六〇年代を前にして、中盤から後半にかけて戦前世代が徐々に発展の力を失い、代わって現代にまで連なる新たな動向が現れる。後述するように、それはいうなれば戦前型の漫画から戦後型のマンガへの切り替わりであった。新聞、ラジオ、映画、雑誌、テレビといったマスコミュニケーションメディアが充実と確立を進めていく中で、大衆的であるがゆえに社会の変動をもろに受けやすい漫画は、一九五〇年代にジャンルとしての根本的な変化を経験する。この時期、漫画と美術は互いに微妙なかかわりを持ちつつ展開するのだが、それぞれの動静を重ね合わせると何が見えてくるのだろうか。それがこの論の出発点である。

まずは「大人向け漫画」と「子ども向け漫画」というふたつの領域を設定しておこう。明治末の北沢楽天、大正期の岡本一平の活躍を礎とした漫画の定着を経て、田河水泡の「のらくろ」が大ヒットする昭和初期以来、ジャーナリズムを母体に一コマから数ページで政治・社会風刺や風俗状況を描く大人向け漫画と、少年・少女雑誌を母体に個性的なキャラクターを軸とした物語を描く子ども向け漫画。それぞれは掲載媒体および読者層に応じて棲み分けていた。あくまで主流とされたのは大人向け漫画であって、洒脱な線によるカリカチュアのうまさを競う漫画は、描き手の意識としても絵画に近かった（そもそも、風刺漫画家であり画家でもあったチャールズ・ワーグマンが来朝した幕末から大正あたりまで、漫画と絵画を厳密に分けることは難しい）。ともあれ、大人向け・子ども向け双方の共存状況に関していえば戦中もさして変わりはなかったが、戦後になって変化が訪れる。この変化をここでは、「良識」対「俗悪」の構図として抽出してみることにしたい。

変化の火種となったのは、いわゆる「俗悪」誌、すなわち大人向けのカストリ雑誌と子ども向けの赤本の活況であった。これらの印刷物は、読者が大人であるか子どもであるかというちがい以外はきわめて似通った特徴を持っていた。ともに敗戦の翌年から一九四九年頃までをピークとして盛んになり、ヤミに乗じて――つまり正規の出版ルートを介さずゲリラ的に——乱発され、まだ配給制であった紙の統制を逃れた粗悪な仙花紙を用い、読者の欲望を刺激する……カストリ雑誌と赤本によって、にわかに戦後の漫画界には「良識」と「俗悪」の対立構図が持ち込まれることとなる。このうち、とりわけ赤本を発端とする子ども向け漫画に起こった潮流は、次第に大きなうねりを生み出していくこととなる。

　赤本は大阪の玩具問屋街周辺で発行されたいわばオモチャ本で、書店を通すことなく駄菓子屋、夜店、縁日などで売られた（図1）。戦後第一の漫画ブームをもたらすこの安価・小型印刷物の売れ筋の中心は、科学探偵ものや冒険活劇であった。スリル、アクション、サスペンス、そして散りばめられた科学（ＳＦ）知識は、みるみる子どもたちを惹きつけていく。これが大人の目には「俗悪」と映った。とにかく目立つために鮮やかな赤色を多用したけばけばしい表紙は低俗に見えたし、刺激的な内容の傾向は道徳から外れるように思われた。戦争の記憶もまだ生々しい大人たちにとって、フィクションとはいえ戦闘の応酬を描き、様々な武器を登場させるその内容はアレルギー反応を引き起こすものでもあったろう。

　特に東京で活躍していた漫画家たちは心穏やかでなかった。この頃東京では、近藤日出造や杉浦幸雄、横山隆一、清水崑など、「漫画集団」（「新漫画派集団」として一九三二年に結成、戦後に改名）のメンバーを中心とするベテランが引き続き主導的立場にあり、彼らの多くが政治漫画から子ども向け漫画までを幅広く手がけていた。関西とちがって

（図1）

赤本の例。大坂一郎『ライオン少年』（地球書店、発行年不明）、都おおじ『摩天楼の離れ技』（榎本書店、発行年不明）

専門の描き手がほとんど育っていなかった東京の子ども漫画は、教育的・良識的でほのぼのとしたユーモラスなものが基本であった。「日本の子供たちよ、「漫画少年」を読んで清く明るく正しく伸びよ！」と謳った『漫画少年』創刊号（一九四七年一二月）の文句は名高い。その前年一九四六年創刊の、漫画集団の主要メンバーを連載陣としていた『週刊子供マンガ新聞』の一九四九年に見られる次のような一文は、児童善導主義が赤本の動向を受けて排他的に傾斜していく様をストレートに伝えている。

発行の目的はみなさんの大好きな良いマンガを通じて、健全な娯楽とゆたかな知識を盛り込もうとつとめるものです。本紙に筆をとって下さるマンガ家は、漫画集団の第一流の先生方で、今問題になっている「俗悪、有害なマンガ排斥」につとめておられる方たちで〔……〕。(1)

赤本から頭角を現した漫画家の代表格こそ、手塚治虫にほかならない。大阪の赤本と東京の子ども漫画＝「俗悪」対「良識」の図式を如実に示す手塚のエピソードがある。まだ駆け出しの頃、東京の児童漫画の大家であった島田啓三、新関健之助に自作を見せた手塚は、「こりゃ漫画の邪道だよ。こんな漫画が流行ったら一大事だ」「こりゃひどい。これで君がデッサンをやっていないことがはっきり分かった」と手厳しく非難されたという。(2)「デッサンをやっていない」という誹《そし》りはまさしく、「良識」派の漫画家が正統な絵

(1) 『週刊子供マンガ新聞』一九四九年一〇月二日号。

(2) 手塚治虫『ぼくはマンガ家』毎日新聞社、一九六九年、一〇四頁。

画の流れを汲んでいると自認していたことを象徴的に示すだろう。そして、デッサンがどうのという以前に、それは異質な存在を察知した縄張り意識の現れであったにちがいない。一九五〇年代中頃にさしかかって手塚が長者番付を飾ることでその進撃が数字として目に見えてくると、(3)それはもはや脅威でしかなかった。赤本、およびその後を継ぐ貸本のアクション傾向に対する「良識」的な大人たちの反感は、PTAを中心とした「悪書追放」を掲げる運動に合流し、ついには総理大臣が社会問題として国会で発言するまでに及ぶのだが、(4)いうまでもなく、結果として勝利を収めたのは「俗悪」の側であった。『週刊子供マンガ新聞』がベテランを擁しながら早くも一九五三年に廃刊に追いやられていたのは象徴的といえよう。もはや子どもたちは「良識」に醒めていた。端的にいって、大人から与えられる教育としての漫画は面白く思われなかったのである。

手塚が爆発的な人気を得るのは「鉄腕アトム」がテレビ放映される一九六〇年代をまつことになるが、着実に後進は育っていた。『漫画少年』をはじめとする雑誌の投書欄を舞台とした新人たちの登場（「清く明るく正しい」同誌が、手塚直系の石森章太郎をデビューさせた翌年の一九五五年に休刊するのもまた示唆的である）、雑誌の増加・大型化・ページ数の増大、読者としてのベビーブーム世代の成長など、あらゆる状況が手塚以降の流れを後押しした。そして何より、変革をもたらしたのは手塚の手法であった。よく知られるとおりディズニーアニメを研究した手塚が重視したのはストーリーであり、スピーディなコマ展開を実現するために、図像は徹底した形式化・記号化が図られ、線は

(3)
「知られざる二百万長者」『週刊朝日』一九五四年四月一一日号。手塚は関西長者番付の「画家部門」でトップとなる。ちなみにこのときの二位は和田三造、三位は小磯良平、四位は堂本印象の順で、二位に倍の差を付けるダントツの所得であった。

(4)
「〔……〕覚醒剤、不良出版物等のはんらんはまことに嘆かわしき事態でありますが、特にわが国の将来をになうべき青少年に対して悪影響を与えていることは、まことに憂慮すべきことであります。〔……〕早急にこれが絶滅のため適切有効な対策を講じ、もって明朗な社会の建設に邁進いたしたい〔……〕」鳩山一郎、衆議院本会議施政方針演説、一九五五年一月二二日。さらに一九五九年には内閣調査会が漫画家の傾向を調査し、機関紙『論調』一四号で「政治マ

単純化されていく。そこでは単独の絵で見せる技能、アカデミックな絵画としてのうまさは問題でなかった。「デッサン」を学ばずとも複製しやすい（真似たくなる）波及効果も含めて、それはマスプロダクションの時代に見合った量産性と増殖性を高めていった。すなわち手塚は、絵画のサブジャンルとしての「漫画」から明確に離脱し、「マンガ」を自立させるのである。「子ども向け漫画」とは異なる「子どもマンガ」の新領域がここから拓かれる。

一方で大人向け漫画もまた、変質を強いられていた。子ども向けの領域から撤退した戦前以来の流れを汲む漫画家たちは、大衆雑誌の増大を受けて安定してはいたものの、その訴求力は明らかに弱まっていた。敗戦直後、失業や食糧難といった社会的な混乱と政治不信が蔓延していた頃にはまだ挑発とアジテーションの力を保ち、進歩的とみなされた風刺漫画も、レッドパージの影響で萎縮し、朝鮮戦争特需に始まる好況を背景にした物質的な充足が浸透するとともに人々の関心から離れていく。娯楽志向が強まるこの好況下で一世を風靡したのが横山泰三（「プーサン」一九五〇―五三／六五―八九年、「社会戯評」一九五四―九二年）だが、当時の風刺漫画に圧倒的な影響を与えたアメリカのソール・スタインバーグの画風をいち早く取り入れたメカニックな線による、かつての政治家の似顔絵を主体とした重みのあるカリカチュアから脱したクールで白っぽい泰三漫画（図2）は、そのまま内容面の軽さも意味していた。長谷川町子の「サザエさん」（一九四六―七四年）をはじめとした逸脱のない生活漫画も含めて、やはり「良識」を抜け出せな

ンガ特集」として発表。これを『サンデー毎日』五月一四日号が報じ、「悪書」を名指しするような内容が話題となっている。

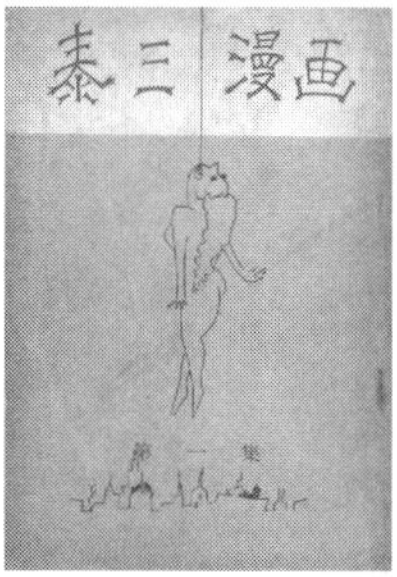

（図2）横山泰三『泰三漫画第一集』真珠社、一九五〇年　表紙

い漫画は、ジャーナリズム後追いの無難化、もしくは緩慢な衰退の一途を辿っていく。一九五〇年代半ばになって伊藤逸平『世界の漫画』(一九五四年)、須山計一『漫画の歴史』(一九五六年)、同じく伊藤逸平『日本の漫画家』(一九五六年)など、「漫画」の歴史化と海外の風刺漫画紹介が相次いでまとめられているのも、大人向け漫画終息の危機感を多分に反映していた動きとみることができるだろう。

これと軌を一つにして、「漫画」が芸術への帰属意識を高めていたことに留意しておきたい。一九五一年八月、二科会は漫画部を創設。この開設は翌年の商業美術部、さらに翌年の写真部と並んで、戦後の二科をリードした東郷青児による大衆化路線の賜物でもあったようだが、(5)芸術分野に立場を確保したい漫画側の要望から実現したものでもあったはずだ。漫画部が一九五八年の第八回展で解散してしまうのは推進者の筆頭であった漫画家・小野佐世男の死去が要因ともいわれる。(6)また一九五〇年代には画廊における漫画家の展示も多かった。とりわけ後半に入ると頻繁になり、たとえば滝谷節雄、水野良太郎、多田ヒロシの「グループ・ゼロ」など、師弟関係や雑誌投稿という手段に頼らず画廊での発表から活動をスタートさせる新人たちも現れる。(7)さらに真鍋博『食民地ニッポン』(一九五七年)、『久里洋二漫画集』(一九五八年)、『中島弘二漫画集』(一九五八年)など、若手の大人漫画家集団「独立漫画派」(一九四七年結成)メンバーを中心に、一コマものの漫画を集めた自費出版の「画集」刊行も盛んに行われた。二科展出品作や画廊発表作はイメージに関して資料に乏しいが、わずかに残された記録を見るかぎり、その

(5) 『二科七〇年史 一九四六—一九八四』社団法人二科会、一九八五年、二七—三三頁。

(6) 片寄みつぐ『戦後漫画思想史』未来社、一九八〇年、五〇頁。

(7) 「グループ・ゼロ漫画展」一九五八年九月二一—二五日、美松堂書房画廊。これはほんの一例にすぎない。展示タイトルの記録から内容が漫画展であったかどうかを推測することが難しいため、いつからこうした動向が始まったか定かでないが、少なくとも、一九五八年に始まる「手帖通信」欄に「漫画」の項目を設けている当時の『美術手帖』を見ると、この頃には毎月どこかの画廊で漫画展が開催されている。

ほとんどが油彩によるタブローであったようだ（図3）。紙媒体以外の例としては、一九五四年に伊達圭次と井上洋介がオフィスビル内に一枚絵の漫画として壁画を描いており、中には粘土による立体を漫画として発表している例さえある（図4）。こうなるともはや明治期のようにふたたび漫画の規定は曖昧化する、というより解体の危機感から「漫画」は今一度出自に立ち戻ろうとしていたともいえるが、ともかく大人漫画の新人たちは、内容よりもしきりに形式を模索する方向に走ったのである。「マンガ」が勝ち得た商業的な成功を忌み嫌うようにして、「漫画」は既存のマスコミに依存しない発表、表現手法を切り拓こうと試みる。それは必然的に、手塚の流れとはちょうど正反対に、絵画もしくは美術へと接近していくことを意味していた。

（図3）
若林カヅオ《総理諸君》一九五一年、第一回二科漫画賞グランプリ（ほろにが賞）

2 「黒い漫画」と「実験」

子ども向け漫画の新世代の台頭によって問題視された「俗悪」と、それに対して大人向け漫画が強調した「良識」との確執。手塚治虫の登場をきっかけとする「マンガ」と「漫画」の分離。雑誌文化の勃興と大量の読者獲得による「マンガ」の自立と商業化。対する前世代の「漫画」の停滞、解体と模索。そのような動向の渦中に美術分野から投げ込まれたのが、瀧口修造の「黒い漫画」発言であった。

（図4）
横山泰三「私のページ17 ねんど有用——徳川夢声の顔」『週刊朝日』一九五二年五月四日号

明治から大正にかけては「スタイルが不定だった半面に、絵画との交流が」あり風刺も活気があった漫画が、戦後になってオートメーション化・漫画家の専門化とともに「大衆需要の気晴らしに乗っている」こと――つまりは「漫画」の停滞と「マンガ」の隆盛状況――を概括したうえで、瀧口は次のように述べる。

しかし今日の絵画全体に視野をひろげると、風刺の要素がいたるところにあるのにおどろくだろう。〔……〕近代の絵画は人間というものを一応切り離して、自然の追求を最後までつきつめた〔……〕が、もしそこに社会や人間の主題が登場してくれば一転して風刺となる可能性がある。〔……〕人間性の尊厳というものが、うららかな日にも、たえず不条理やノンセンスと抱き合わせになっている。こんな時代の人間の空間を画家は敏感に反映せずにはいないだろう。

人間をこうしたぎりぎりの存在にまで追いつめたところでの回復が画家の問題になる。最近の日本の若い画家たちのあいだに見られる一種の風刺的な傾向はこの間の状況を示すもので〔……〕現代日本の「黒い漫画」とよぶことができるかもしれない。そしてジャーナリズムの「白い漫画」と対照して、絵画の大きな運命を考えることは無意味ではないだろう。(8)

(8) 瀧口修造「白い漫画、黒い漫画――現代絵画と風刺性――」本書二二七頁註(16)参照。

ブルトンの提唱した「黒いユーモア」(9)を翻案したと思しきこの「黒い漫画」は、小さい記事ながら当時の美術界・漫画界双方でしばしば話題にされている。瀧口が書くとおり、一九五〇年代に一動向を形成したいわゆるルポルタージュ絵画ほか、若手画家による社会問題を扱うドキュメンタリズムの傾向は、あたかも大人漫画が一九五〇年頃を境に失っていった風刺の機能を引き継ぐかに見えた。人類規模の切迫した体験を経た戦後という背景もあってか、一九五〇年代の美術を概観すると歪んだ人物像やモンスターをカリカチュア的に描いたものがじつに多い。

そのようなテーマに加え、表現手法も漫画との類似を思わせるものだった。件の連載「白い漫画、黒い漫画」に図版で紹介された作者のうち、版画家の浜田知明、緻密なペン画を描いた池田龍雄、そして河原温や藤松博など、色彩を最低限に抑えて線を際立たせたその描法こそが、瀧口に「漫画」の語を連想させたにちがいない。要するにそれらは、必ずしも複製されずとも、見た目にはタブローよりも印刷メディアに近しかった。主題と描法は密着した関係にある。たとえば、漫画部門を付属的に付け足した二科会とちがい、発足当初から現在に至るまで漫画を受け入れ、共産党と縁の深い日本美術会（一九四六年創立）は、主催する日本アンデパンダン展の特陳でポスター、漫画、そして特に海外の風刺的な版画を顕彰している。「人民」「民衆」に訴える社会風刺をテーマとするとき、広く共有されうる印刷という手法が採択されるのである。池田龍雄の作品と先にも触れた中島弘二の漫画の一コマを比べてみれば、当時の美術と漫画の接近の度合

(9) André Breton, *L'Anthologie de l'humur noir*, Gallimard, 1940.

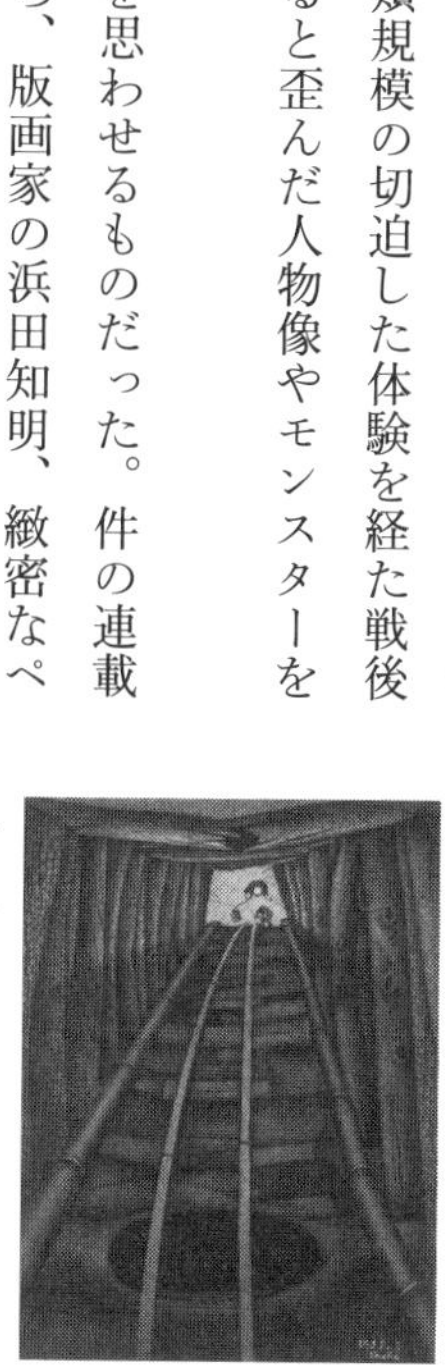
（図5）池田龍雄《坑口》一九五五年

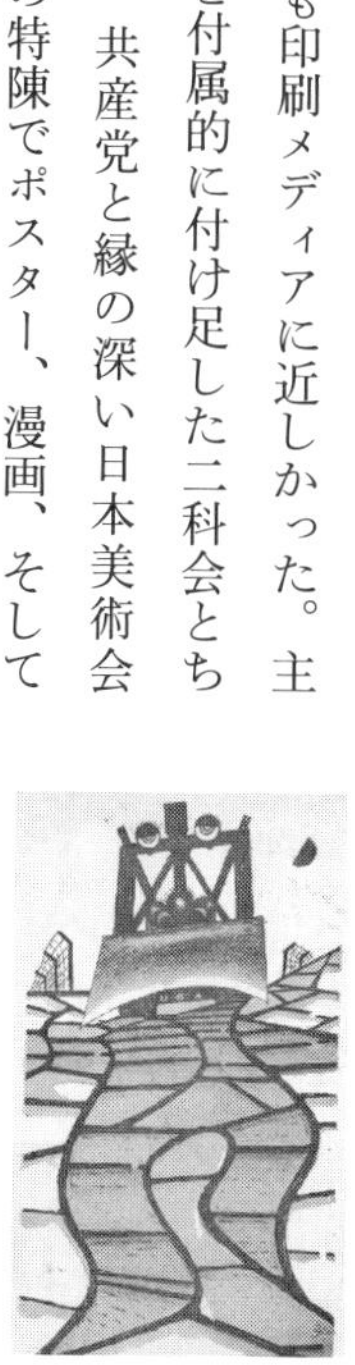
（図6）中島弘二《基地外人（きちがいびと）》

いは明白だろう（図5、6）。

一九五五年から翌年にかけて集中的に漫画と風刺の関係を述べている瀧口は、先に引用したように若手の絵画に風刺のテーマが顕在化しつつあることを主に論じ、ときには漫画を鼓舞した――「漫画よ、日本の漫画よ、せまい規格の窓をぶちこわして、広く深く汲みつくせないデッサンの世界に飛びだしてほしい」[10]。瀧口は芸術における社会風刺機能の重視を訴えるのと同時に、絵画と漫画の枠を超えた別種の表現を探ろうとしたものともとれる。むしろ、絵画に対してあえて「漫画」の語をあてて「大きな運命」の一考を促した背景には、そうした形式上の新機軸に対する期待がより大きかったのではなかったか。ジャンル未分化の状況ではなく、専門化が確立されているからこそ起こる交流の誘惑。瀧口好みの語でいえば「実験」の試行。瀧口が関与していた実験工房、グラフィック集団などの活動も考え合わせればなおさらである。

じっさい、瀧口の導きかはわからないが、この後一九五〇年代後半には美術家と漫画家の直接の交流がしばしば見られた。たとえば独立漫画派の機関誌『がんま』創刊号（一九五六年）には、棟方志功、中谷泰、前田常作、利根山光人、吉仲太造、藤松博、小山田二郎といった美術家たちが文章を寄せている。中でもこの独立漫画派の一員で横山泰三の門下から登場した久里洋二の動きは賑やかだった。先に触れたように自費出版の画集を刊行するとともに、画廊での個展を続けながら『がんま』『えへ』（一九五九年創刊）などの同人誌に関わり、一九五九年には小島功、杉浦幸雄、清水崑らと日劇のステ

(10) 瀧口修造「漫画の問題」『読売新聞』一九五五年八月二四日。このほか瀧口が漫画に言及しているものは「現代絵画の風刺性」『アトリエ』一九五六年二月号、「現代絵画と風刺性」『現代の眼』一九五六年一一月号など。すべて『コレクション瀧口修造10』（みすず書房、一九九一年）所収。

ージ・ショーで美術を担当。「久里洋二実験漫画工房」を立ち上げて刊行した大型冊子『COO』創刊号（一九五八年）（図7）には中原佑介が序文を、泉茂、河原温、池田龍雄らが漫画を寄せている。三号（一九五九年）は谷川俊太郎とのコラボレーション、四号（一九六〇年）はマッチ箱入りの極端に小さな豆本で、七号（一九六二年）は一柳慧のレコード付きとなっている。また一九六〇年には柳原良平、真鍋博と「アニメーション三人の会」を結成するなど、まさしく「実験者」と呼ぶにふさわしいあらゆる試行錯誤の連続である。同時期にはヨシダ・ヨシエと岡本信治郎による『ぶるる』（一九五八年）をはじめとする詩画集の刊行も盛況を迎えており、一九六〇年代の「インターメディア」環境の兆しが各所に散見されるのだが、特に漫画による美術などとの異ジャンル交流の試みが目立ったのは一九五〇年代後半の特徴といえる。

マスメディア上の大人漫画・子どもマンガのいずれにも属さなかったこの「実験漫画」が瞬間的に輝くのは、安保闘争が盛り上がる一九六〇年のことである。たとえば、安保デモのプラカードに描かれてひときわ目立っていたという「裸で話せば…」（図8）は傑作だろう。子ども向けマンガはともかくとして、新聞や大衆雑誌に安住したベテラン大人漫画は、これだけ明快で痛烈な風刺を決して描くことができなかった。政治に社会的関心が集まる中で政治を描く漫画が力を得るのはもっともであろうが、他にも石子順造を中心に、個人制作に依らない共作で構成された「評画」集『フェニックス』（一九六〇年創刊）など、安保闘争を機に匿名性を強調した漫画の試みが一瞬沸き立つことは興味

（図7）『COO』一号表紙

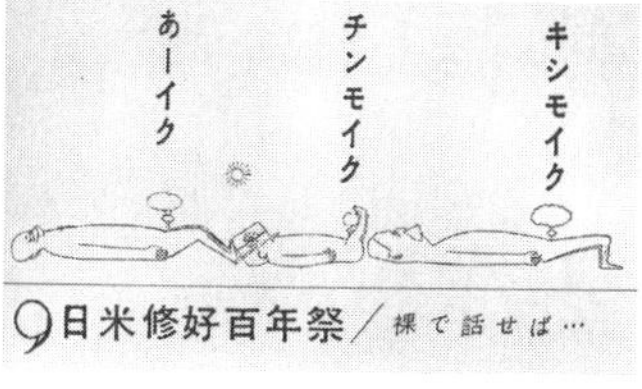

（図8）右から岸信介首相、昭和天皇、アイク（アイゼンハワー）。関根弘と真鍋博の共作とされる。

深くはある。[11]

こうして美術とマンガは急速に接近し、密に交流したのだが、「実験」の先に瀧口のいう「大きな運命」が描かれたとはいいがたい。あくまで自らのジャンルと内容を保ったままの形式の模索は折衷を抜け出すことができず、融合手前の実験段階に留まるものがほとんどであった。それは大人漫画の進展、すなわち敵視のゆえにストーリーや記号性といった子どもマンガの力の源から目を逸らし、反商業主義の名目の下で無難な固定化に陥っていった成り行きと、それほど大差はなかったといってよいのではなかろうか。漫画が「白く」ならざるを得なかった背景を、あるいは「良識」から「俗悪」に移ろう社会変動の機微を、「実験」はつかみとることができなかったのである。

では、それをつかんだのは果たしてマンガのみであったのか。他にいるとすれば、誰であったのか。

3　俗悪としてのアヴァンギャルド

「実験漫画」関連で特筆すべき動きを見せたのが河原温である。抽象と具象的な「テーマ絵画」という戦後画壇のふたつの潮流を整理したうえで河原は、形而上的な前者は現実や歴史から離れてしまい、説明的な後者は人の想像を拒んでしまうとして、両者の限

(11) 本論では扱いきれなかったが、匿名的大衆による歴史記述運動として一九五二年に民主主義科学者協会が提唱した「国民の科学」を、匿名的であらざるを得ない紙芝居というメディアから登場した白土三平の『忍者武芸帳』(一九五九―六二年)の思想に結びつけた鶴見俊輔の優れた分析も参照されたい。鶴見俊輔『漫画の戦後思想』文芸春秋、一九七三年。

(12) 河原温「抽象絵画とテーマ絵画の限界で」『アトリエ』一九五六年二月号、一〇〇頁。

界を指摘する。「抽象絵画とテーマ絵画の限界を強烈に打破っていこうとするところに本当の現代性というものがあるとさえいえると思います。そうした意味でわたしは今までの古い絵画形式を徹底的に破壊しながら、しかもより新らしいテーマと新らしい人間像の恢復をわたしの作品のなかで具現化しようとしているわけです」[12]。その具体化が、「印刷絵画」の試みであった。

「今日のようにマスコミの発達した時代にあって、映画やテレビに比べてそれ〔展覧会発表における受容者〕はあまりに少数であり、原始的な伝達の方法」であると断じた河原は、「複製になって始めて完成される作品――つまり無数に原画が存在するような作品」[13]を提案する。「印刷絵画」と名づけたその作品に彼が付した長文の解説は[14]、内容の説明ではなく印刷についての執拗な技術論であった。すなわち河原は、時代にふさわしい作品受容のあり方を考えた末に、作者の個人的意思よりも制作における科学作用を先立たせようとした。初期の河原が描くいわばＳＦ的な設定――重力を無視し、どこか別の空間へワープする途中のように部分的に消失し、あるいは彼方へ向かって飛び込んでいく人々（図9）――もまた、所与の身体という束縛からの解放に対する切望を思わせる。個我からの脱却を経て異空間へ向かうようなこうした河原の作品の特徴が、後にきわめてミニマルに洗練されていくことは周知のとおりだが、印刷という技術を煎じ詰めて理念的に増幅させていくことで、彼は漫画に接した経験を独り熟成させていくのである[15]。

このほか新たな形式を見出したという意味では、『がんばれさるのさらんくん』（一九五八

(13) 河原温「「原画一点」への疑問」『美術手帖』一九五八年四月号、二四―二五頁。

(14) 河原温「印刷絵画」『美術手帖』一九五九年三月臨時増刊号、八二―一二六頁。

(図9)

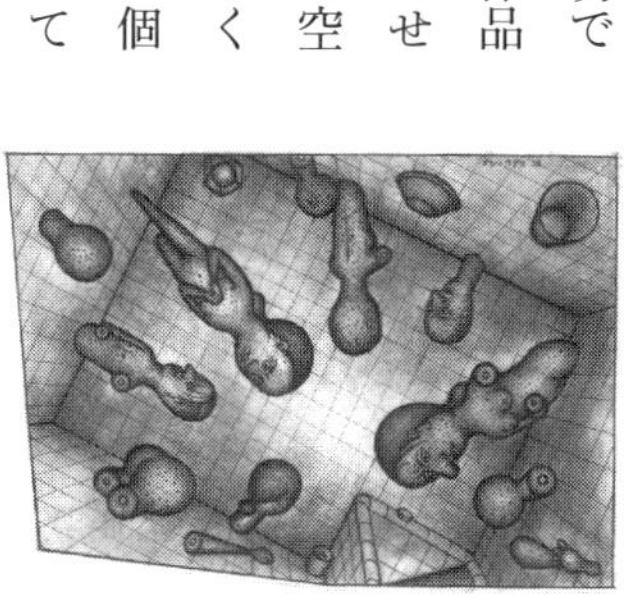

河原温《浴室一五》一九五三年

年）を機に絵本画家に転じた「独立漫画派」メンバーの長新太が牽引した、漫画家の絵本への流入も注目されよう。絵本はマンガの「ストーリー」とちがい、場面ごとの絵に複数の時間を織り込むことができる。一コマ漫画などで培われた、断続的な飛躍を抱え込む大人漫画経由の「絵物語」は、大人でも子どもでもなく幼児を対象とした絵本にあってこそ効果を発揮することができた。

そして、漫画を手がかりに一九五〇年代の美術をあらためて見返すとき、最も大きな転機をもたらしたのは岡本太郎であったろう。印刷という方法に着目した河原や漫画の物語展開に活路を見出した長と異なり、岡本はマンガによって顕在化しつつあった構造を、いわばまるごと飲み込もうとした。

まずは戦後の代表作の《夜明け》（一九四八年）（図10）。平滑に塗られた原色、怪物というより「かいじゅう」と呼びたくなるような中央の生き物と、三角形を組み合わせたまるで幼児の落書きのような人物像。これらの要素は前衛芸術を大衆化しようとする岡本の理想を示すとともに、まさに諧謔的なモンスターが頻出する五〇年代の動向の呼び水になったといっていい。さらにマンガ的といえるのは翌年の《重工業》（図11）だ。巨大な歯車のまわりを踊る人間、肉体労働に勤しむ人々、人体からほとばしる火花、そびえ立つ要塞のような機械、そしてネギ。日本の社会が農業本位から工業本位へと大きく変わるタイミングで発表されたこの工業風景の絵において何より際立つのは、この奇妙な——端的にいえば「笑える」——取り合わせである。単純化された色彩、極度に省

（15）河原のこの時期の作品は、その陰鬱な様相に沿って「密室」「物体化された身体」という決まり文句で戦後社会状況の反映として語られることが定番となっているが、そのような受動的態度よりも、後の作品展開を考え合わせるに、個我解体と異空間への移行といった積極的志向を見て取るのがふさわしいように思われる。山辺冷「河原温の量子重力的身体—あるいは時空の牢獄性と意識の壁抜けについて」（二〇〇九年）を参照。http://www.yukiokumura.com/writing/yamabe_edit_Japa.pdf［最終閲覧日：二〇二二年九月一七日］

略された人体、そこに真面目ぶった描き方でいきなり挿入されるネギ！　それは以前からいわゆるだまし絵を試みるなど子どもじみた遊戯を作品に取り込んでいた岡本の試行の発展といえよう。そして、さらに翌年に炸裂した怪作が《森の掟》（一九五〇年）（図12）であった。ジッパーの付いた猫のようなサメのような化け物をど真ん中に据え、周囲に飛び交うネジまきの付いたやつ、ネオン管のような黄色いやつ、紅白の縞模様のやつ、海パンのやつ、折り紙みたいなやつ、釘みたいなやつ、頭が「爆発」したような三匹のやつら……。けばけばしい色彩の中で不思議に統一されているが、特に目玉の描き方などまったくバラバラである。どの要素もまさしくマンガ的——岡本の作品群の中でもやや異質なこの作品には明確なイメージソースがあるように思えてならない——、といいたいところだが、このような化け物たちをいったいどこから連れてきたものなのか、同時期の漫画にもマンガにも類例が見当たらない。いや、これがマンガの先駆であったといいたいのではない。ここで岡本が、きわめて「俗っぽい」方向に深入りしたことに注目したいのである。[16]

瀧口の連載「白い漫画、黒い漫画」の初回に紹介されたのも岡本太郎であった。その特質を漫画と絡めながらよりうまく抽出したのは中原佑介であろう。中原の初の著作『ナンセンスの美学』の終盤、「日本のマンガ」に焦点を当てた章の冒頭は岡本太郎論から始まる。

（図10）

岡本太郎《夜明け》一九四八年

（図11）
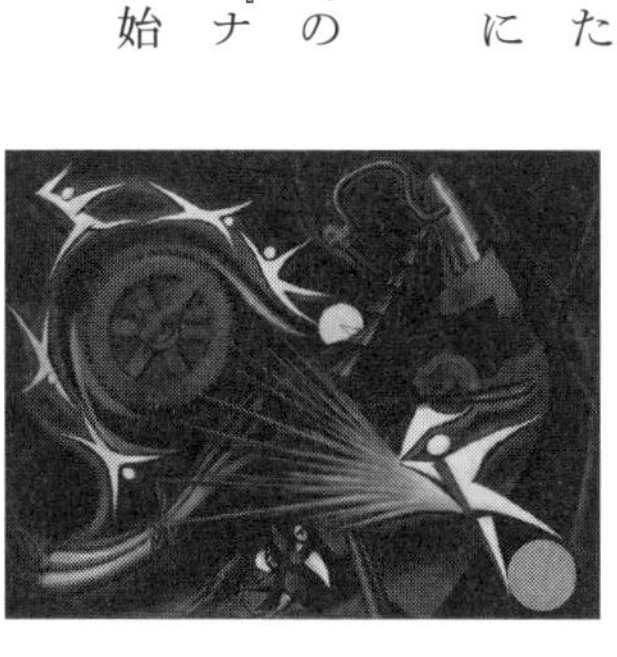
岡本太郎《重工業》一九四九年

〔《重工業》の〕ねぎ的なものこそ、おもいがけないほどつよく滲透している美術の教養主義的なうけとりかた、あるいは、それとウラハラの関係にある美術にたいする解釈の過剰な要求という一般的傾向にたいする、最初の一撃であったのである。〔……〕かれの作品にみられるナンセンスなもののもつアクチュアリティは、そうしたところにあるとおもう。(17)

「ナンセンス」とは、常識と非常識——つまり、「コモン・センス」と「コモン・ノンセンス」をひっくるめたものに対立するものを指しめす。〔……〕「ナンセンス」というのは、真実でも虚偽でもない、第三の価値に属するものである。(18)

中原の論は、岡本が好んで用いていた「絶対的な無意味」という言葉とも呼応しているだろう。ただ、常識でも非常識でもない絶対的なナンセンスがある、と評価してしまうと、一足飛びに岡本の作品を飾り付けるような気もする。むしろ岡本が相対的に動こうとしたこと、つまり、方法として彼がまさに非常識で「俗悪」なイメージを意図して選択したところにこそ意義があるとはいえまいか。

画面の左右に樹木を、中央に川や末広がりの形態を配した《森の掟》はどうやら、岡本が強い思い入れを抱いていた尾形光琳の《紅白梅図屏風》から構図を借用している。(19) 岡本にとっての日本美術の象徴たる名宝に、シリアスさを欠いたチープでゆかいな魑魅魍

(16) 本書「岡本太郎の《夜明け》と《森の掟》についての覚え書き」参照。

(図12)

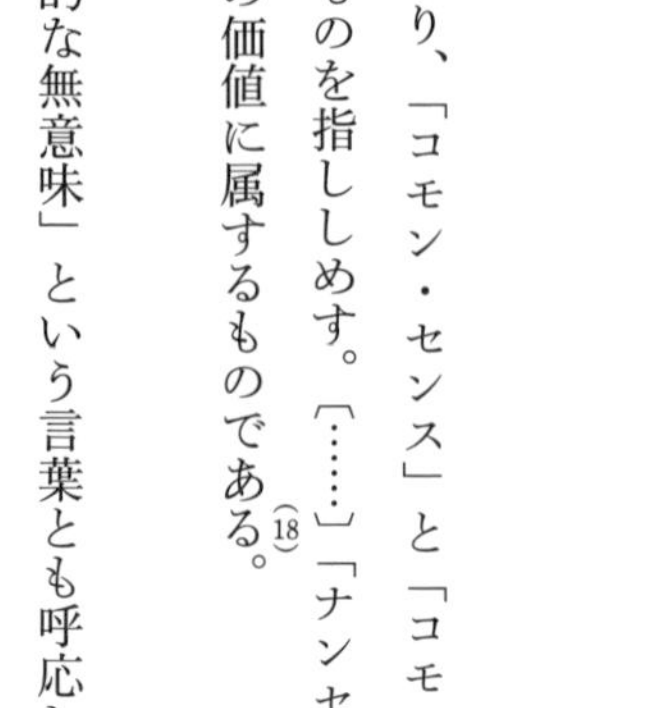

岡本太郎《森の掟》一九五〇年

(17) 中原佑介『ナンセンスの美学』現代思潮社、一九六二年、一七〇—一七三頁。

(18) 同前、二一一—二一二頁。

魎を散りばめて、アヴァンギャルドとしての彼はその威厳をぶち壊しにかかった。「喜劇」「ユーモラス」[20]な要素をふんだんに盛り込むことで、日本の美術の「良識」を引きずり落とそうとしたのである。

いや、おそらく順序は逆である。岡本の働きによってはじめて、日本の美術を支配しているのが「良識」の抑圧であることが明確になったのではなかったか。そう、ちょうど「マンガ」の登場が「漫画」を相対化したように。マンガは、大人が大人の理屈で与えようとする良識的な漫画のつまらなさを明らかにすることで「俗悪」とみなされ、マンガとなった。新たな動向を理解できないままにそれを「俗悪」と定め、切り離すことしかできなかった「良識」派の保守性は、マンガによって露呈させられたのである。「絵画の石器時代は終わった」[21]（この文句はほとんどギャグだ）と勇ましい挑発で画壇に躍り出た岡本は、マンガの表面化に先んじて、まさに美術におけるマンガの役割を進んで引き受けようとした。彼が描く図像のことごとくがマンガやアニメに見るような悪役風であることは偶然でない。革命を起こす手はずとして、岡本はまず打ち倒す相手を具体化するアンチ・ヒーローとしてのふるまいを自らに課したわけだ。一言でいえば、岡本太郎は画壇における手塚治虫であった。

この点で、欧米スタイルの輸入にせよ異ジャンル交流にせよ社会風刺テーマの導入にせよ、新しさを外部に求めようとする者が多数を占める戦後の美術において、岡本は内在的な問題を捉えていたといえる。先の中原の言葉を借りるなら、岡本の作品は「教養

(19) 本書「岡本太郎の《夜明け》と《森の掟》についての覚え書き」参照。

(20) 岡本太郎「無意味・笑い」『渡欧米岡本太郎展』パンフレット、大阪高島屋、一九五二年。

(21) 岡本太郎「絵画の価値転換」『読売新聞』一九四七年八月二五日。

主義的な［……］一般的傾向に対する、最初の一撃」であったのではなくて、そうした「一般的傾向」をすでに孕んでいるのがほかならぬ美術そのものであるという点にこそ一撃を見舞うものだった。岡本は自覚して通俗的にふるまい、良識対俗悪の図式を明確にし、何が抑圧であるかを可視化し、それをアヴァンギャルドの機能として定式化した。図面に従えば誰でも作れるモザイク画の試み、あるいはヘリで夜空に絵を描くなど、特に一九五〇年代の岡本は徹底して通俗性を強調する。多メディアを駆使する岡本の仕事は先述した「実験」の動向と並行しており、その流れの一端を担いもするのだが、手段でなく目的に着眼するなら両者のちがいは明らかであろう。漫画界の大家であった父・一平の影響の跡は岡本の作品に見受けられないものの、「芸術としての漫画」を確立させようとした一平の志を幾重にも裏返して「マンガとしての芸術」を生み出すことによって、彼は親の影を払拭したということもできようか。

　良識と俗悪の対立、いや「対極」を作中に集約させようとした岡本はその後権威化と大衆化に自ら縛られてしまうことになるのだが、彼は「芸術なのに可笑しい」アヴァンギャルドの一脈を確実に築き上げる。そして一九五四年のベストセラー『今日の芸術』における「うまくあってはいけない／きれいであってはならない／心地よくあってはならない」というまさしく相対的な宣言は、そのとおりの俗なる前衛の氾濫を一九六〇年代にもたらすこととなる。「こりゃ絵画の邪道だよ。これで君がデッサンをやっていないことがはっきり分かった」という岡本批判があったかどうかは知らない。しかしきっと、あったはずだ。

六〇年代に入ると週刊マンガ誌ブームはいっそう明らかとなり、美術とマンガはふたたび離れていく。大衆文化の典型としてポップ・アート風に美術がマンガの図や形式を参照する例は続々と登場したが、五〇年代のような密な関係は失われていく。だが構造的に、俗で悪なるシフトが五〇年代において美術に生じたのだ。メディアとしてはマンガと袂を分かった美術は、かくして漫画に対するマンガと同様の位置を、手繰り寄せていったのである。

岡本太郎の《夜明け》と《森の掟》についての覚え書き

1　爆発と対極

唐突に耳を劈《つんざ》くピアノ。高音から低音へ雪崩れるごとくかき鳴らされる鍵盤のリズムに同調して、俯瞰された純白のグランドピアノの屋根に極彩色の絵画が見え隠れする。轟く低音の余韻の中、白い上下の奏者がこちらを見上げて叫ぶ。「芸術は、爆発だ！」響くエコー。さらに激しい演奏とともに屋根の絵画は膨張して破裂、極彩色が明滅しながら八方へ飛び散ってゆく……「湧き上がる色と音、maxell エピタキシャルビデオカセット」(1)。

一九八一年、岡本太郎が出演したテレビコマーシャルは放映されるや大衆の耳目を集め、たちまち「芸術は爆発だ！」のキャッチコピーは流行語となった。半世紀近くも経とうというのにこのコピーは忘れられることなく、岡本太郎の代名詞として、あるいは芸術を茶化すときの決まり文句として、良くも悪くも一般に広く浸透している。

この「爆発」は、コマーシャル制作にあたって考案されたキャッチコピーではなく、岡本の日常的な用語だった。岡本敏子によれば、一九六八年の銀座松屋での個展「太郎爆

(1)　このコマーシャルには、黒い上下の岡本が自作の《梵鐘・歓喜》(一九六五年)を両手に持った木槌で叩くもうひとつのバージョンもある。

発」の展覧会タイトルは岡本が「いつも爆発爆発と言って」[2]いたことに由来するもので、これが公に登場する最初の「爆発」の例とされる。さらにさかのぼって一九五〇年、岡本の活動が本格化して間もない時期の野間宏による評には、同年作の《森の掟》に対して「無限の笑いをばくはつさせている」「画全体にばくはつする怒り」とある。[3]短文の中で「ばくはつ」と二度も、しかもあえてひらがなで強調しているのは、すでに岡本がこの単語を頻繁に口にしていたことを推測させる。そして「爆発」は、まさにこの野間の評が書かれた頃に岡本がさかんに主張していた「対極主義」と結びついていたはずだ。「対極」をはじめとして「矛盾」や「意味の否定(無意味)」など、岡本が繰り返し用いた語彙のほとんどは「爆発」的なもの、要するに対立する二項のぶつかり合いに関わっていた。

そうした複数のものや領域の関係に注目する一種の文化記号論的なアプローチによって新しさを生み出そうとする態度こそが、岡本太郎の作家活動を貫いていたといっていい。「爆発」の原点といえる岡本の対極主義は、理念であるがゆえの曖昧さがあり、そのためさまざまに解釈され論じられてきたのだが、ではそれはどのように具現化されようとしていたのだろうか。

俘虜生活を経て復員後、いよいよ活動を始めようという一九四八年、戦後初の著作『画文集 アヴァンギャルド』の中で岡本は対極主義を提唱した。[4]「二十世紀に巻起こった革命的なアヴァンギャルド芸術運動には、強度に相反発する二つの流れをみる」に始まる

(2) 岡本敏子編『芸術は爆発だ! 岡本太郎痛快語録』小学館文庫、一九九九年、三〇頁。

(3) 野間宏「岡本太郎の芸術」『アトリエ』No.286、一九五〇年一一月、九―一三頁。

(4) 対極主義の詳細な成立過程については以下を参照。大谷省吾「岡本太郎の〝対極主義〟の成立をめぐって」『東京国立近代美術館研究紀要』一三号、二〇〇九、一八―三六頁。

この宣言調の文章で、岡本はとりわけ「矛盾」の受け入れを強調し、合理主義的な抽象と非合理主義的なダダおよびシュルレアリスムという直近の美術動向の流れのいずれにも偏らない新しいアヴァンギャルド像を説く。

上述の二つの極性を見究め、これを主体的にとらへることによつて、相互を妥協折衷することなく、逆に矛盾の深淵を絶望的に深め、その緊張の中に前進するのである。今日峻厳な魂は合理主義、非合理主義のいづれかに偏向し、安心立命すべきではない。又それらを融合して微温的なカクテールをつくるべきものでもない。その精神の在り方は、強烈に吸引し反撥する緊張によつて両極間に発する火花の熾烈な光景であり、引裂かれた傷口のやうに、生々しい酸鼻を極めたものである。
この態度はまづ第一に科学的であり、革命的でなければならない。これが尖鋭化すればする程それは必然的にその反対のモメントである非合理的、主体的パトスを生起する契機となり、矛盾をはらむのである(この事実を政治的に目かくしすべきではない)。芸術家はこの矛盾を引きうけて必死な体顕をしなければならないのであり、これを充分に意識して逆に強調し創造することを、対極主義と私は名付けるのである。(5)

いかにも「爆発」的な宣言だが、それはさておき、この対極主義は岡本太郎の活動を理解するための拠り所としてこれまで幾度となく取り上げられながら、岡本の作品より

(5) 『岡本太郎第一画文集 アヴァンギャルド』月曜書房、一九四八年、一二三—一二四頁。

は人生に引き寄せて述べられることが多かった。[6] というのも、合理・非合理いずれにも寄らない表現という その様態の現れが肝心の作品において判然とせず、なおかつ二項対立的な要素があればいかようにも当てはまる便利な理念であるからだ。ただし岡本は、この主義は「抽象論としてではなく、極めて卑近に絵画表現上技術的に現れて来る」として、一点の作品名を挙げている。

とくに最近作の「夜明け」はその成果の一段階であるつもりだ。[7]

ほかにも「実際に私はそれ〔対極主義〕を作品の上でやっているつもりなんですが、たとえば〝夜明け〟というような絵」[8] という発言もあり、この《夜明け》(一九四八年)(二九五頁図10)に対する強い思い入れが窺える。戦後の出発の意味を託すようなタイトルのこの作品は、しかし、対極主義と関連してどころか、戦後の代表作とされる《重工業》(一九四九年)(同図11)や《森の掟》(一九五〇年)(二九六頁図12)に比べてとり上げられることが少なかった。その理由は多分に、この作品に明確に「対極」的な要素が認めがたいことによる。《重工業》における、工場のモチーフとは何ら関係なく登場する写実的な長ネギ、《森の掟》における、赤と緑の強い色彩対比やコミカルな怪物の背中に鈍く光るファスナーといった、異質な要素の挿入、描写の差異や激しい色彩のコントラストは、たしかに《夜明け》の中には見当たらない。にもかかわらず、岡本は対極主義の

(6) たとえば次のような言及が典型的である。「岡本太郎の芸術家としての新鮮な魅力は、今日の本では稀な言行一致の生き方にあり、その生き方の大原則がほかならぬこの対極主義なのである。〔……〕注意しなくてはならないのは、これが単に絵画思潮における何々主義のような美学的カテゴリーに限定されるものではないということだ。〔……〕だから、画家岡本太郎を論じる文章は、必ず、人間岡本太郎を論じるものとならざるを得ないのである」。大岡信『現代美術に生きる伝統』新潮社、一九七二年、一三九頁。

(7) 『岡本太郎第一画文集 アヴァンギャルド』、前掲、一二四頁。

(8) 夜の会編『新しい芸術の探求』月曜書房、一九四九年、一四頁。

成果として《夜明け》を挙げるのである。この不釣り合いは、これまで主に語られてきた対極主義の解釈――シュルレアリスムでいうところのデペイズマン（違和を生む並置）や色彩の強い対比――とは異なる「対極」を示唆している。いったい岡本は《夜明け》のどこに、「対極」を表現したのか。

2 《夜明け》の謎

ここで参照したいのは、岡本がこの頃、画面内のモチーフが同時に複数の意味を持つダブルイメージの作品を集中的に制作していたことである。一九四七年七月一三日付『新東京』で、岡本は「緑陰」と題したドローイング（図1）とともに次のように書く。

> かがやく青い空、青葉をくぐる微風、緑のパラソルをかかげる木立、その下にひもとく詩集一巻、読書に疲れてたわむれる二人の楽しい夏の一時！　これが作者の表現してみたい意図である、同時にそれ全体が一つの顔にもなっていれば面白い。アヴァン・ギャルド絵画は一般に考えられているように決してむずかしい内容をもったものではない。また技術的にも高級の技術が要求される場合もあるが、反対に児童画程度の技術でもエスプリ（精神）さえあれば結構立派な表現が出来る、だか

（図1）
「緑蔭」『新東京』一九四七年七月一三日

ら機能的な制約から離れて、鑑賞のみでなく創作においても絵画を真に大衆化し得る時代性を帯びた芸術様式といえる。

ここで示された程度なら誰にでも試みられる技術であろう。しかしそこには今までに見られない新鮮な表現方法がある。

この「緑陰」によく似た作品を岡本は発表している。一九四八年の《まひるの顔》（図2）である。題名どおり真昼の光に照らされた二人が木の下で画集を開いて憩う様子を描いた本作に先の引用を照らし合わせれば、二人の人物の頭部が目、樹の幹が鼻、開かれた本が口であり、画面全体でひとつの顔が表されているということは一目瞭然だ。

この時期に制作された作品を眺めてみると、その多くに「顔」が隠されていることがわかる。最も早くダブルイメージが確認できる作品は、「夜の会」の会名の由来となったことでも知られる《夜》（一九四七年）（図3）だ。これまで指摘されてきたとおり、この作品は滞仏期の岡本が参加していた秘密結社「アセファル」がSaint-Nom-la-Bretèche《サン＝ノム＝ラ＝ブルテシュ》の森で行った儀式がモチーフになっている。短刀を後ろ手に枝から覗く頭蓋骨と向き合う女、その周囲の闇夜に浮かび上がる雷に打たれた大木。この木は同時に、赤い稲妻の走る枝の隙間を目、木の下に捧げられた供物（もしくは根）を歯と見れば、つり上がった目を充血させ歯をむき出した巨大なひとつの顔になっている。

この《夜》のモチーフは、戦前に母かの子の著作『生々流転』（一九四〇年）の装丁（図

（図2）《まひるの顔》一九四八年

（図3）《夜》一九四七年

4）のためにすでに描かれていたが、こちらに顔は現れていない。この装丁は留学期（一九三〇―一九四〇年）末の仕事であることを考え合わせると、岡本のダブルイメージの試みは戦後に始まったとみていい。

ほかにも、《電撃》（一九四七年）（図5）では人物の立つ岩場が人の顔となっており、第三回美術団体連合展出品作《群像》（一九四九年）（図6）は、踊り回る五人の人物が左右でふたつの顔を作り出している。(9) また、一九四八年『世界評論』（図7）をはじめ、この時期の新聞や雑誌に載ったドローイングの類には同じ試みが多く見られる。一九四八年《作家》のドローイング（図8）の左上に区切られた部分には画布を前にした画家と裸婦が描かれているが、その下の区画を見ると、画家と裸婦の頭部が目、画家の持つパレットが鼻となり、全体で顔を形作っている。『週刊朝日』一九四九年四月二四日号の表紙（図9）を飾った《春の群像》（一九四九年頃、所在不明）に対して、岡本は次のように述べる。

> 三人の構図で、両側が男、真中が女になっている。しかし遠くからそれをみると、男の顔が眼であり、女が鼻や唇に変じて一つの顔となるのです。だから判じ絵のようなものですが、三つの像のそれぞれの感情が一つの顔の表情の中に溶けこんでいる。即ち一つのものが三つのものであるということになるのです。
> これは新しい芸術の複雑な表現方法と考えます。

（9）この《群像》に対し、ダブルイメージについてはっきり指摘した数少ない例として花田清輝の発言がある。「ディズニーの漫画映画は子供にも、大人にも、よろこばれる。我々の最高の芸術とは、そういうものだ。しかし『三匹の子豚』には、オオカミが附物だ。もう一度、よく御覧なさい。これらの陽気な連中の背後には、薄気味のわるい悪魔の顔がのぞいている。歯をむき出してゲタゲタ笑っているやつもいれば、口をゆがめてせせら笑っているやつもいる。もしお望みなら、さらにまた、あなたは、こういうさまざまな笑顔の背後に、作家の複雑な笑顔を発見することもできよう。／シリー・シンフォニーとベートーヴェンとは違うのだ。今日の芸術家は、物々しい深刻面とは縁がない」。「岡本太郎の〝群像〟」『毎日新聞』一九四八年六月一日。

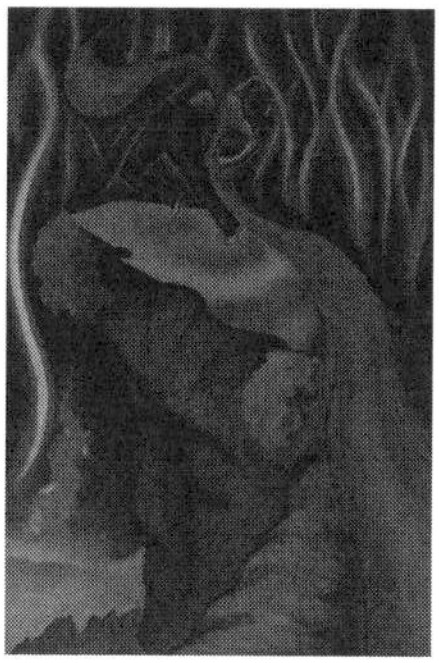

（図5）
《電撃》1947年

（図4）
『生々流転』装丁 1940年

（図7）
『世界評論』1948年 7月号 カット

（図6）
《群像》1949年

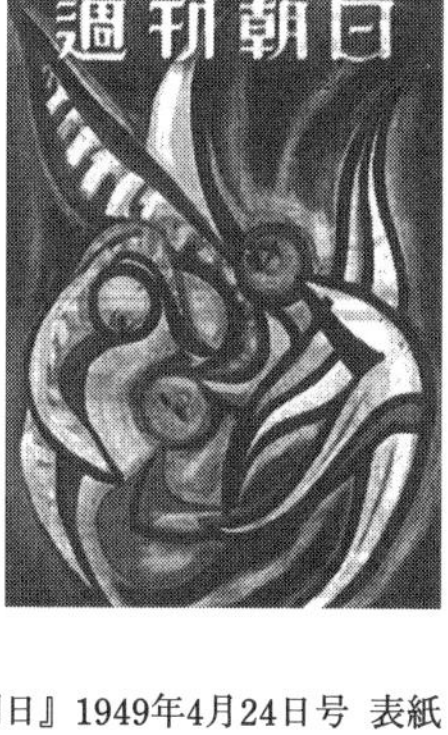

（図9）
『週刊朝日』1949年4月24日号 表紙

（図8）
《作家》（ドローイング）1948年

このように、一九四七年から一九四九年にかけて制作された作品の多くは、画面の中に大きな顔の隠された判じ絵であった。翻っていえば《夜明け》に関してしきりに岡本が訴えた重要性は、もしかしたら、この作品が判じ絵になっているという点にあったのではなかろうか。あらためて《夜明け》(図10)を見返してみよう。

黒みがかった紺や深い緑、褐色といった寒色がほとんどを占める暗い画面。背景には明るい黄、白、赤が配され、大地の上に四本の細い枯木と三人(匹)の姿が逆光に照らされている。スカートを穿いた左右の女性は長い髪を振り乱し、ともに踊るように体をひねりあるいは伸ばしている。その間に、漫画の怪獣のような生物が空に向かって大きく口を開け、牙をむき出している。

岡本の作品に見慣れてしまえばモチーフのデフォルメは気にかからないが、左の女性の不自然な髪型や左腕と髪の間にあえて挿入されている赤い形、中央の怪獣の左前足のつき方(本来は上あごの手前から出ているはずではないか)、右の女性の体の構造を無視したポーズなど、単なるデフォルメにしてはやけにぎこちない。これらの形は、何らかの必然に合わせて無理矢理ねじ曲げられているようにも思える。

そう考えてあらためて見ると、中央の怪獣はひらがなの「あ」の形に、そして右の女性は同じく「け」に、よく似ている。やや強引だが、左の女性は「夜」という漢字の崩れた形に見えなくもない。つまりこれらは、女、怪物であると同時に、それぞれが「夜」「あ」「け」というこの作品のタイトルを表しているのではないだろうか。

（図10）　岡本太郎《夜明け》1948年

（図11）　岡本太郎《青空》1954年

岡本による前後の作品や発言を考えると、そうとしか思えないのだ。でなければ《夜明け》が対極主義の成果であると自負する理由がわからない。ここまで例示してきた作品はいずれもモチーフが集まって顔になるパターンの判じ絵だったが、文字を判じ絵にした作例もある。やや時代が後になるが、一九五四年の《青空》（図11）では、保安隊（警察予備隊を改編して一九五二年に発足）を示す「ほ」「あ」「ん」の文字が人型として作品上部に描かれていると指摘されている。(10)

さて、すでに時代の寵児となっていた岡本の作品は発表のたびに新聞や雑誌をにぎわせはしたものの、ダブルイメージの試み自体が注目されることは一切なかった。あえて注目するほどのこともなかったということかもしれない。当時の展評の中には、「岡本太

(10)　『岡本太郎の絵画』図録、川崎市岡本太郎美術館、二〇〇九年、五七頁。

郎氏の〔《群像》（図6）の〕前などには子供が大勢たかっていた。一体、抽象画は幼童に人気があるようだ。判じ絵だと思っているのだろう。さもあるべし」(11)というものすらある。評者の高橋義孝は、岡本の作品をはじめとする「抽象画」は判じ絵のような幼稚な遊びと変わらないと揶揄しているのだが、それが本当に判じ絵だったとは何とも皮肉だ。

こうした周囲の反応もあってか、あるいは一九五〇年の「対極主義美術協会」の結成失敗騒動(12)もあってか、岡本が声高に「対極主義」を主張することがなくなっていくとともに、明確な判じ絵作品は見られなくなる。この試みは特に指摘されないまま、ほぼ三年間で終わったのだった。

けれども、どうして判じ絵が「新しい芸術の複雑な表現方法」なのだろう。岡本はなぜ判じ絵を重要視していたのか。

判じ絵を作品にとり込んだ画家はむろん岡本太郎だけではない。一六世紀のジュゼッペ・アルチンボルドや江戸末期の歌川国芳などはよく知られるところだが、近代ではシュルレアリスムを東洋的な易学などと織り交ぜた北脇昇が「観相学シリーズ」として多くの作例を残している(13)（図12）。そして同じくシュルレアリストであり、特に岡本と同時代に活躍したサルバドール・ダリは、一九三〇年の前後、すなわち岡本の滞仏期からすでにダブルイメージを多く描いており（図13）、独自の画論「偏執狂的批判的方法《パラノイアック・クリティック》」の実践に位置づけていた(14)。岡本がダリに感化された可能性もないとはいえないが、シュルレアリスムの先を謳う対極主義にシュルレアリスムの代表格たるダリの方法を採用するだ

(11) 高橋義孝「連合展評」『美術手帖』、一九四九年七月号、七九—八〇頁。

(12) 「二月十八日の第二回アンデパンダン展の開会日、岡本太郎の召集で食堂へ行ってみると、何の前触れもなく、対極主義宣言というのが読み上げられて、対極主義美術協会を結成するから全員参加せよとの宣託である。岡本を尊敬するが、別段、党派を作る気持のない会員は強く反発し、議論は次第に熱気を帯び、安部〔公房〕とわたし〔瀬木慎一〕が代表して喰ってかかるという険悪な事態となり、新聞記者たちが見守るなかで流会となり、岡本のもくろみはあえなく潰れた」。瀬木慎一『戦後空白期の美術』思潮社、一九九六年、九七頁。別の目撃証言として、池田龍雄『芸術アヴァンギャルドの背中』（沖積舎、二〇〇一年、一七—一八頁）にも述懐がある。

ろうか。

何より大きな違いは、岡本の関心は、北脇やダリのように表現内容の実験にではなく、制作と受容という社会関係にあった点である。岡本は前衛性と大衆性との両立にこそ強い情熱を持っていた。先の引用にあったように、難解と思われがちな「アヴァン・ギャルド絵画」が、「誰にでも試みられる」方法によって描かれること。前衛絵画の大衆化。冒頭で引いた対極主義の提唱の中では合理と非合理の対立として述べていたのに対して、実質的に岡本が想定していた対極は「前衛」と「大衆」であり、そこにこそ彼が判じ絵を「今までに見られない新鮮な表現方法」「新しい芸術の複雑な表現方法」と意気込む根拠があったように思われる。これが対極主義の具体的な――ほとんど拍子抜けな――主眼だったのではないか。

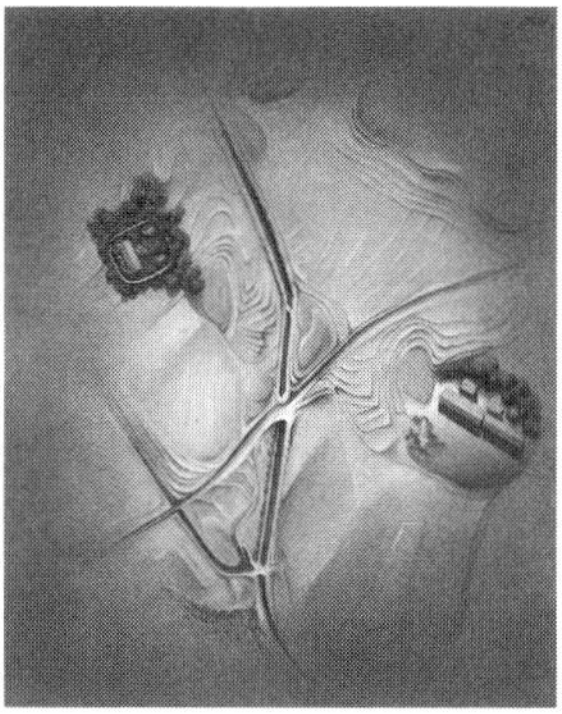

（図12）

北脇昇《聚落（観相学シリーズ）》1938年

（図13）

サルバドール・ダリ《姿の見えない眠る人、馬、獅子》1930年

（13）北脇は一九三八年に集中してこのシリーズを制作。次の北脇自身による解説に見るように、ダリの実践と易学を交ぜた独自の解釈に基づいていた。「ここに観相学的方法と称するものは、重複影像性の限定的追求であり、偏執狂的方法の一翼として、そのシンメトリカルな曼荼羅的構図法に於て、形式上一特質を示し得るものと思ふ。それは非相称的動的自然機能の、人為的相称的凝集化に依る批判的方法である」（『創紀美術協会京都前哨展目録』一九三八年七月）。

絵画と写真芸術の限界は必然的に突破される。原始的な油彩画のように、たった一つしか作り得ないものではなく、機械的に厖大な数量のオリジナルを生産し、それを全ての大衆が享受し得る時代も来るであろう。しかもその技術の操作が今日のカメラのように簡単になったとしたなら、大衆が各々の能力と要求のままに、芸術創造をたのしむことが出来る筈だ。読者よ、私の空想を一笑し給うな。(15)

フランスの芸術性は爛熟しすぎたペダンチスムがあるけれどもその一方に大衆性を持っていると思うんです。通俗性を持っているからこそ、逆に高度の芸術性が支えられている。〔……〕僕の考えているのは芸術の無意味性です。意味を否定するところに真の芸術性があり、そこにこそ自由に人が楽しめる場が出て来ると思うのです。〔……〕僕の画は教養人達には、ひどく難解に思われているが、実は無意味なんで、誰にも分かるはずなんですよ。子供や女学生がいっぱいタカって観ている。いちばんそういう無邪気な連中に人気があるらしい。平易さこそ逆に非常に高度なものであるとするのが僕の立場です〔……〕。(16)

判じ絵の試みは短期間で終了したが、岡本はさらに大衆化へと邁進し、発言どおりに「機械的に厖大な数量のオリジナルを生産」できるモザイク画の制作に着手する。一九五二年、第四回日本アンデパンダン展に岡本はモザイクタイル作品《太陽の神話》

(14) 偏執狂的批判的方法」は、一つの図が複数の意味を与えられ、見ているものが別のものに変貌するシーンを描くことで、現実の世界が超現実的な世界と結びつく錯乱、幻覚(偏執狂的)を、意識的、客観的(批判的)に絵画にとり入れようという方法論であった。「明らかに偏執狂的な過程を通って、以下に述べるような二重影像を獲得することができた。つまり、外形的ないし解剖学的な修正のいささかもほどこされていないあるひとつの物体を表現していながら、それとは全く異なるもうひとつの、前者同様何らかの処置が行われたことを示し得るようないかなる種類のデフォルマシヨンや異常性も見られない物体をも同時に表現している影像が、二重影像なのである」。サルヴァドール・ダリ、小海永二・佐藤東洋麿訳『ナルシスの変貌――ダリ芸術論集』、土曜美術社、一九九一年。

（図14）を出品。岡本の作品に初めて登場したこのタイルは、光沢と鮮やかな色彩において、油彩を使わずに岡本太郎らしい作品を表現するにふさわしかった。そして何より重要だったのは、記録された色彩番号をもとにタイルを並べれば、同じ作品を工業的にいくらでも制作／製作し得るという特徴だった。

嘗て、すぐれた美術品、芸術作品といえば極めて稀なものであり、だからこそ尊いと考えられた。そのような希少価値としての芸術は当然、少数者の専用物であり、嫉妬ぶかく秘められることによって、なおさら非本質的に貴重視されていたのである。だがこれからの芸術はシネマ、ラジオ、テレビジョンに見られる如く、却って極めて大量に生産され、ひろく一般の身近にふれるものこそ価値がある。絵画も古い枠をうち破って、真剣に大衆との結びつきを考えて行かなければならない。タイル画の技術の発見は新しい芸術の方向への第一歩として、大きな可能性をひらいている。(17)

大衆性を実現すべく岡本は作品の唯一性の否定に接近し、はじめから複製されることを織り込んだ作品を提案するに至る。モザイクタイルによって岡本は「塗る」行為を「並べる」ことに変換し、作品の持つ権威や一回性を自ら喪失させようとした。原画制作者としての岡本という主体が消え去ることはないが、これは「誰もが岡本太郎になれる」作品であったのだ。岡本はモザイクタイルによる壁画制作に乗り出し、《創生》（日本橋

(15)　岡本太郎「天然色写真と絵画」『カメラ』一九五〇年四月号、六二頁。

(16)　中井正一、岡本太郎、野間宏、吉村公三郎、八住利雄、新藤兼人、植草圭之助「〈座談会〉文化と映画」『シナリオ』一九五〇年五月号、七九頁。

（図14）

《太陽の神話》一九五二年

高島屋地下通路、一九五三年)、《青春》(築地松竹セントラル劇場、一九五六年)、《駈ける》《花ひらく》《遊ぶ》(国鉄神田駅、一九五八年)、《初恋》(カルピス相模原工場、一九六二年)など、公共の場所に次々と作品を設置していく。

だが、あいにくこの試みもまた岡本の思うようには受け止められなかった。一九五二年三月三日付『読売新聞』で植村鷹千代、瀧口修造、安部公房の三人は、《太陽の神話》を次のように評している。

植村「この作品は、タイルを材料に使って、アヴァンギャルド絵画を見事に創造した点、マチエールの創意という近代絵画にとって主要な課題の面でも創造的な作品だと思う。」

瀧口「明快でダイナミックな感情をたたえた快作で、アンデパンダン展の収穫と思う。」

安部「タイルのマチエールがよく生かされている。彼のエネルギッシュな野心がにじみ出していて気持がいい。」

三人ともに口をそろえてマチエールのみに注目し、複製可能性への言及はない。タイルを並べることでストロークという作者の痕跡を持たないこと、そして同一作品が工業的に増産できることに対する指摘はほかにも見られない。つやつやしたタイルの素材感

(17) 岡本太郎「芸術の工業化」『アトリエ』No.346、一九五五年一二月、六六頁。

に目新しいおもしろさもあったろうが、判じ絵にせよモザイクタイル作品にせよ、表現としてのモチーフや内面性に対する批評と、作品の受容のされ方を操作しようとする岡本の興味とは乖離していた。

表現内容よりも芸術の社会的な位置づけの更新にこだわる岡本の志向はこの後さらに拍車がかかる。著作『今日の芸術』(一九五四年)は平易な文体と内容でベストセラーになり、ショーウィンドーディスプレイを手掛けたり映画美術や服飾デザインに携わったり、「大衆」を意識した岡本の表現は枚挙にいとまがない。彫刻、陶器、インダストリアルデザイン、書など多岐にわたる方法を通じて文字どおり複製的な、というより「太郎的」なイメージが反復され、《太陽の塔》(一九七〇年)をはじめさまざまな作品が商品に姿を変えて広く膾炙し、少なくとも「岡本太郎(のイメージ)の大衆化」が果たされたことは周知のとおりである。

かくして岡本の対極主義の趣旨と《夜明け》の含意は説明できるように思うが、なお釈然とはしない。岡本太郎のわからなさは、前衛は難解だという通俗的な解釈を否定しながら、それを通俗性で上書きするような活動において、「大衆」と対立項に置かれていた肝心の前衛性をいかに担保しようとしていたのかが見えないところだ。あくまでも自らは前衛であると強弁して「対極」を訴えるある種の滑稽さが、岡本の『今日の芸術』に感化された世代を中心とする、人を食ったような六〇年代の反芸術に接続していることはたしかである。それはあらゆる権威を否定し、「創作においても絵画を真に大衆化」

するという岡本のプログラムがじっさいに次世代に引き継がれた結果であるともいえる。また岡本の主張する「無意味性」は、意味しかないような作品よりはましであるという気もしないではない。けれどやはり、判じ絵を「今までに見られない新鮮な表現方法」「新しい芸術の複雑な表現方法」と述べた岡本の真意は、わからない。

ここで話はいったん振り出しに戻る。七〇年代以降にテレビ出演が増え、とりわけ「芸術は爆発だ」のコマーシャルを機に岡本は「お笑い」のネタとして扱われるようになる。件のコマーシャルで使われた作品は奇しくも《哄笑》と題されており、また、ぼくはつ、ばくはつと書いていた野間の評は岡本の作品における「じつに豊富なエネルギーにみちた笑い」を論の焦点としていた。その笑いがいかに「むずかしい内容をもった」文学的な言辞であれ、岡本の後年の道行きは、すでに戦後すぐの《夜明け》において――それが単に絵文字に過ぎなかったならば、の話だが――胚胎していたように思えるのである。

3 《森の掟》はどこから来たか

《夜明け》に加えて、かねてから不思議に思っていたのは、岡本の代表作の筆頭とされる《森の掟》（図15）であった。

岡本太郎式の百鬼夜行図《森の掟》は、一九五〇年九月の第三五回二科展で発表されて会員努力賞を受賞し、同時代から高く評価されるとともに、言及されてきた数も圧倒的に多い。そして岡本個人の代表作であるばかりでなく、日本の戦後以降の美術史が語られる際にも、また「前衛芸術の日本　一九一〇—一九七〇」展(*Japon des avant-gardes, 1910–1970*、ポンピドゥー・センター、一九八六年)や「*Tokyo 1955–1970: A New Avant-Garde*」(ニューヨーク近代美術館、二〇一二—一三年)といった国際的に日本の前衛傾向を紹介する機会においても、欠かせない作品であり続けてきた。何よりその平たい塗りによるどぎつい色彩——ペンキ絵のような——と放埒に暴れ回る怪物のモチーフ——児童の落書きのような——は、「うまい、きれい、心地よい」の否定を主張する岡本自身の言説をまさに体現し、これから芸術家を目指そうとする若い世代のインスピレーションの源となった。たとえば、池田龍雄の《ショーバイⅡ(化物の系譜シリーズ)》(一九五五

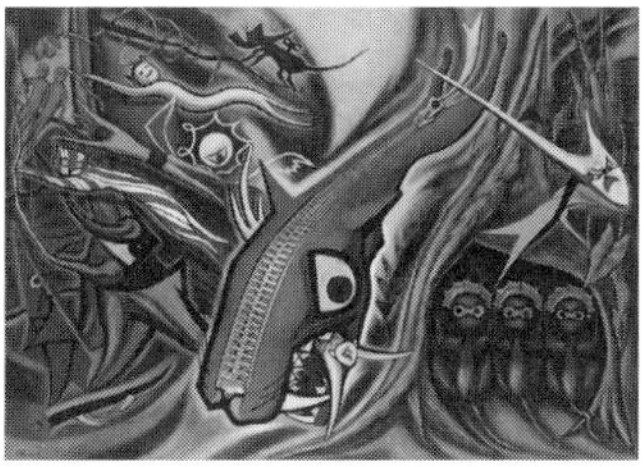

(図15)
岡本太郎《森の掟》1950年

(図16)
池田龍雄《ショーバイⅡ(化物の系譜シリーズ)》1955年

(図17)
吉仲太造《作品3(春)》1956年

年）（図16）に描かれたファスナー付きのモンスターには直截な影響が見られるし、吉仲太造の《作品3（春）》（一九五六年）（図17）などにも明らかな《森の掟》スタイルが流れ込んでいる。

一九五〇年代、日本では池田らを含む風刺的な戯画的表現が大きな潮流をなし、それを瀧口修造が「黒い漫画」と呼んだことは別稿で述べた。(18) 東京国立近代美術館が一九五六年に開催した「日本の風刺絵画」も、このような動向に迅速に反応した企画であったものと思しい。この戯画表現の盛り上がりにおいて特に目立っていたのは怪物や化け物のモチーフであり、その端緒として、岡本が立て続けに発表した《夜明け》（一九四八年）、《重工業》（一九四九年）、そしてこの《森の掟》という一連の諧謔的な大作の存在があったことは間違いない。

しかしながら、どうしても腑に落ちないのは、岡本の画業においてこの《森の掟》が異質であるように思える点である。強いコントラストの原色使いや、隈取りを重ねたモチーフの強調、そしてリボン状の形態と波打つ曲線を主体とし、奥行きの抜けを作らずにキャラクターを前面に押し出す構成はいかにも岡本太郎風ながら、これほど多種多様で奇抜な漫画的イメージが集合している例はすべての岡本作品の中でも特異といっていい。定番の解説となっているのは、童画的な全体の描写を裏切って唯一写実的に描かれたファスナーに着目して、岡本が主張していた対極主義＝二項対立の併存の実践として語ることだが、このように写実表現を部分的にとり込んだ作品は前作の《重工業》の長

(18) 本書「俗悪の栄え——漫画と美術の微妙な関係」参照。

(19) 山田諭「岡本太郎の《森の掟》には、何が隠されているのか?」『名古屋市美術館ニュース　アートペーパー』七二号、二〇〇七年冬。

ネギくらいで、しかも怪物の部分として説明できる必然性を備えているファスナーはネギほど浮いた組み合わせではない。この作品を特徴づけているのはじつに多様な個性を与えられたキャラクター、そしてそれぞれの目の表現であって、円形、半月形、ゴーグル状のものなど、色彩も輪郭も黒目の描き方もまるで複数の漫画家が寄せ描きしたように不統一だ。こうした特徴は前後において唐突などころか岡本の作品の中で唯一といってよく、代表作とはいうものの、本作のイメージの強さは突出している。類似した図像を反復し、色使いや構成が戦後以降ほとんど一定している岡本の作品の類型にそぐわないように思えてならないのだ。

　どうして岡本は、ここで確立され、成功していると思えるスタイルを、後の作品に繋げなかったのだろうか。あるいはこれは、じっさいに寄せ描きかコラージュのように、外部からの借用によって成立した作品であったのではないだろうか。

　まず考え得るのは、山田論によっても指摘されている[19]、尾形光琳《紅白梅図屏風》（図18）の参照可能性である。岡本にとって《紅白梅図屏風》は、フランス留学期にたまたま街角のショーウィンドーで複製を見かけて「全身をひっとらえ」られた経験のある、日本の伝統美術の中でも例外的に思い入れの強い作品であった[20]。

　一九五〇年、岡本は『三彩』三月号から五月号までの三号に渡って、すなわち《森の掟》の制作期間とおそらく重なっていたはずの時期に「光琳論」を連載し、光琳の《紅白梅図屏風》と《燕子花図屏風》とを主に取り上げたうえで、「正確緻密」「驚嘆すべき

（図18）

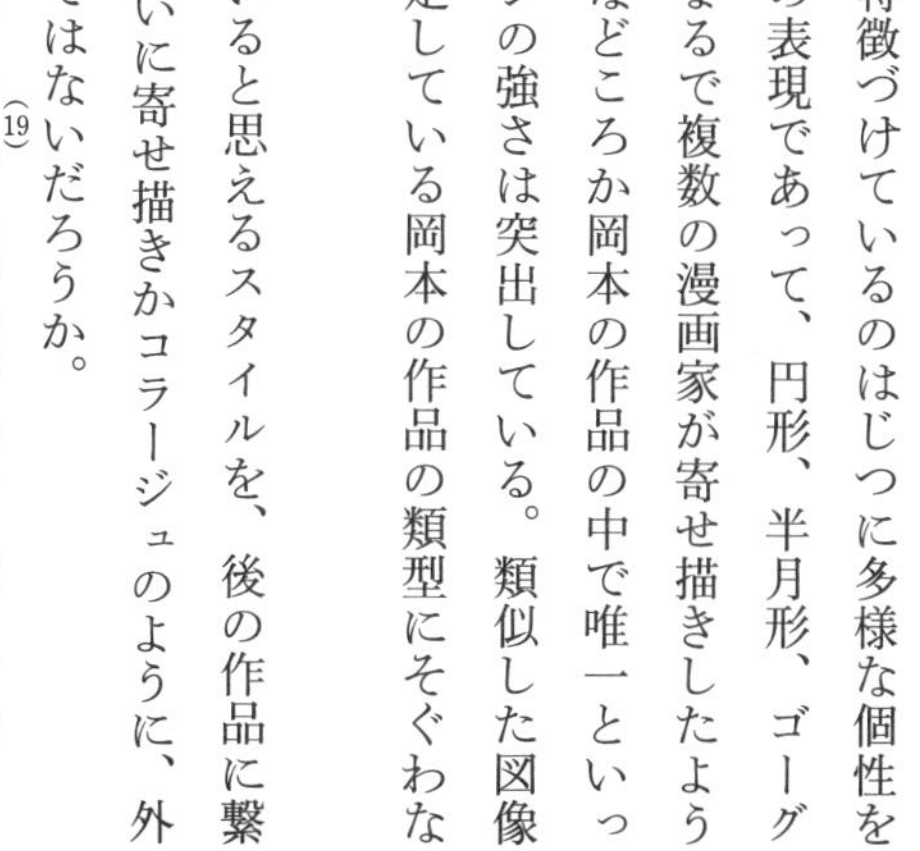

尾形光琳《紅白梅図屏風》江戸時代（一八世紀）

(20)　岡本太郎「光琳―非情の伝統」『日本の伝統』光文社、一九五六年。以下本稿の引用は同書より。初出は「光琳論」『三彩』一九五〇年三月―五月号。

非情美」「すさまじい緊張」「おそろしいほど空間的」と言葉を尽くして絶賛した。しかも、京の豪商に生まれて幼少時から文化的滋養に恵まれた光琳の生い立ちをたどり、「わび、しぶみ」などの日本の伝統（とされているもの）には属さない光琳の絢爛の美は「貴族的な伝統とそれを打ちやぶるものとの、もっとも高く、はげしい対決が見られ〔……〕それぞれの極のどっちかが主調となってあらわれ、その反対極とはげしい矛盾をはらむ「対極主義」であると述べるなど、ほとんど自分自身を光琳に重ね、理想を当てはめて論じている節がある。岡本が、やはり豪商の生まれで歌人・文学者の母かの子、漫画で一世を風靡した父一平のもとに文化的な家庭環境で育ったことはいうまでもない。

《森の掟》と《紅白梅図屏風》を見比べると、画面の左右に木を置き、中央に大きく末広がりの形態を据える構図はたしかに類似しているとはいえる。光琳の図において両足を踏ん張って反り返るような右側の梅の木はすでに、岡本の図のように擬人化されていると見ることもできるだろう。また、山田論が指摘するように、《森の掟》の背景には目立たないが不自然に画面を横断する川が描かれていることからも、この作品は岡本が激賞した光琳へのオマージュといっていいかもしれない。

ただ、横長の画面の両端に樹木を配する構図は、古今東西を問わず絵画においてそれほど珍しいものではない。たとえばアンリ・ルソーの《戦争》（図19）はそのひとつだが、岡本の光琳論という状況証拠を措けば、平たく素朴な表現や中央に荒々しいモチーフをどんと配置した特徴において、むしろルソーの作品の方が《森の掟》に近しいようにも

（図19）

アンリ・ルソー《戦争》
一八九四年

思える。構図に類似性が認められるとはいえ、光琳において重要な垂直落下して再び上昇する枝のダイナミックな演出は岡本には見られない点、少ない要素で装飾性を高めた光琳とはまったく様相が異なるカラフルな画面、そして何より画面中を飛び回る化け物たちの登場には大幅な飛躍がある。光琳からの参照だけで《森の掟》の特異性を説明することは難しい。

そこで想起されるのが、ぐっと時代を下って岡本と同時代の作家、桂ゆきである。先に述べたとおり、岡本の戦後作品において画面内に異質な写実的モチーフが採用されているのは一九四九年の《重工業》と翌年の《森の掟》の二点のみであるといってよく、とりわけ《重工業》の長ネギのように生活の一隅から採られたようなモチーフはまったく特例的である。そして、そのようなモチーフを岡本と同時代にさかんに描いていたのは、桂ゆきにほかならない。

桂は岡本の二歳年下だが、戦前から二科に出品し、二科会内の前衛絵画の研究団体「九室会」結成に関わる（前衛傾向を集めた二科九室には戦後の岡本も展示することになる）など、日本画壇においては岡本の先達にあたる。ここでは一九四八年作の二点、《ひまわりの咲く午後》と《さるかに合戦》を掲げておこう（図20、21）。戯画的、あるいは童画的イメージ（この頃、桂は児童書の挿画や装丁にも携わっていた）とともに、絣や手ぬぐい、レースといった布製品、野菜や果物などの食べ物、籠や縄など、暮らしの中の卑近なモチーフを細密に描き込む構成は桂の得意としていた手法であった。長ネギそのも

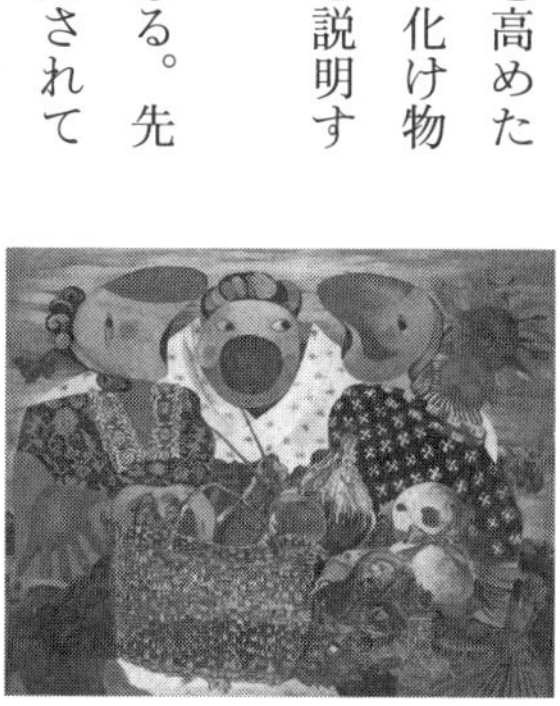
（図20）
桂ゆき《ひまわり咲く午後》
一九四八年

（図21）
桂ゆき《さるかに合戦》
一九四八年

のこそ桂の作品に見あたらないものの、岡本の《重工業》におけるネギの根の執拗な表現や、ネギを束ねた縄紐はいかにも桂の作品を連想させる。そして何より《重工業》と《森の掟》における画面全体のコラージュ的な構成が、桂ゆきとの関連性を思わせるのである。

そして最後に参照したいもうひとりの女性作家が、早瀬龍江である。早瀬は岡本の六歳年上の一九〇五年生まれで、福沢一郎の研究所でシュルレアリスムを学んだ画家として知られる。

早瀬の初期作《楽園》（一九三九年）（図22）をご覧いただきたい。ヒエロニムス・ボスやピーテル・ブリューゲルなど、中世末のフランドル派に着想を得たと思しい作品だが、《森の掟》と並べてみると共通する点がじつに多い。赤、青、黄、緑の原色の対比を主体とするにぎやかな画面であること。画面中に多種類の生き物が描かれていること。中央に魚のようなヒレのある怪物が描かれていること。暖色で塗られた怪物が別の生き物を咥えていること。その怪物の目が半月型であること。画面左右に樹木が配され、特に右の木が大きく目立つ枯れ木であること。その根の部分が大きく張った独特な形であること。画面の左上端から右下に向かって木の枝が伸びていること。画面左上に裸体の人間が登場すること。目玉の描き方が多種多様であること。

シュルレアリスムに典型的な遠くに広がる空を描く早瀬の絵と、ほとんど奥行きというものを作らない岡本の作品の全体的な印象は異なる。また《楽園》では登場する生き

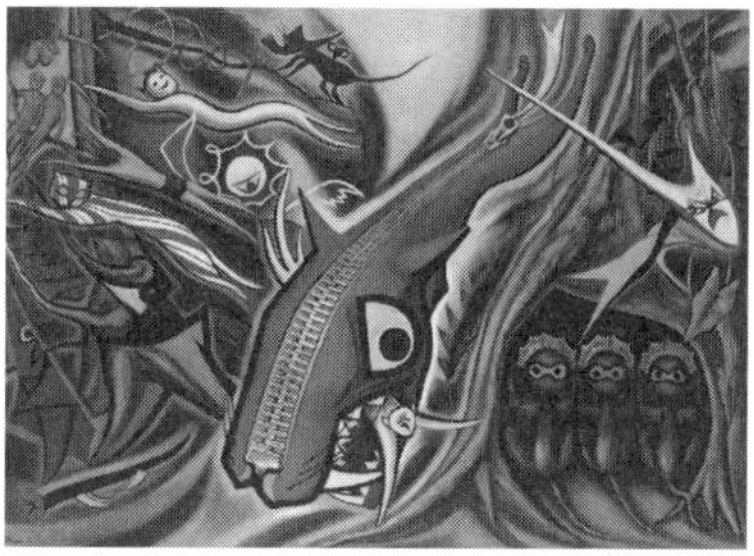

（図15）　岡本太郎《森の掟》1950年

（図22）　早瀬龍江《楽園》1939年

（図23）　早瀬龍江《静物（B）》1941年

物がことごとく目を合わせず、それゆえ夢幻的な（それぞれの生き物が別次元にいるような）印象があるのに対して、《森の掟》は画面内のほとんどの視線が中央に集中し、より劇的な、漫画の一コマのような印象が強い。

それでもなお《森の掟》との関連性を思わせるのは、何よりも早瀬が翌々年の《静物（B）》（一九四一年）（図23）において、まさしくファスナーの付いた赤い袋を大きく描いていることだ。早瀬もまた桂のように、岡本が《重工業》と《森の掟》を除いて決して描かなかった、手ぬぐいやファスナーや鮮魚といった生活上のモチーフを、やはり岡本がそれら二点の作品以外では描かなかったような写実的な描法で、描いている。これらのいくつもの符号は、偶然であろうか。

岡本は一九四〇年の六月に留学先のパリを発って帰国し、一九四二年の一月に兵卒となる。そして一九四六年六月に復員し、上述のように一九五〇年九月に《森の掟》を発表するのだが、この間に早瀬の作品を見ることができたかどうかはわからない。《静物(B)》は一九四一年の第二回美術文化展に出品されていることがわかっているため岡本が実見した可能性がないとはいえないが、《楽園》の発表歴は不明だ。(21) 戦中から埼玉県飯能に住んでいた早瀬と、大戦前後は主に都内を拠点とした岡本との直接の接点を示す資料はない。したがって早瀬と岡本の関連性は推測の域を出ないのだが、しかし、《森の掟》の瞬間的な達成(といいたい)が、スタイルとして後の作品に引き継がれて展開しなかったのは、それを成り立たせている要素が岡本自身のものではなく借り物であったことを明かすように思えてならない。仮に桂や早瀬といった近い世代の女性作家からの隠された拝借があったなら、表向きには状況証拠のある光琳という古典のオマージュと、意味合いは大きく変わってくるだろう。

《森の掟》は傑出した作品である。先述したとおり後の世代への影響も大きく、戦後の日本の前衛美術を総覧するとき、一九五〇年という制作年の区切りのよさも相まって、その強烈なイメージはひときわインパクトをもって見えるにちがいない。けれどもいま書いたような理由で、《森の掟》を岡本太郎の代表作と呼ぶことには、躊躇してしまうのである。

(21) 『早瀬龍江画集』早瀬龍江画集刊行委員会、一九九一年、および『早瀬龍江 かけ抜けた昭和の前衛』図録、第一生命保険相互会社、一九九七年。

リキッド・キッドの超能力——篠原有司男《ギュウちゃん》の音声と修辞学

1　君の名は

篠原有司男かギュウちゃんか。それが問題だ。

素直に作家論を書くのなら、呼称は篠原有司男であるべきだろう。作品に添えられるキャプションや目録にはもちろん、この漢字の名前がクレジットされる。けれど一方で、あのよく知られたギュウちゃんという愛称を素通りすることはできない。それはアーティストネームではないが公認された称号であって、齢九〇を超えてなお「ちゃん」付けで世代を問わず呼ばれ続けていること自体が、彼の独自性を物語っているのだから。篠原有司男かギュウちゃんか。だがいずれにしても、そのどちらか一方で呼ぼうとするたびに、この作家も作品も、ぬるりと手の先から滑り去り、みるみる蒸発して行ってしまう感覚が伴う。すなわち彼自身が好んで描く両生類や爬虫類のように粘膜質で、あるいは彼がかつて大いに好んだ酒のように流動性と揮発性が高いのである。篠原有司男かギュウちゃんか。さてどちらを選ぶべきなのか。あるいは選ばない方法があるだろうか。

篠原有司男。その名は近現代日本美術史に揺るがぬ位置を与えられている。美術史事典の類いを開いてみれば、関連項目の多さは抜群に多い。とりわけ一九五〇年代末から六〇年代において、篠原はほとんど時代の看板である。六〇年代を形にするならそれは篠原の形であって、六〇年代の色はと問われれば篠原色だと答えればよい（図1）。渦中に書かれた自伝『前衛の道』は菊畑茂久馬や赤瀬川原平の後年の著作と並んでこの時代の前衛を匂いごと封じ込めた古典であり、適当な箇所をわずかに引用するだけでたちまち当時の実況中継が蘇る。篠原を構成するボキャブラリーは状況のネットワークのあらゆる節点につながっているのだ。彼は進駐軍文化を吸収して戦後美術を開花させた一人である。岡本太郎『今日の芸術』の、そしていわゆるアンフォルメル旋風の洗礼を受けた前衛入信者である。アクションとパフォーマンスを架橋するボクシング・ペインティングの発案者である。たった数か月の活動期間にもかかわらず時代の顔となったスター揃いの集団ネオ・ダダイズム・オルガナイザーズの花形である。廃品による芸術の最たる実践者である。当時制作した作品のオリジナルがことごとく存在しない作家の筆頭である。近代日本の美術受容を巧みに裏返すイミテーション・アートの発明家である。モダンアートの舞台がパリからニューヨークへ移り変わった二都物語の日本への伝播の代弁者である。日本におけるポップ・アートの先駆者である。読売アンデパンダン展を閉幕に追いやった一容疑者である。反芸術の代表者である。

これらすべてが明るい恒星として、篠原有司男という姿をした前衛の時代の星座を作

（図1）

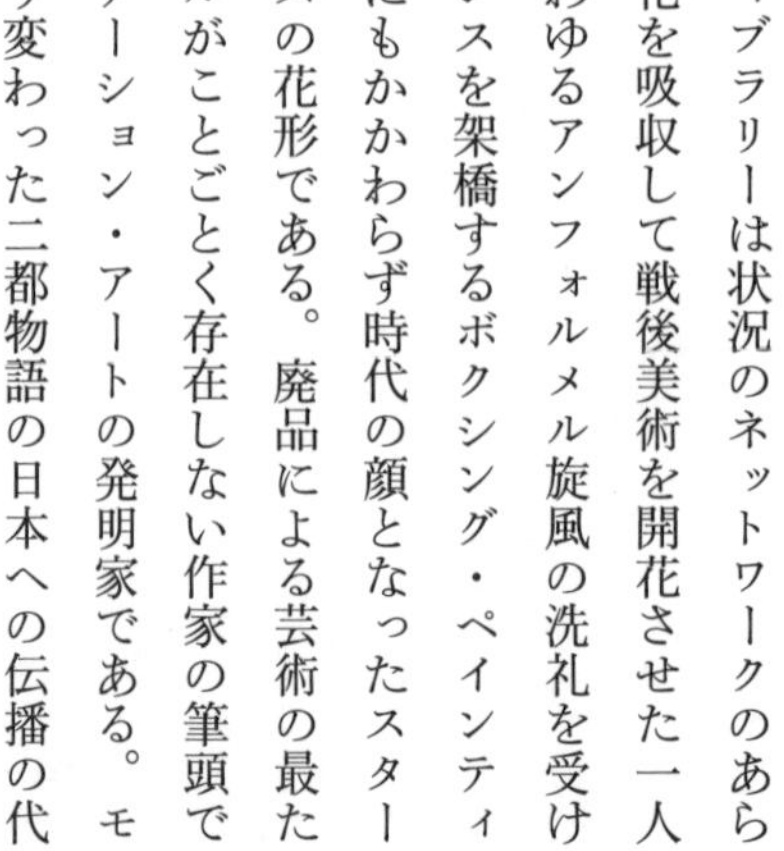

壮烈絵巻《日本芸術界大激戦》（赤瀬川原平・松田哲夫構成、南伸宏画）『美術手帖』一九七二年五月号。中央が篠原の戯画

り出している。だがこうして並べ立てた「である」の行列はまるでサンプルを板に留める昆虫針のようで、そこにあったはずの生き生きした輝きや動きを奪ってしまうように感じられる。そこで、採集者たる美術評論家や美術史家が繰り出す昆虫針をかわしながら、もうひとつの名前が召喚されることになる。エイッ（と唱えるやたちまち筆者の声色が変わる）。

ギュウちゃん。番町、麻布、藝大、ニューヨーク、聖俗入り乱れた野蛮な都市を渡りゆく次郎長とはこの男。トレードマークはモヒカン刈り。日本初だぜこの髪型は。デアルだなんてしみったれたことというのはよせよ、ビシッとやってボカボカやってガシガシ描いてガーッと塗ったらバーッと完成よ！　ゴキゲンなエピソードは山ほどあるぜ。とびっきりバイオレンスでスカトロジックな幼少時代の話から始めようか？　血と涙と男根と実存主義が詰まった学生時代の話もすげえのよ。あのさ、山下清とテレビ出演したときにエイヤーッと体当たりの絵を披露して見せたら「これは狂人の絵だ！」って叫んだなんてケッサクだろ。アウトサイダーの大将からアウト呼ばわりされたわけ、笑わせるよね。アウトのアウトってのは何だろうね。来日したラウシェンバーグ先生にイミテーション・アートのお許しを快くいただいた直後にさ、ぞろぞろとおんなじイミテーションの連作を見せたら先生の顔色が変わったってのも鉄板ネタだよね。そういえばさ、このあいだ美術館でチチアンとチントレットの実物を見たら大感激でもうふるえちゃってさ！　なに馬鹿野郎チチとチンだからって額縁ショーじゃねえよ。学が無えなまったく。

Tiziano《ティツィアーノ》（英 Titian《ティシュン》）と Tintoretto《ティントレット》だよ。もう少し美術史を勉強してくれねえと困るぜ……。

というう具合に、ギュウちゃんと一声唱えれば文語に乗らない愉快な言葉が一挙に踊り出す。ただしこれはヒューマニズムである。彼のずば抜けて魅力的なヒューマンに抗いがたいにしても、個人に限定したエピソード語りは一般化を難しくしてしまう。技術を生み出した天才を顕彰しつつ、その技術を反復できるように抽出し、保管し、起因や背景を研究し、吟味して後世に伝えるために、要はそれを「いただく」ために、美術史言説はヒューマニズムを排除する。だから篠原有司男とギュウちゃんとは折り合いが悪いのだ。一方で語ろうとすると大事なダイナミズムが失われてしまう。他方で語ろうとすれば、刹那的な楽しみの消耗に明け暮れて歴史のバトンを次に渡すことが困難になってしまう。

こうしてぼくらはいつも、二種類の言葉によってシノハラウシオという一人の男を語ってきた。その二種はほとんど排他的関係にあって、互いに挨拶を交わしたり時折招き入れたりしながら、それぞれの生活空間を保っている。たとえば「こうなったら、やけくそだ！」なるギュウちゃん印のコピーを拝借して篠原有司男ないし六〇年代を記述し、一方ではギュウちゃんの放埒な語りに史的言説を註釈して価値をバックアップする、というふうに。すなわち高尚と低俗の、金とメッキの、専門誌と大衆誌の、レストランと居酒屋の、コンサートとカラオケの、御屋敷と長屋の、シノハラ流にいうと殿上人と地下侍の、棲み分けである。いずれにせよ両者の持ち駒はすでに出揃って定型化していて――いや、いま設定した対比構図もかつて語られた定型であるのだが、(1) ここで、この棲み分けの通路をもっと拡張整備し、いっそひとつの屋根を架すことはできないかと考えたいのである。片方の呼称に傾くときの違和感の源を掘り起こしてこそ、シノハラウシオの本質は明らかになるだろう。篠原有司男かギュウちゃんか。そのあいだには深くて暗い川がある。エンヤコラ今夜こそ舟を出さなくてはいけない。

(1) 約半世紀前に書かれた中原佑介による「篠原有司男論」(『現代美術』一九六五年三月号)は次の一文で始まる。「篠原有司男は、これまでおおむね二つの窓口から眺められてきた」。

2 お道化《どけ》る前衛

このように二種の言葉で語られてきた作家はシノハラ一人でない。前衛芸術家シノハラを生み出した親分の一人である岡本太郎は、その代表といっていいだろう。フランス滞在一〇年、最新鋭の美術動向との交流を旗印に鳴り物入りで日本美術界入りしたホープは、しかし大衆メディア、特にテレビにおける露出を重ねるにつれて、いつしか岡本とタローに分裂していった。対極主義を掲げて派手な色彩で既成画壇を挑発し、縄文土器を日本美術史の端緒に引き入れ、著作『今日の芸術』によって広く若者の前衛精神を刺激し、ピカソと張り合うとうそぶきながらフランス仕込みの民族学を引っさげて世界を駆け回り、大阪万博で奇怪な彫刻兼建築《太陽の塔》を残した岡本。目を見開くポーズとキャッチフレーズに満ちた快活な語り、そして陽気なキャラクターで人気を博し、ゲージュツ家のアイコンとしてバラエティ番組やテレビＣＭに引っ張りだこのバクハツおじさん、タロー。後者に比重が傾いたままこの世を去った後は、秘書であり養女であった岡本敏子の尽力と評論家や研究者のリサーチによって再び岡本としての存在感を取り戻し、そしてまた大衆的人気を得てタローが息を吹き返す。歴史的位置づけを探る岡本と人生訓を垂れるタローは、いまだ結合することなく分裂症的に浮遊している。

もう一人思い浮かぶのが鶴岡政男である。鶴岡の代名詞として真っ先に挙げられるのは、一九五〇年に発表された《重い手》だ。打ちひしがれた浮浪者の姿を歪んだ閉鎖空間に封入したこのキュビスム風の作品は、敗戦直後の社会の心象を美術の言語でドキュメントした傑作として美術教科書に必ずといっていいほど登場する。そのほか、座談会で彼が発した「日本の絵というものは、全体に物を描かないと思うのだよ」という一言は、端的に日本の美術状況の焦点を射ぬいた言葉として伝説化している。目まぐるしくスタイルを変容させた鶴岡であったが、人を喰ったような戯画的作風は戦後美術に独自のポジションを確立し、数少ないパステル画の名手としても高い評価を得ている。その一方で彼は、「フーテンのツルさん」なる異名を持っていた。すでに若い時分にピエロに扮したポートレート写真が残されているが、まさにその生活態度は道化的で、玄関がつねに半開きの家に住んで谷中の蛙《ガマ》と渾名され、風変わりな化粧や女装で周囲を楽しませることしばしばだった（図２）。還暦を迎える六〇年代には暴走族とつるんでみたり、毎

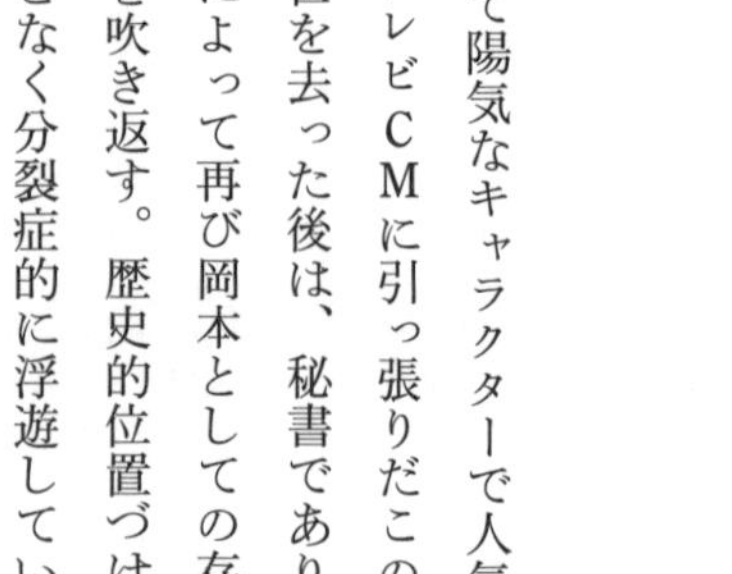
（図２）アトリエの鶴岡政男、撮影：羽永光利、一九六八年頃

晩新宿の盛り場に通ってはボンゴの演奏を披露し、フーテンの女王「ポコ」なる女性に入れ込んだ。一九六一年にLSDを投与された状態でテレビカメラの前で絵を描く実験の被験者に鶴岡が選ばれたのも、また大島渚「新宿泥棒日記」(一九六九年)に鶴岡の大作が象徴的に映し出されるのも、そうしたカウンター・カルチャーとの交流が背景にあってのことだった。

彼らのように戯《おど》けた振る舞いを繰り返す前衛の系譜が日本で最も顕在化したのが六〇年代であり、その急先鋒として登場したのがシノハラウシオであった。そして二種の言葉の乖離は、せいぜい「反逆精神」「反体制」といったラベルが貼り付けられて落ち着くことになる。各々の言葉が持つ時間の流動性の差は、ひとつの語りの中で解消することができない。端的にいえばラングとパロールの差だ。一般化され、保存や持ち運びのために整えられたラングは、瞬発的で個別的なパロールを漂白し、あるいは抑圧する。エピソードやキャラとして泡沫のように浮かぶパロールは、ラングから逃れ続ける。両生類や爬虫類のように粘膜質で、酒のように流動的で固着しないものをめぐる忌避と愛好の駆け引きである。同じく六〇年代に多発した肉体を駆使するパフォーマンス類の記録が限定的にしか残存しないのも、思うにそれらのパフォーマンスの内容や記録メディアの問題というより、これと同様の言語的な性質によるのではあるまいか。

さて、シノハラの制作流儀の概念化を試みた唯一の例といえる中原佑介の「篠原有司男論」は、まさにこの二種の言葉(「二つの窓口」)の調停に向けられた試論であった。

ポロックの《アクション・ペインティング》は、イメージのひきおこす自己疎外を「アクション」によって超越しようとしたのにたいし、篠原は、「描く」という行為、「つくる」という行為が、既に疎外をもたらすということに「狂躁」した〔……〕それは、芸術破壊の行為でもなく、芸術否定の思想のあらわれでもなかった。逆に、芸術形式と自己との埋めがたいギャップの表明であり、それを埋めようとすることにおいて、芸術的行為としか名づけようのないものだったのである。(2)

そして、形式からはみ出さざるを得ないその営為自体を固定化する、というそのジレンマ的芸術行為に対して、たとえば《ハリボテ・ボクシング》などの作例を想定しながら中原は、「ソリッド・アクション」なる用語を提案した。

篠原は、そこでアクションを、「描く」、「つくる」ということから切りはなし、「アクション」そのものを物質化するという方向を選んだ〔……〕それらは「個体化されたアクション」という意味で《ソリッド・アクション》と名づけることのできるものである。(3)

つまりはアクションの痕跡でなく、アクションしているさまをかたどるに至ったのだ、と。

(2) 中原、前掲(1)。

(3) 中原、同前。

しかしこれは、なんと皮肉な、もっと露骨にいえば苦し紛れのレトリックであろう。ひとときソリッドな形体を与えられたとしても、その「疎外」ないし「はみ出し」は、中原が続いて書くように「たえず、これでもない、これでもないんだという表情をうかべて」、当然ながら果てしないイタチごっこに帰着する。あえて「ソリッド」と呼びながら、芸術形式と自己との埋めがたいギャップ、あるいは二種の言葉の絶え間ない紛争状態において、シノハラが本質的にリキッドであることを中原は了解していたはずである。それでもなお彼がソリッドという形容を持ち出さざるを得なかったのは、あくまでそれを確定的に「物質化」して、脱身体化した視覚に基づいて診断する批評態度を固持したからにほかならない。

ならば求められる方途はひとつ。そのつど断続的に現れる切断面（芸術形式＝篠原有司男）をソリッドにつかまえるのではなく、またリキッドネス（はみ出す自己＝ギュウちゃん）を様態として流れるにまかすのでもなく、リキッドの持続を可能にしている彼のソリッドな技術をこそ記述することである。最も素直に篠原有司男とギュウちゃんとをつなぐ道は、作品に付随して常時発生しているダイナミズムの真っ只中で物質を吟味すること、ある種の演劇行為として彼の活動を捉え直すことにちがいない。

3　タンカと特殊音節

一九八一年、東京国立近代美術館における回顧展「一九六〇年代——現代美術の転換期」を訪れた感想を、赤瀬川原平は次のように述べた。「だけど何か物足りない。これが六〇年代展だというのに、熱気のあふれる見世物小屋を、外の小窓から見ている感じである。見たいと思う核心のものが見られないのだ。何故かといって、篠原有司男の「ボクシングペインティング」がない。「地上最大の自画像」がない〔……〕」(4)。生《なま》のパロールを経験として知る赤瀬川は、ソリッドな痕跡の展示に満足が行かない。ギュウちゃんはどこに行ったのか。あるいは、自分がそう呼ばれていた「アカちゃん」は、どこへ。

ここで赤瀬川が持ち出した「見世物小屋」は、比喩以上に六〇年代の美術の特質をいい得ているように思える。じじつそれは、たしかに見世物小屋というマイナー芸術の一変種ではなかったか。

シノハラウシオがへび娘や人間ポンプのような見世物であったといいたいわけではない。じっさいギュウちゃん得意のエピソードには、ミミズ、糞尿、犬の眼球、性器、ごみ、血液や吐瀉物といった見世物世界に通ずるアブジェクションが頻出するが、決して彼は社会的境界の向こう側に閉じ籠もりはしない。「美しくあれ」を掲げるシノハラの芸術行為は、アウトサイドを昇華するフェティッシュに定着することなく、あちらとこちらを行き来する、周縁で振動する反復横跳びである。篠原有司男⇅ギュウちゃんの間を

(4)　赤瀬川原平『いまやアクションあるのみ!』筑摩書房、一九八五年、二一〇頁。

跳躍する身振りこそがシノハラウシオの面目だ。赤瀬川の比喩になぞらえるなら、それは見世物小屋の前に立つ呼び込み口上《たんか》の芸である。

見世物のエンジンは、小屋内で披露されるショーそのものではなく、舌先三寸で巧みに観客を幻惑する口上に内蔵されていた。(5) 日常世界と異世界の媒介役。シノハラはまさしく、そのような象徴的役割を引き受けてきた。先に書いたとおり、彼は六〇年代の看板そのものである。そしてシノハラが境界上の横っ跳びを持続すべく駆使してきたもっとも重要な技術は何よりも、音声であった。

> 俺の空カン・空ビン・古靴をくくりつけたオブジェを前に、スシをつまむ若旦那。こりゃあ絵にならねえ。そうだろう。〔……〕俺たちは、しかしこのコタツを囲む2DKの中に怪獣の一物のような前衛芸術作品を投げ込み、お返しに銭《ぜに》をたっぷりいただく事に決心したのである。(6)

シノハラ本人の溌剌きわまる江戸ネイティヴの弁舌を読み聞きしていると、そのリズムの中に言語学にいう特殊音節――文字表記との対応の仕方が他と異なる音節――がすこぶる多いことに気づくだろう。すなわち撥音（「ん」）、促音（「っ」）、拗音（「ゃ」「ゅ」「ょ」「ゎ」）、長音（「あ」行および「ー」）。おしゃべりになるとさらに顕著だ。

(5) 「そういう〔見世物になる〕おねえちゃんが、さぞかし一座の中でギャラはたくさんとるのかと思うと、そうではなくて、一番安いんですよ。だれが一番金とるかっていうと、表で「サァいらはい、いらはい」とやる人がとるんです。〔……〕表の呼び込みっていうものの技能が一番認められているから、一番金をとるわけなんです」。小沢昭一『日本の放浪芸　オリジナル版』岩波書店、二〇〇六年、三五七頁。

(6) 篠原有司男『前衛の道』（完全復刻版）美術出版社、二〇〇六年、一〇〇頁。傍点は引用者。

時代が俺に追いついてくれたって感じだぜ。だから今は波に乗ってる。ジャンジャンジャンジャンジャンジャンジャンジャン、パッパー、『トランペット、もっと吹いて！』って。(7)

「撥」＝はねる、はじく、「促」＝つまる、せまる、「拗」＝ねじる、すねる、「長」＝のばす、ひく。それぞれの音を示す名前が代理する性質は、そのままシノハラの貫いてきた活動の特性に対応する。文字と音節とが一対一対応の関係にならないところに特殊音節の特殊たるゆえんがあるが、それぞまさしくソリッドとリキッドの、篠原有司男とギュウちゃんの関係そのものであった。さらに濁音と半濁音が多く混入することで、音節の効果はいっそう高められることになる（特に多用されるのは唇を震わせる濁音だ）。「ベラボー」を愛した岡本太郎からシノハラが受け継いだのは、濁音であったのかもしれない。ともに極度の近眼であることからシノハラと棟方志功とを比較する言説もあるが、(8)むしろ類似を指摘するならば棟方によるあの濁点だらけの宣言「わだばゴッホになる」だろう。シノハラ好みの次郎長《ジロチョー》も幡随院長兵衛《バンズイインチョーベー》も、その人物像以前に先立つのは名の響きである。飛ばすのでなくぶっ飛ばす。始めるのでなくおっ始める。ともあれ、だからこそギュウちゃんは「ギ・ュ・ウ・ち・ゃ・ん」（濁音＋拗音＋長音＋撥音）でなければならないのだ。特殊音節的性格こそがシノハラを駆動する。

語られていくうちに、彼の言葉は次第に意味を削ぎ落とし、「早く、リズミカルな」効

(7) 篠原有司男『The Interviews げんこつで世界を変えろ！』サンポスト、二〇一六年、一八九―一九〇頁。傍点は引用者。

(8) 「顔を版木すれすれに近づけて彫ってゆく、その描き方が、すごく似てるの」（田名網敬一）。『篠原有司男対談集　早く、美しく、そしてリズミカルであれ』美術出版社、二〇〇六年、二九三頁。

果を際立たせ、純粋な音声になってゆく。見世物口上がそうであるように。思えばシノハラの活動はつねに、音とともにあった。マンボ、ロカビリー、ビート、ドドンパ、モダンジャズ、パンク。シノハラの語りや彼を取材した記事の見出しには頻繁に、スピードとリズムに満ちた音楽の名が踊った。そしてシノハラの作品はいつも、すぐれた効果音として機能するキャッチコピーの発明とともにあった。「SWEET」「二〇・六世紀の真赤にのぼせあがった地球」「レフト・フック」「メリーさん、メリーさん」「こうなったら、やけくそだ!」。自らをマスメディアと同化させ、殴りつけるように次々に世界を切り刻み字面に変えていく連打連打連打。ダダ、ダダ、ダダダ。

シノハラの言葉は作品であり、作品は言葉である。その言葉は意味論的意味作用を超えた音声そのものだ。疾走する言文一致体である。くたばってしめえ二葉亭四迷である。それによって彼は、純粋視覚に回収され得ない現象、ソリッドに固定されない生放送であることを可能としてきた。シノハラの作法を「ダダ的な破壊、挑発の衝動を可能な限り最も純粋に持続させた」「絶え間なく現在であろうとすること、現在進行形のうちにあること」(9)とかつて評したのは日向あき子だが、それはつまり「ダダ」を態度としてよりも二文字の濁音として解釈することだったのである。

(9) 日向あき子「篠原有司男・アクション論」『篠原有司男展』図録、毎日新聞社、一九九二年。

4　祝祭空間のコール・アンド・レスポンス

六〇年代は、社会のマージナルな部分が文化の核心に移行した時代といえる。そこで美術の前衛を輝かせたのは、ギンギラの言葉と音声を操るチャンピオン・シノハラの跳梁跋扈に他ならない。その舞台は紛れもなく、見世物的マイナー芸術の文法から醸成された祝祭空間であった。

いうまでもなく、ここでいう「マイナー」は価値的低位を意味しない。マイナー芸術を構成する音声や身体的アクロバットの弾力は、視覚優位のメジャー芸術の言語では捕捉できない価値を宿す。「不快音または高音を発する」「悪臭を発しまた腐敗のおそれがある」「刃物等を使用」「公衆衛生法規にふれる」——一九六二年、末期読売アンデパンダン展が提示した陳列基準に列記された禁則は、同時代の美術が視覚によらない性質を大いに拡張させたこと、そして日常世界に持ち込まれればすぐさま犯罪とみなされるような反社会性を帯びていたことをストレートに示す。アンフォルメルや抽象表現主義、ポップ・アートといった海外動向の亜流に収まらない特色がここにある。アーティストはここにおいて、生活とは別次元から現れ、日常的なコミュニケーションの規範を破ってハレの空間を実現する異人、つまりは道化であった。祝祭の場というある限定された時空において、道化たちはさかしまな身振りによって、生活空間を縛っていた価値体系を転倒させるいわば超能力を託される。神輿の担ぎ手のようにもろ肌を、それどころか下半身をもさらけ出す「肉体のアナーキズム」(黒ダライ児)がとりわけこの時期に勇躍することになるのだが、シノハラの場合は肉体とともに音声効果をふんだんに盛り込んだところに独自性があった。口上のように、あるいは同じくマイナー芸術たる紙芝居、チンドン、落語、漫才のように。彼が司る超能力はアップテンポな緊張をはらんだ音声である。

ボクシング・ペインティングのパンチ跡は、シノハラの発する濁音と同期する。それは擬音そのものだ。ドカーン! ズババーン! Pow! Blam!! Boom!!! ジャズバンドの共演、悲鳴とどろくワイルド・パーティー。思考するマルセル・デュシャンの頭部は回転し、モーター音がうなりを立てる。特殊音節が炸裂するインタビューや執筆は渡米後もますます快調。「日本の前衛」の枠組先行によって渡米後のシノハラについていいあぐねる言説を尻目に、彼の活動原理は何も変わらない。カードボードのオートバイ彫刻はねちゃねちゃとした塗料をぶっかけられてまさしく粘膜質で流動的な表面をアピールし、スピードに乗ったボディが歪み、反り返る。英語を話さないこともあってか、スタイルの変化もさることながら渡米後はとりわけ作品タイトルに音響効果が圧縮されることになる。チョッパー、モーターサイクル・ゲイシャ、モーターサイクル洗剤マン! 絵画の類はなおもやかましい。ドローイングで多用されるクロスハッチングは陰影であるとともにいわゆる見せ消しの線であり、「これでもない、これでもないんだ」と紙面を押し分けて密度を上げていく。画面への文字の導入も顕著になった。七色が目に痛いほど眩しいアクリル画はドギツい紙芝居の見せ場の一枚、もしくは漫画のクライマックスシーンである。「漫画の見開き二頁から、罫線を外しちゃえば、ギュウチャンの絵のようになる」(10)という田名網敬一の指摘は鋭い。飛び散る体液、どおくまん由来の飛び出す目玉、発光するポケモン。極端なパースペクティブは集中線のように斜めに切り込むスピードを構図に与え、画面は同心円状にぐるぐる旋回する。コーナーにしばしば内側に向かって湾曲するラインやモチーフが描き入れられるのは、その旋回効果の強調である。スピーディでリズミカルなタイトルを頭に入れて、制作時と同じようになるべく接近して、作者一流の近眼の間合いで喰らいついて見るのがいい。この色、この密度。ちょいとゴメンよゴメンよとモチーフが隙間なく混雑した定員オーバーの浮世風呂。これはもうアニメーションだ。

そしてこれらの作品には、生身のギュウちゃんの発する音声が不可欠だ。スタジオで、個展会場で、カンヴァスを殴りつける音が。口角泡を飛ばして「こりゃすげえや!」と自らの作品に感動する彼の声が。そのリズムとサウンドによって、ぼくらを陶酔させる祝祭空間の緊張は最高潮に達する。

ただしこの生放送のダイナミズムは、当然ながら、シノハラと幸運にも時代を共有し得た者に与えられた特権的喜びである。本人に面したことがありさえすれば、テキストやインタビューから音声を脳内で再生することもできる。会ったことがなくとも、いまぼくらは彼の作品を、篠原有司男⇅ギュウちゃんを往還するステップを、直接間接に聞

(10) 田名網敬一、『篠原有司男対談集』前掲(8)、二八八頁。

こえ伝わったアクティブな特殊音節とともに演劇的に享受しているはずなのだ。作者の言葉が作品の理解をより深めるというレベルでなく、生きた「リキッド・アクション」として、それは欠かすことのできない要素なのである。すると、たとえば百年後、これらの作品はどのように受け止められることになるだろう。音声は共有空間を生成しつつ、時間に抗いがたく痕跡のみを残して散っていく。見世物も紙芝居もチンドンも、すでに歴史的遺物と化したこの二一・一世紀以降に、シノハラが開発した技術を引き継いでいくことはいかにして可能だろう。百年後も続くロングラン上演を実現する方法が、いまならあり得るのではないかとぼくは夢想する。

君、知ってるか！　シノハラウシオの本当の意味を。(11)

(11)　「君、知ってるか！　アクション絵画の本当の意味を」(『前衛の道』ブックケース表紙のコピー)。

目が泳ぐ——いわさきちひろの絵で起こっていること

1　印象に分け入って

「夢のようなあまさ」(1)。半ば自己批判的に、そして半ば自負を込めていわさきちひろが自作を評したその言葉について考えるところから始めたい。

　ちひろについて書かれた文献を紐解けば、決まって子どもや花、あるいは色彩に対する言及があり、かわいい、やさしい、やわらかい、といった印象が語られる。しかし、……といった前置きもまた、すでに決まり文句なのである。通説を覆すそぶりで、じつのところこうした叙述そのものが通俗的観点を再生産する推進力に他ならないし、例外的な描写対象をことさら引き合いに出し、かわいさやさしさに限らない印象を語るのもまた欺瞞だろう。まさしくそのようにしてパラダイムは保持される。真の問題の所在は、同じようなことが繰り返し語られてきたその内容ではなく、対象の記述とそれが与える印象というフレームがほとんど変化していない点にあるはずだ。この枠組み、いわば印象批評的観点は、作品を早々に記号と意味に置き換え、それ以上の認識を止めてし

(1)　いわさきちひろ「表紙のことば」『子どものしあわせ』一九六三年三・四月合併号。

(2)　最たる例として、ちひろの絵には「〈母性の心情〉に訴える性質」があるために女性層に愛好されていると評する上笙一郎（『日本の童画家たち』平凡社、二〇〇六年）をはじめとして、作者の性別や、母子像や少女を多く描いたからといって「母性」や「女性性」に作品の本質を求めることなどは、いうまでもなく今日有効でないだろう。宮下美砂子の次の論考も参照。「言説空間における「いわさきちひ

まう。(2) 描かれた目だとか表情とかの外見を主観的に評したり、作者個人の人生と作品との混同や「愛情を感じる」といった情緒的感想が述べられ続けるかぎり、当然ながら童画もしくは絵画一般へと抽象化して議論を広げることはできない。だがちひろ自身が語っていたとおり、普遍的であるかのように語られてきたのとは裏腹に「豹変」(3) することを旨としたのがちひろでありちひろの作品であった。「生誕一〇〇年　いわさきちひろ、絵描きです。」展（東京ステーションギャラリー、二〇一八年）は、その豹変のプロセスもしくは作品内に現れた豹変の像を追い、印象に留まり閉じ籠ろうとする認識こそを動かし豹変させるべく企画された。

ちひろ美術館を中心に進められている詳細なエピソードや資料の発掘、美術史との接続、(4) 社会学の援用など、(5) 没後四〇年以上が経過する中で蓄積されてきたちひろの解釈を開拓する数々のアプローチを踏まえつつ、この小稿ではちひろ作品におけるメディウム（媒材、描画材）の扱いと画面空間との関係に焦点を絞る。すなわち、ちひろの絵が読者／観者にある印象や感触をもたらすのならば、それはいかなる技術に由来しているのか。そしてそれは特に童画や絵本というメディアといかに連動しているのか。これらを考えることが、これまで漠然と、無条件に「力がある」などと語られてきたもの、そして「かわいさ」「やさしさ」といったロマンティックなフレーズによって言われようとしていたもの、つまりはちひろの童画を見る者がごく自然に感じていることの核心に向かう道だろう。通説を覆すより、むしろ通説の内奥に分け入って作品の仕組みを考察しな

ろイメージ」の形成過程をめぐって――作品と作品を語る「ことば」の選択、固定化に着目して」『千葉大学大学院人文社会科学研究科研究プロジェクト報告書』二五九号、二〇一三年二月。

(3) いわさきちひろ「新しいことというのはいつも不安です」『絵本づくりの仕事場より』至光社、一九七〇年九月。

(4) たとえば、北澤憲昭「「紫陽花いろ」の画家　日本近代絵画史のなかのいわさきちひろ」、仲町啓子「〝にじみ〟が語ること　いわさきちひろと宗達」。ともに『芸術新潮』二〇一二年七月号所収。

(5) たとえば、註（2）に挙げたものをはじめとする宮下美砂子による一連の論考。

くてはならない。ひいてはそこから、ちひろの画業が達成したことも導かれ得るだろう。

ただし、いま「技術」と書いたものはむろん、○○法、○○流、○○筆といった、それこそ記号化されたテクニックのことではない。先にいってしまえば、ちひろの最大の功績はなによりも、童画と呼ばれる分野において記号的な意味に収斂しない画面づくりを実現した点にある。ここではとりわけ、ちひろの「一頂点を示す」(6) 至光社の絵本シリーズ六作(『あめのひのおるすばん』(一九六八年〔以下シリーズの年記は制作年〕)、『あかちゃんのくるひ』(一九六九年)、『となりにきたこ』(一九七〇年)、『ことりのくるひ』(一九七一年)、『ゆきのひのたんじょうび』(一九七二年)、『ぽちのきたうみ』(一九七三年)を中心として、そこに表されたメディウム操作のわざと画面構造とのかかわり合いを観察したい。

2　外から来る線

一九六八年、すでに人気作家の地位を獲得しながらも行き詰まりを感じ、「新しい、生き生きとした仕事がほんとうにしたい」(7) と願っていたちひろが編集者の武市八十雄と組んで始まったのが至光社のシリーズである。「新しい、生き生きとした仕事」像は、この四年前のちひろの言葉に端的に示されているだろう。

(6) 松居直「はじめての絵本のことなど——絵本編集者の目から」『いわさきちひろ作品集四』月報、岩崎書店、一九七七年三月。

(7) いわさきちひろ「駄作でいいんなら何でもできます」『絵本づくりの仕事場より』至光社、一九六八年九月。

(8) いわさきちひろ「童画とわたし」『なかよしだより』四五五号、一九六四年一月。

童画は、けしてただの文の説明であってはならないと思う。その絵は、文で表現されたのと、まったくちがった面からの、独立したひとつの芸術だと思うからです。[8]

さらに遡れば、「子どもが、その幼い頭に知恵をいっぱいふくらませて、どんなに眺めまわしたってあきないで、お話が山ほど出てくる絵」[9]ともちひろは述べていた。海外の絵本事情に通じ、国際的に通用する「物語にさし絵をつけたものでない絵本」[10]を求めていた武市の望みもそこに重なっていた。

文章に従属することのない、自由な、自律した絵。それ自体が物語る絵。その理想を託してちひろが駆使した重要な要素が描線である。すでに初期の五〇年代から、ちひろの作中には自由にふるまう線が現れていた。たとえば『あいうえおのほん』（一九六〇年）などにおいて路上を這う蝋石の線は、画材においても運動性においても、メインの人物描写とはまるで異なる描き方がなされている。互いに排他的な、いわばネガポジの関係にある輪郭線のない人物と落書きの線は、まるで別個に切り離された空間に生息しているように見える。この落書きは、再現描写されたそれでなく、落書きそのものだ。

こうした、画面内の統制から遊離したいわばメタ落書きをちひろはしばしば採用しており、とりわけ『となりにきたこ』（図1）では画中の主役を張るほど躍動している。あるいは、図像に書の線が介入することで見ることと読むことが混在している水彩画《和服の少女》（一九七一年）などもこの例に含めてよいだろう。そして、『戦火のなかの子ど

（9）いわさきちひろ「あっ、おかあさんの絵」『国語通信』一九五八年五月。

（10）武市八十雄「「絵本の世界」をささえたもの」『いわさきちひろ作品集6』岩崎書店、一九七六年九月。

（図1）

いわさきちひろ《引越しのトラックを見つめる少女》一九七〇年

もたち』（一九七三年）の中の大きく旋回する鉄条網や人物に覆いかぶさる太いストロークは、一見するとノイズに見紛うほど、絵の「中」に描かれているのではなく絵の「外」から上書きされているような位相のずれを示している。

アーティストの大山エンリコイサムは、グラフィティと関連付けながら、中村研一の戦争画《コタ・バル》（図2）に「かかれた有刺鉄線が黒い線でぐるぐると落書きがしてあるよう」だと語っている。「有刺鉄線として知覚できず、表象空間に所属しないノイズのように見えた」と[11]。無機質で肥痩のない鉄線の弧状の運動が特にこうした知覚を促すわけだが、大山の発言にひらがなで記された「かく」が含意するところの、「書く」「描く」そして「掻く」と自在に転位する筆線の働きを、まさしくちひろがつねづね実験していたことは、残された習作の数々からも見て取れる。例外的にパステルを全編に用いた『となりにきたこ』を代表格として、ちひろはあえて画面内の統一を破る傷としての線を導入することで、多声的な画面づくりに腐心していた。

3　水絵の揺れ動き

ちひろの作品の中で線よりなお自由に、多声的にふるまっているのはいうまでもなく色面である。そのことに立ち入る前に、ちひろに対して指摘されることのある「東洋と

（図2）

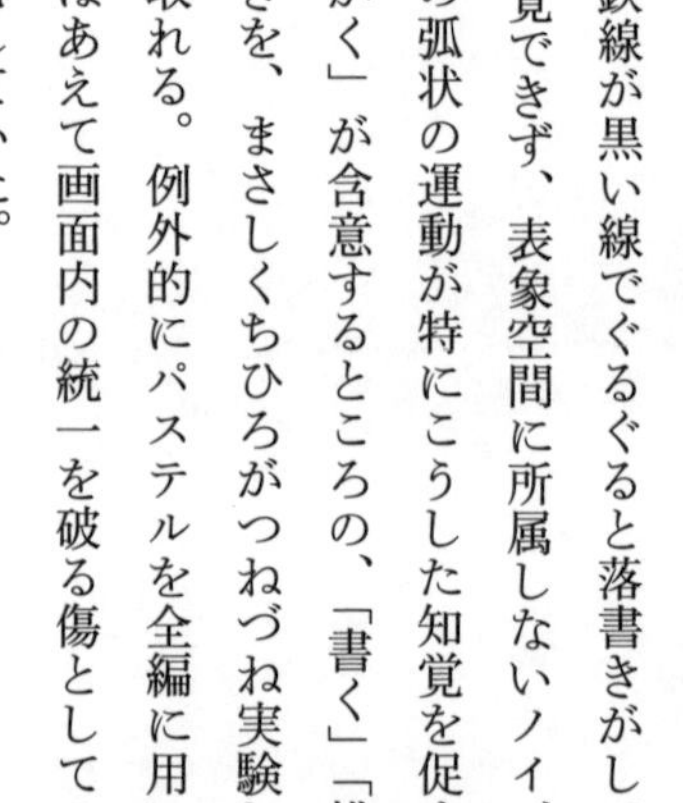

中村研一《コタ・バル》一九四二年

(11) 鼎談（栗本高行、林道郎、大山エンリコイサム）「現代書・落書き・抽象画——広がる「かく」のスフェア」『美術手帖』二〇一七年六月号。

西洋の融合」という、これもまた記号的な評言について検討してみたい。たしかにちひろはいっとき本格的に学んだ書に加えて丸木位里の水墨画に触れ、他方で岡田三郎助や丸木俊らに油画やデッサンの技法を学んでいるが、そこから一足飛びに「東洋と西洋の融合」を断じるのは粗雑だといわねばなるまい。たらしこみは何も東洋の専売特許ではないし、対象の量感や量塊をつかむデッサンは西洋だけが編み出した技術ではない。

ある種の禅画や山水画のような簡潔さとモダンなイラストレーションの取り合わせという図像的な特徴以上に、ちひろの作品が「東西」を連想させるとすれば、それは画面を構成するレイヤーの少なさとそれらの対比的扱い方に由来するのではないだろうか。ちひろの絵は、一層ないし二層で構成されたものがきわめて多く（描写対象を注視する印象批評を誘うのはこのためでもある）、手前の層に大きく植物を置いて背後の層に人物を配するという構図が頻出する。このような表現手法は、江戸期の絵画で発達した、いわゆる近景拡大構図との類似を思わせる。周知のとおり、一八世紀後半から一九世紀にかけて、西洋画法と出会った日本の絵画は、極度に近接した対象を近景に描きつつ、中景を省いて遠景を描き入れることで強い遠近を表す独特な画面構成を生んだ（図3）。ちひろが実際にここから着想を得たか否かはさておき、近景拡大構図に似た構造がちひろの作品特有の広がりと没入感のある空間の骨格になっていることは間違いない。ちひろが得意とした画題の一つである花に包まれる赤子の図も、「おやゆびひめ」の画題を変奏した幻想図であると同時に、近景と遠景を一層に圧縮して得られたものと見ることができ

（図3）

歌川広重《名所江戸百景　堀切の花菖蒲》一八五七年

るだろう。

　数少ない油画の作例を見ると、ちひろがやはりレイヤーの数を抑制し、前景から後景へと連続して空間を構築することなく、おしなべて幕状に敷いた背景の前に対象を置いて画面を成立させようとしていることがわかる。埋め草のように曖昧なこの背景処理は、油画よりも透明水彩を媒介した「水絵」において真価を発揮した。ムラのある色面の薄い広がりは余白（地の紙）や対象とわずかに溶け合い、透明度を保って視線を遮蔽しないことで、油彩では得られなかった揺れ動きを生む。まるでそれは、ホリゾントをバックに撮影した記念写真のようだ。記念写真におけるあの、どこでもなく、なおかつどこでもあるような夢幻の空間を支えるホリゾントこそ、ちひろの作品に広がる色面である。

　画業が進むにつれてこの色面効果は前面に押し出されていく。色面の揺動を最も堪能できるのが『あめのひのおるすばん』と『ぽちのきたうみ』、つまり物語自体に揺れ動く水が密接にかかわる両作品である。

　とりわけ至光社のシリーズ第一作となる前者は色の奔放なふるまいが際立つ作品で、主人公の空想場面や結露した窓に落書きする場面（図4）など、にじみを多用し天地を無視して四方にゆらぐ色彩は紙面から流れ落ちそうなほど水っぽい。後者の海景シーンでは、よく見れば水平に走る上部の青（空だろう）、アクシデントのような滴りによるにじみを波濤に見立てた海面、穏やかな波打ち際の各々が絵具の動きで描き分けられている。複数の色の様態がまさに多声的にひしめく画面は、さながら様々な形成原理から成る雲

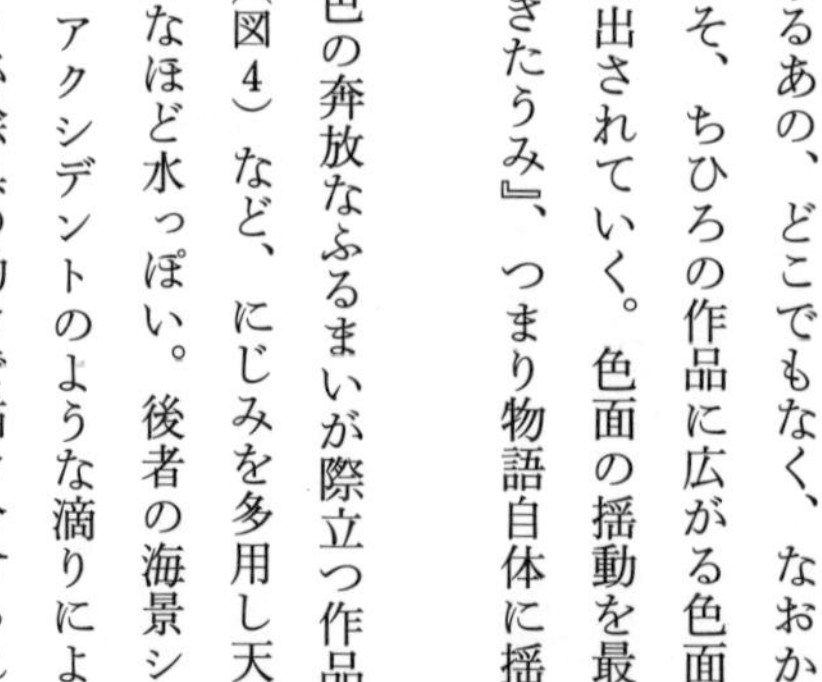

（図4）いわさきちひろ《窓ガラスに絵をかく少女》一九六八年

が浮かぶ空のようだ。それはとりもなおさずちひろが水と顔料の粒子のふるまいを熟知し、その組成の操作に長じていたことを示すだろう。雲と霧と蒸気とを描き分けながら混交させたターナーのように[12]（図5）。

ちひろのスタイルと呼ばれてきたもの、そしてちひろの画期性とはつまり、対象の描写に留まらないメディウムの特性を解放した童画の達成にある。ちひろの画面を眺めていると、構造的な層の少なさ、そして奥行きや天地の情報を示す指標の少なさも相まって、物語の進行を導く対象および画面内の空間からおのずと目が離れ、紙面上をすべる線や色面などのメディウムの動きへと視線がスイッチする。いわば、「目が泳ぐ」のである。デカルコマニーやもみ紙によって物質感を強調した作例も同様の効果を持ち、また、上記『あめのひのおるすばん』の落書き場面もそうだが、版を重ねて一つの図を作る印刷芸術ならではの操作は、視線のスイッチの原理を意図して選ばれた方法だろう。このような輻輳的な色面による視覚効果の駆使は、たとえば同時代のエリック・カール『はらぺこあおむし』（一九六九年刊、一九七六年邦訳）が代表するコラージュ手法と共鳴し、あるいは谷川俊太郎と元永定正による『もこ もこもこ』（一九七七年）以降の抽象性を高めた絵本とも接続していくように思われる。

（12）岡﨑乾二郎「明晰、曇りなき霧晴れやかで軽快なる水の微粒子、の運動」『抽象の力』（亜紀書房、二〇一八年）を参照。

（図5）

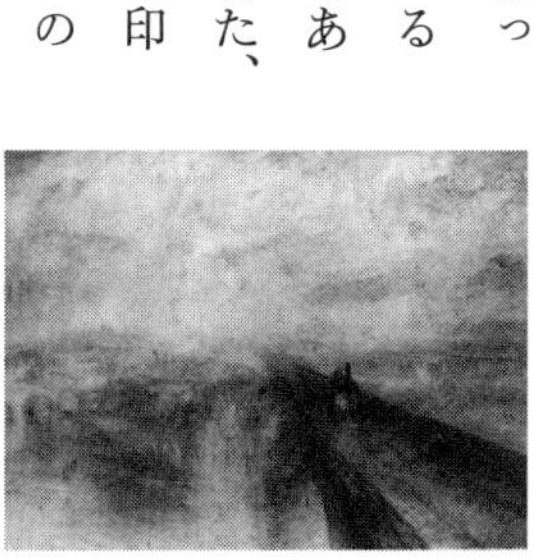

J・W・ターナー《雲、蒸気、速度—グレート・ウェスタン鉄道》一八四四年

4　主題とメディウムの統合

ここまで見てきたように、ちひろの画面には、人物を主体とするできごとと並行して、線あるいは水と絵具などの物質を主体とするできごとが展開している。画題が限定的である一方で、それこそ同一画題を千変万化させた江戸期の日本の絵画のように、ちひろはじつに多様な描法の実験に喜々として取り組み、物語以上に主張する物質のふるまいの研究を重ねていた。そもそも落書きであれ水遊びであれ、不定形で柔軟な物質を弄ぶ行為は、主体の所在が不安定に揺れ動き、身体の領域が未確定な子どもの知覚そのものを代理する表象であった。つまり、童画制作の中でちひろ自身が落書きや水遊びを模倣し、子どもの知覚と同調した空間を作り上げていったのである。

さて、至光社のシリーズ六作には、構成上の共通点がいくつもある。タイトルがひらがなであること、少女が主人公で、半数(『となり』『ゆき』『ぽち』)は少女「ちいちゃん」(ちひろの分身だろう)と犬の「ぽち」が登場すること、両親のうち母親だけが登場すること(『ぽち』を除く)、ほぼ地の文がなく一人称の語りが主体であること(だから本シリーズを父親が読み聞かせるのは少々つらい)。そして何より、すべて何ものかが「くる」ことを主題にしていることだ。タイトルに「くる」「きた」が入る四作はもとより、『あめ』では母親が帰ってくるまで、『ゆき』では誕生日がくるまでの経過が描かれる。いずれも非現実的なファンタジーや、主人公に非可逆な決定的変化を及ぼすイベントは起こらず（ただし『となり』のみは隣人が「きて」からの変化が主題だが）、『あかちゃん』のように弟の誕生という大きなイベントであっても、話の中心はそれが「くる」までの一幕である。ある不在によって隔たりが生まれ、それが縮まっていく過程にごく些細な感情の起伏があり、円環を描いて元の日常に戻る。本シリーズにおいて繰り返される「くる」こと――待ち遠しい、と表現するときの距離を伴う期待もしくは不安、心的な揺れ動き――というテーマは、上述してきた多声的にたゆたう作画技術と結合し、共振する。

かくしてちひろは、悲願の「どんなに眺めまわしたってあきないで、お話が山ほど出てくる絵」「独立したひとつの芸術」を形にした。特にそれは、生活の中にあり、ページからページへと読み進められる時間芸術であり、読み進むうちに読者／観者が自由にスケールを膨らませていく絵本というメディアでこそ最大の効力を持った。原画の一点一点を物語から切り離して吟味する展覧会の形式ではそのような時間的な変化に対する視点が抜け落ちざるを得ないが、一枚の原画の観察からも、ちひろの絵が物質の流動の中にあり、そこに特有のリアリティを生む技術的な基底が蔵されていることが見えてくるはずだ。翻れば、いわさきちひろの絵において、空間、物質、そして主題のそれぞれに揺れ動きが宿されているがゆえに、すなわちいずれの作品も「夢のようにあまい」現象となるように作られているがゆえに、その動きに対して数多の人々の印象が今日まで絶えず投影され続けているのである。

(有)赤瀬川原平概要

紙幅も限られているので急いで書かねばならないが、紙幅という言葉は伝統的にこうして限られていたり余裕がなかったり都合があったり尽きたりといった飾りを供に引き連れて紙幅それ自身を埋めていくために製造されたものであるらしい。相場はいつも決まっていて問屋はいつも卸さないのだ。要するに紙幅とは惜しむそぶりで消費を遂行するマイナス方向の動力であって、吐き出すことですなわち紙上空間を吸引し、すみやかに限られていたり余裕がなかったり都合があったり尽きたりしてほしい欲望を乗せて背中向きにずかずかと原稿本体を圧縮し、みずからをぐいぐい縛りつけながら自由の獲得をたくらむいかがわしい逆倒的用語にほかならない。じつに原稿にとっての反原稿といっていい。紙幅の上に紙幅と書いてみるとちょうど定規に定規を当てたような具合で、互いが互いを定義すべくにらみあって是か非かの膠着状態に陥ってしまいかねない。紙幅本体と紙幅なる二字とのかけひきは、いわば双方の間におかれた一枚の鏡の奪いあいであり、あるいは一枚のガラス板をはさんでの水銀の塗りあいである。ガラス板は、背面に水銀を塗りこむことによって光の透過を遮断し、それを反射して鏡となると同時に、その背後を遮蔽してしまうものである。そして、左手で相手の塗装を妨害しながら右手でガラスの向う側に水銀を塗ろうとする、その互いの力の均衡によってついに両面に水銀を塗りこめられ、そのガラスの厚みの中でだけ永久に相手をうつしあう機能をもつことになった一枚のガラス板だけが、双方をともに過ぎ去った虚数軸としてしまう絶対値として、外側から私たちに眺められるのだろう。

と、おそらくはこのように追いつめられて苦しまぎれに、私たちは、いや少なくともぼくはアカセ側に足を踏み入れることになるのである。後半の方はたまたま広げてあった赤瀬川さんの文章を、複々製に進路を取れとの指令通りに複製して溶接した次第である。(1) こちらの溶接技術の修練不足とともに複製途上で恐れをなして引き返してしまう己の小心がたいへんよくわかった。ともかく紙幅も限られているので急いで書かねばならない。

(1) 赤瀬川原平「死霊の鏡」『オブジェを持った無産者』現代思潮社、一九七〇年、二七一頁。本稿冒頭の段落後半「いわば双方の」から「眺められるのだろう」までは同文よりそのまま拝借した。

さてこの苦しまぎれの中でいま思い返されるのは鍵束である。

ぼくが以前勤めていた職場にはたくさんの部屋があって、そのたくさんの部屋のたくさんの扉に応じた数の鍵があった。毎朝夕、決められた当番はそのジャラジャラした鍵の束を持ってひとつひとつの扉を開け閉めしなくてはならない。ほとんど見た目が変わらない鍵の集合の中から決まった鍵を見つけるのはなかなかやっかいだ。鍵にはちゃんとそれぞれに名札が付いているのだが、名札そのものが鍵と同様にすべてひとつのリングに束ねてあるために、ぐるぐる回って絡みあって、名札との対応関係が結局うやむやになっているのである。ぼく以外の職員もみなこのジャラジャラに手こずっていたはずだが、業務上の大問題というわけでもなく、当番が回ってくるのは週に一度だし、鍵束というのはこういう少々の面倒が付きまとうものなのだろうという程度でいつもやり過ごしていた。

で、ある朝当番になったぼくがキーボックスを開けると、鍵束がいつもとちがう。わずらわしいジャラジャラに業を煮やした何者かが一考を投じたのである。リングの代わりに、なぜかフロッピーディスクが使われている。今や懐かしきあのフロッピーディスク。もうその頃にはほとんど使用機会もなくなりつつあったフロッピーを再利用し、その薄くて四角いプラスチックの読み取り部分を除く三辺に鍵の数だけのパンチ穴を空け、小さいリングと鍵が連結してあるのだ。鍵を束ねるものといえば輪っか状のものと決めつけていた自分の先入観に、ぼくははじめて気づかされた。あくまで内面的に情報を運ぶ役割を持っていたフロッピーが、外面的にただ鍵をぶら下げるプラスチックの板に成り下がっているその姿はかなり異様であった。樹脂と金属の質感とボリュームの差、平成的な技術が昭和的な技術に食い荒らされているあの感じ。

今度は輪っか状ではないから、鍵の場所は所定の位置に収まっていて目当ての鍵は見つけやすくなった。けれども残念ながらこの蜘蛛か蟹の死体みたいな新型鍵束は非常に使いづらかった。四角くて手に収まりにくいうえに、ひとつの鍵を使うたびに他の鍵は多方向に暴れてしまう。薄いプラスチックは毎日加えられるひねりに耐えかねて、わずかな期間の内に亀裂だらけになっていった。

それでもなお穴の位置を変えたり補修を繰り返したりして数ヵ月は持ちこたえたろうか。いよいよどうしようもなく破損が進んだある朝、キーボックスに入っていた新しい鍵束にぼくは再び驚いた。何者かが第二考を投じたのである。フロッピーディスクの代打として投入されたのは、使用済みのCD-Rだった。今度はドーナツ型の円盤だから輪っかの仲間であるにはちがいないが、これもまたやはり固定観念を遥かに裏切る異様な形状であった。素材の面での技術革新が進みながら、そこには全然無頓着に、端の方にパンチ穴を空けて鍵をぶら下げるというかたくなな技術進展のなさがものすごい。ゴミ捨て場などでカラス除けに使われているCDは見たことがあるが、あれならまだ七色に光る面を活用している限りで理解の範疇にある。しかし今回の場合CDである必然性はひとつもない。光る面どころか中央にもとから空いている穴すら無視である。内面的に備わっていた役割はことごとく外面的に裏返されている。なぜ、記録媒体にこだわるのだろうか。この新たな鍵束の使い心地はといえば、説明するまでもなかろうが、もちろん使いづらかった。むしろ大きくなり、円形で方向性がなくなって鍵の位置が紛らわしくなったぶん、かえって機能性は低下した。耐久性についても向上はまるで見られず、同様に鍵は暴れまくり、タコかクラゲの死体みたいなこの新型はやはりそれほど長持ちすることもなく割れて使い物にならなくなった。

その後どうなったのかよく覚えていないのは、結局市販の普通の鍵束に替えられたからではないかと思う。とにかく印象に残っているのはあの異様な姿と、見事に使いづらい抵抗感と、使いながらいつも、こういうのをブリコラージュというのだな、と考えていた記憶である。ブリコラージュというのはもうあまりに便利に使われすぎている概念だが、レヴィ＝ストロースの著作で広まったフランス語で、ある目的に対してぴったり応じた専門の道具や材料ではなく、手持ちのあり合わせの道具や材料を使って当の目的を達成する方法のことである。器用仕事、と訳す。冷蔵庫の残り物でチャーハンを作ることである。たぶん。

この鍵束ゲームを行っていたのが誰なのか、職員はみな口には出さなくても知っていた。あの人しかいないのだ。暇を見ては独特の便利器具をこしらえて、職場のいたる所にひそかに導入するのが趣味のようなあの人である。かれは会話の仕方も独特で、ときおりとても突飛な比喩を用いるのがぼくは好きだった。ここでうまく再現できないのはやはりぼくの修練不足を悔やむほかないが、ともかく何かの概念を言い表すのに、そこに通常当てはまるような言葉を用いずに、あり合わせのボキャブラリーを組み合わせて代用するのである。文脈の飛び越え方に距離がありすぎて、すぐには理解しがたい比喩もままあった。ぼくは、比喩というのは言語におけるブリコラージュであるということをその人から学んだ。そしていつもぼんやりと、どうもこの人はアカセ側の人らしいと思っていたのだった。こういう人のことを、技師《エンジニア》に対して器用人《ブリコルール》と呼ぶ。

赤瀬川原平さんはブリコルールの親分である。なにせ缶詰に宇宙を包み込み、掃除をしながら権力をスポンジにしみこませるようなマエストロである。残り物のチャーハンとはわけがちがう。

すでにできあがった構造の残滓をやりくりして別の新しい構造を作り出すこと、それが器用仕事のルールだ。そのために必要なのはまず観察である。持ち合わせの道具や材料から何を引き出して利用できるかを分析――レヴィ＝ストロースの言い方では「対話」――しなければならない。手元には、いざというときに何かの役に立つかもしれないと思って取っておいたガラクタがたくさんある。それらのもともとの機能はカッコに括ったうえで、目的以外に伸びている潜在能力の線を応用可能性として割り出すのである。そして、器用人には総合能力が求められる。観察によって応用可能な要素に分解されたものを点検し、選択し、配列し直して、うまい具合に新しい構造の仕上げに持ち込まねばならない。

と、こういうふうに抽象化していくと、エンジニアとブリコルールの差は不明確になっていってしまう。どんなプロフェッショナルな技師であろうと手持ちの道具と材料には制限があり、それをやりくりして完成品を仕上げる点では器用人と決定的な変わりはないからだ。

したがって相違点は考えられるほど絶対的なものではない。しかしながら、それはやはり現実に存在する。文明の一状態を要約したものである諸拘束に対したとき、エンジニアはつねに通路をひらいてその向こうに越えようとするのに、器用人は、好んでにせよやむをえずにせよ、その手前にとどまる。言いかえれば、技師が概念を用いて作業を行なうのに対して、器用人《ブリコルール》は記号を用いるということになる。(2)

計画の達成に概念を用いるのか記号を用いるのか、そこが分かれ目である。神話的思考を説明すべくレヴィ＝ストロースがブリコラージュという語をわざわざ呼び出した理由はここにある。ゴツゴツした具体性を持っている記号であるからこそ、ブリコラージュは不規則な溶接痕を露わにし、「手前」にある限りで溶接痕は同時にキリトリ線として後から解体し得る。単なる金属の輪っかを使うのでなく、用途としては行き止まりに突き当たっているフロッピーディスクやCDを使ってこそ、ブリコラージュ性は認識されるのだ。

記号も概念も、それ自体だけに限られず、自己以外のものの代りになることができる。もっとも、概念はこの点で無限の容量をもっているが、記号の容量は有限である。

記号と概念の対立点のうちの少なくとも一つは、概念が現実に対して全的に透明で

(2) クロード・レヴィ＝ストロース、大橋保夫訳『野生の思考』みすず書房、一九七六年、二四頁。傍点は原文ママ。

あろうとするのに対し、記号の方はこの現実の中に人間性がある厚みをもって入り込んでくることを容認し、さらにはそれを要求することさえあるという所にある。(3)

赤瀬川さんの書く文章に隠喩が頻出するのは器用人としての自負である。あることを言い表すために、不透明で具体的な記号をぶっきらぼうに突っ込んでブリコレするのである。赤瀬川さんは◯◯性、という形容よりも、あくまで記号を駆使した◯◯的、という言い方を好む。そこには、野球とか、写真とか、紙幣とか、液体とか、宇宙とかに関する用語が当てはめられる。それらにはいずれも、記号化されるまでに蓄積された具体的な「人間性の厚み」が濃厚に残存している。スクラップ置き場から拾ってきた材料でオブジェを作るのと同じ方法である。表面的に同じものを使いながら別のことを言おうとするパロディという手法にしてもそうだ。あるいはコラージュである。もしくは路上観察である。いうなれば概念芸術ではなくて記号芸術である。赤瀬川さんの『東京ミキサー計画』（一九八四年）のゲラを読んだ高松次郎が中西夏之に「言葉を物質と同じようにとらえているところ、面白い」と語ったという一言は、(4)そういう意味にちがいない。赤瀬川さんは言葉にしたってタイヤチューブにしたって、記号としての対処の仕方に差がないのである。したがって赤瀬川さんに関して、小説であろうが美術であろうが分けて考える必要はないのだ。レヴィ＝ストロースはいう。器用人が用いるいろいろな出来事の残存や破片は、「ある個人ないしある社会の歴史の化石化した証人である」と。反芸術

(3) いずれも同前、二四頁、二六頁。

(4) 中西夏之「赤瀬川原平」『機關』一四号、一九八七年、四一頁。

の語り部として赤瀬川さんが生み出すあの臨場感は、ひとえにかれの用いるボキャブラリーそのものが反芸術の化石化した記号であるところに由来する。

赤瀬川さんによるブリコラージュの材料として最も活用頻度の高かった記号は、いうまでもなく千円札である。一九六三年以来、赤瀬川さんはふつう財布に入れておくべきものを道具箱にしまい込んだまま、使い直しを繰り返して額面価格を天文学的に上回る価値の複製増産に成功した。精緻な印刷物として、偉人のポートレートとして、人がよく見ていない図像として、経済の権化として、国家の顔として、小説の小道具として、偽物として、本物として、芸術として、反芸術として、犯罪として。赤瀬川さんの千円札からは無数の使い道の線がぼうぼうに伸びてけむくじゃらである。そもそも千円札に毛が生えることは許されておらず、残存や断片として使ってはいけない決まりである。交換価値はあくまでも概念でなければならない。使った余りはきちんとお釣りで受け取らねばならないところを、赤瀬川さんの千円札はいつまでもレジを通過して崩されることなく外形を保ったまま、利子ばかりを生む仕組みになっている。内面的に価値を運ぶ媒体であるものが外面的に模写されたり包み紙に使用されたり鍵をぶら下げられては困るので、パトカーが慌てて飛んできても無理はなかった。結局パトカーと裁判所もまた赤瀬川さんの道具箱にしまい込まれることになったのだが。

ブリコラージュのおもしろみは、ただ応用の妙ということにとどまらず、このようにしてある材料が使い直されるたびに新たな関係を引き連れてその都度集合を形成し、次にその材料が使われるときにはその集合を入れ子状に含んでさらに大きな集合を作ることができる点にある。赤瀬川さん好みの言い方でいえば、梱包に梱包を重ねた千円札という記号は、意味の充満によって膨張し、はみ出してはまた梱包される手続きを経て、あるいはそれ自体が梱包用紙になりながら、なお膨張のエネルギーを練って道具箱の中に控えている。膨張一本さらしに巻いて、という古い流行歌があったと思うが、まさしく赤瀬川さんは膨張ひとすじにあらゆる課題をさばいてきた。新品を取りそろえなくても工夫次第で、観察と点検の徹底によって、使い道の数が物量をしのぐのである。

赤瀬川さんはボキャブラリーを買い足して道具箱を新調することよりも、有限なそれらを観察し、点検することを何より大切にする。有限実行の人である。器用人として、課題に対してふり向いて手前にとどまる。いや、中古カメラやマッチラベルなどのコレクションなどがあるのだから、赤瀬川さんは続々と買い足してもいるではないかといわれるかもしれない。けれども収集されたものが繰り返し繰り返し観察され、要素に分解されて別の材料として使い倒されるそのやり方は、いわゆるコレクターの態度とは大いに異なる。バリエーションの総数は増えてなお、タイプの有限性は周到に確保されていて、赤瀬川さんの熱量は収集に向かうよりもやはり観察と材料としての使い廻しに向かって伸びている。

たとえば赤瀬川さんの道具箱にしまい込まれているもののひとつに、「目ざわり」*という言葉がある。もともとこれは石子順造が作り出したブリコラージュで、「目触り」と書

＊本書「石子順造小辞典」「目ざわり」参照。

く。絵や彫刻の表面をまじまじと見るときのことを思い起こしてみてほしい。質感とかマチエールといった、視覚対象に所属する触覚的な性質とちがって、対象を見ながら目でなぞったりまさぐったりするような、見る人間の側に生起する生理的な知覚のことである。肌触りとか手触りと同じように、「目触り」というものがあるだろうということだ。ただし「めざわり」というとすでに辞書には「目障り」という語が登録済みなので、行き場なく浮かんだままの言葉である。赤瀬川さんは言う。

その「目触り」というほかはない感触は、いまも言葉を与《あた》えられていないのである。目で見たイメージの中での感触は、どう言えばいいのだろうか。でもその適確な言葉がないからこそ、おのずから文章がふくらんでいくことにもなっている。(5)

赤瀬川さんは石子順造という人の評論の内容よりも、その考え方の様子に惹かれていたようだ。はなはだ生真面目な石子さんは、文章をひねり出すのに硬い言葉をぎゅうぎゅうに詰め込んでいく強い癖があって、赤瀬川さんはあるところでその様を大根をおろす所作に喩えた愉快なブリコラージュにまとめている。(6)それはブリコルールとしての共感と親近感に基づく好意であったにちがいない。

　ともあれ、じつはこの「目触り」に当てはまる用語はあるのである。今から百年ほど前に美術史家のアロイス・リーグルが提唱した「ハプティック」という概念が。ヴェル

(5) 赤瀬川原平『目玉の学校』ちくまプリマー新書、二〇〇五年、九八頁。

(6) 赤瀬川原平「戦力を尽して考える」『イメージ論　石子順造著作集II』月報、喇嘛舎、一九八七年。

フリンやベンヤミンやドゥルーズなども引き継いだ概念で、これに対応する日本語として「触視性」というのもある。石子さん、そして赤瀬川さんの道具箱にはこの用語が入っていなかったために「目」と「触り」という材料でやりくりしようとするわけだが、むしろそのやりくりにこそ楽しみがある。触視性なる語が辞書に見つかってもなお、赤瀬川さんはやりくりの方に没頭するかもしれない。触視性という道具をもって前に進むよりも、「目触り」の、「目障り」という先客が目障りになっているそのゴツゴツが肝要なのである。薄く保つことを心がけておいた自分の辞書の中には、すでに「目」と「触る」があり、それらはまだ十分に有用な線を生やす余地がある。課題に対してまず手元の持ち駒の点検にかかる器用人は、それらからいろいろな使い道を引き出して配列することに嬉々として向かっていく。いや、後退していく。ブリコルールの原理は「後ろ向きの行動」であるとレヴィ＝ストロースは書いていた。いざというときにこれはきっと使える。これもまだ使えるから取っておく。その「いざ」を見つけることと材料の使い直しの思案にわくわくが待っており、その一連のやりくりに器用人は張り切って取り組む。貧乏性、ともいう。

有限だ、後ろ向きだ、貧乏だ、とネガティブな言い方が並ぶようだが、じっさい赤瀬川さんがずっと一貫してこうしたネガに賭けてきたことは確かであろうと思う。そのライン上でトマソン選手が路上に出現したり、老人と力が結合したりしてきたのだ。それはベクトルの向きのちがいであって、価値としての高低ではない。だからといってポジティブに言い換えたところで構造的に変わりなかろうが、これをネガティブな言葉でなくどう言えばいいのだろうか。でもその的確な言葉がないからこそ、おのずから文章がふくらんでいくことにもなっている。おかげで紙幅はようやく尽きることになったのである。

神農の教え

『悲しき熱帯』の末尾近くで、レヴィ＝ストロースは儀礼的に行われる食人（カニバリズム）の例を引き合いに出して二つの社会類型を論じている。ある社会では親や祖先あるいは敵の死体の一片を、粉にしたり他の食物に混ぜたりすることで摂取する。この習俗が立脚するのは、死者の徳を身に着け、また死者の力を無化するという信念であるのだが、それを野蛮だとして非難する西洋の、肉体の復活を祈り肉体と霊魂を結びつける信念とは、実のところ同質であると述べたうえで、レヴィ＝ストロースは食人の概念と思考を一般化させる。

だが、とりわけわれわれが銘記しなければならないのは、われわれに固有の幾つかの習俗が、異なる一社会から来た観察者の目から見れば、文明の観念にとって異質であるとわれわれが思う、この食人の習俗と同じように映るであろう、ということである。私は、われわれの司法や懲役の慣わしのことを考えているのである。それらを外側から研究したとすれば、二つの型の社会を対立させてみたくなるかもしれない。アントロポファジー〔人間を食うこと〕の慣行をもつ社会、すなわち脅威となる力をもつ個人を食ってしまうことがその力を無力にし、さらに活用しさえするための唯一の方法であると看做している社会と、われわれの社会のようにアントロポエミー〔人間を吐くこと〕（ギリシア語の **émein**（吐く）に基づく）と呼び得るかもしれないものを採用している社会とである。同一の問題を前にして、後者は逆の解決、つまり脅威となる存在を、人間と接触しないよう、この用途に当てられた施設の中に一時的または恒久的に隔離して、社会体の外に追い出すことから成る解決を選んだ訳である。われわれが未開と呼ぶ大部分の社会では、この習俗は深い恐怖を与えることだろう。それは、われわれが、これと対称をなす彼らの習俗のゆえに彼らに帰《き》そうとしがちなのと同じ野蛮さをもつものとして、われわれを彼らの目に映じさせるに違いない。（1）

つまりこういうことだ。一方が他方を野蛮で獰猛だと断ずる評価の尺度はあくまで相対的である。この場合は相対的というよりコインの裏表であって、ある民族を食人 **anthropophagie** とするならば、逆に「吐人」**anthropoémie** の概念を設定することができる。そして食人の側から見れば吐人はちょうど鏡写しにおぞましい文化と思われるであろう、と。アントロポファジーとアントロポエミーに優劣をつける根拠はどこにもない。かくしてレヴィ＝ストロースは、彼が敬愛するモンテーニュがかつて述べた実感と展望——自分の習慣にはないものを、野蛮《バルバリー》と呼ぶならば別だけれど〔……〕新大陸の住

（1）クロード・レヴィ＝ストロース、川田順造訳『悲しき熱帯Ⅱ』中央公論社、二〇〇一年、三七六―三七七頁。ただし川田訳「アントロペミー」を「アントロポエミー」と改め、原典（***TRISTES TROPIQUES*, Plon, 1984** 版を参照）のイタリックに傍点を付し、ギリシア語は原語で表記した。

民たちには、野蛮《バルバール》で、未開《ソヴァージュ》なところはなにもない(2)――を、精緻に裏付けていく。

外的な異物を吸収するか排斥するかという対立図式として一般化することで、二つの類型はさらに広く社会的な生活様式や慣行へと敷衍される。レヴィ＝ストロースが「和らげられた形の食人」として紹介するのは北アメリカの平原インディアンの例だ。その社会では、ある者が罪を犯すと自らの全財産を破壊せねばならないが、その損害はコミュニティが共同で補償する義務を負う。それに対して犯罪者から返礼がなされることで互恵関係が生まれ、秩序が元通りになるまで贈与交換が続く。このようにして、罪を犯した者、もしくは罪という悪の力を「食べ」、集団の内部に取り込んで消化していくのである。片やいわゆる近代的な懲罰のシステムが「和らげられた形の吐人」に当てはまることはいうまでもない。

司法や懲役の事例よりもなお明快であるのは医療的行為の現れ方だろう。畏怖すべき超自然的な力を霊媒として自らの中に導き入れて問題を解消する呪術医やシャーマンか、まさしく「施設の中に一時的または恒久的に隔離して、社会体の外に追い出す」医者か。そしてまた、このように一般化してみると、優劣云々どころかアントロポエミーの慣行を持つ社会においても「食人」が実践されていることに気づくだろう。別のところでレヴィ＝ストロースはいう。

他人に由来する物質を誰かの身体に移入するに当たって経路が口からであるか血液

(2) モンテーニュ、宮下志朗訳「人食い人種について」『エセー 2』白水社、二〇〇七年、六四頁。

からであるか、つまり嚥下《アンジェスチオン》と注射《アンジェクシオン》のどちらであるかにどれほどの本質的差異があるだろうか。(3)

臓器移植であれ、あるいはワクチンであれ、先進的な医療として行われているそれらはたしかに他者の一部を取り込むことで無力化ないし活用を図る手段、すなわちアントロポファジックな行為であるにちがいない。そういえば、比喩的ではあるけれど、クリスチャンはイエスの体と血としてパンとワインを受け取り、ぼくらは今日も舎利＝遺骨を茶碗によそって食べている。

＊

安永三（一七七四）年、『解体新書』の扉絵と挿図を託された小田野直武が、原本の「ターヘル・アナトミア」（J.A.Kulmus, *Ontleedkundige tafelen*, 1722）とは別のワルエルダ（Valuerda）による『解剖書』（一五七九年）の扉絵を転用したことはよく知られている。(4)本来の「ターヘル」扉絵では、象徴化されてはいるものの執刀医がまさに今から解剖を始めるところを描いており、その直接性を避けて装飾的な図を選んだということだろうか。ともあれ、荘厳な建築の前でアダムとイヴが向かい合う、あのお馴染みの絵はそうしてできあがった。銅版画を木版画に変換したこの絵は、細かなハッチングで表現された(5)陰影を省きつつ原図をほぼ忠実に敷き写しているが、木下直之も指摘するようにポー

（3）クロード・レヴィ＝ストロース、渡辺公三監訳、泉克典訳「われらみな食人種（カニバル）」『われらみな食人種（カニバル）　レヴィ＝ストロース随想集』創元社、二〇一九年、一五五頁。

（4）中原泉「立証！解体新書の扉の元絵」『日本歯科医史学会会誌』第一九巻第二号通巻七一号、一九九三年二月、六二―七〇頁。https://dl.ndl.go.jp/view/download/digidepo_11495886_po_KJ00005477343.pdf?contentNo=1&alternativeNo=　阿部邦子「小田野直武挿画『解体新書』附図元本調査―ワルエルダ『解剖書』」『国際教養大学アジア地域研究連携機構研究紀要第一一号』二〇二〇年、四三―五六頁。https://www.jstage.jst.go.jp/article/iasrc/11/0/11_43/_pdf/-char/ja［最終閲覧日：二〇二二年九月一九日］

ズが若干変更させられている。元の図で果実を右手に掲げ左の上腕を開いていたはずのアダムは、よく見ると左手にもう一つの果実を持って股間を隠しているのである。禁断の果実を食べて羞恥を知るよりも前に、日本の近代の表玄関手前で、アダムは恥ずかしがっている。

蘭学の事始めは医学を中心とする西洋の自然科学流入の画期となった。のみならず、アダムのポーズが示すような恥じらいの基準、ひいては人々の思考をも含む文化的変容をもたらすこととなる。この変容はほぼ二五〇年を経た現在にまで影を落としているのだが、ここではあるイメージの転換を手がかりとして、その成り行きを描出してみることにしたい。

『解体新書』刊行を嚆矢に江戸から蘭方医学が広まるにつれて市井に普及し始めたのが、ヒポクラテス図である。古代ギリシアの医師ヒポクラテスは、科学的な臨床と観察の重要性を見出した西洋医学の祖と称えられ、現在でも医師の職業倫理を列記した「ヒポクラテスの誓い」は世界中の医大や医療現場に掲げられている。日本では杉田玄白と前野良沢の弟子である大槻玄沢が寛政一一(一七九九)年に石川大浪に依頼して描かせたヒポクラテス図が最初の作例とされ(所在不明だが、石川による同年の作が残されている(図1))、以降江戸後期から明治にかけて様々なバリエーションが生まれた。掛軸に西洋男性の肖像を表したそれらの図は、ヨーロッパ絵画の図像や画法と日本との出会いを物語る洋風画の一つの典型として史的研究対象になっている。(6)

(5) 木下直之『せいきの大問題』新潮社、二〇一七年、九二頁。

(図1)

石川大浪筆ヒポクラテス画像　寛政一一(一七九九)年

(6) 緒方富雄『日本におけるヒポクラテス賛美——日本のヒポテクラテス画像と賛の研究序説』(日本医事新報社、一九七一年)、陰里鉄郎「石川大浪筆ヒポクラテス像をめぐって—江戸洋風画とヨーロッパ版画—」(『Museum 東京国立博物館研究誌』二六八号、一九七三年七月、二九—三四頁)など。

蘭方医はこの図を自宅や医塾に祀って拝み、医者としての自らを律したものだろうが、そもそも西洋ではメダルあるいは彫像や書物の図版として主に表されてきたヒポクラテスが、日本で独立した肖像画として広まったのは、もとより日本では別の肖像を掛ける慣わしが根付いていたからだった。少なくとも蘭学が浸透し始めた初期、蘭方医となったのは漢方医学を修めた者たちである。そして漢方医の自宅や薬種屋の店先に掲げられていたのは、神農図であった。

神農は、人身にして牛頭という異形の神である。図像としては、木の葉の衣をまとい、角のようなコブのある老人が草を嘗める姿で描かれる。古くは中国の戦国時代から農業神として文献に現れ、漢代に至ると、農具を発明して農耕を人に教え、交易市場を開発した聖帝として語られた。それとともに同じく漢代には、あらゆる草を嘗めて薬と毒を見分けた本草学の祖、医薬の祖という性格が与えられるようになった。時代が下るにつれ牛頭という特徴が加えられ（牛耕で発揮される力や温厚さの象徴であろう）、明代には、体躯が透明であるため内蔵を外から観察して薬効を見分けることができたと説かれた。[7]日本には本草学とともに伝来し、鎌倉以降に描かれたとされる。[8]三白眼を見開き右手に持った草を口に咥えた半身像で表されるのが基本で、彫像も少なくない。中には稀だが、腹の部分を空洞にして五臓を露わにした彫像も残されている。ここでは俵屋宗達による神農図を挙げておこう（図2）。際立った図像的特徴を持たないヒポクラテスと異なり、いかにも個性的な神様だ——といっても、ヒポクラテスはもともとhippos（馬）・kratos

（7）以上の神農の図像変遷は次を参照した。杉原たく哉「神農図の成立と展開」（杉原たく哉著、武田雅哉監修、杉原篤子編『アジア図像探検』集広舎、二〇二〇年、二〇四—二二七頁）、三宅康夫、野尻佳代子編『薬の神様神農さんの贈り物』図録（内藤記念くすり博物館、一九九九年）、岩間眞知子「神農伝説成立の経緯の考察」（『日本医史学雑誌』第五八巻第二号、二〇一二年、二三三頁、http://jsmh.umin.jp/journal/58-2/58-2_233.pdf［最終閲覧日：二〇二二年九月一九日］

（8）中村渓男「俵屋宗達筆 神農図 俵屋宗達筆 東方朔図」『國華』一〇六一号、一九八三年、一七—二一頁。

（力）の意であって、優雅さや強さの象徴としてヨーロッパで伝えられてきた馬をその名に刻んだ医聖と牛頭の医神は、それらを生んだ想像力においてそれほど遠く離れてはいないといえるかもしれない。ともあれこのような経緯で、神農は農業、医薬、商業の神として祀られる。同時に喫茶の始祖としても、また元は露天で薬種を扱っていたテキヤ（香具師）の職神としても仰がれている。様々に付随した特徴や関連するジャンルの広範さは、民衆の間で信仰されてきた歴史の長さを物語るだろう。

さて、野草を嘗めるがゆえに「一日にして七十毒に遇った」（『淮南子』）というこの神は、常に多数の毒に侵され続けた「病人」であった――近代医学に従っていうならば。むろん良薬に当たることもあったわけだが、健康から離れたネガティブな体の状態への転移を目まぐるしく繰り返したのである。しかし、そこで「健康」とは、何であったろうか。

神農は病人にちがいない。けれども、いわば患者であることによって医祖となったのである。彼が神聖であるのは、異物を体の内に直接取り込み、その取り込みの前とは異質な状態を経験したからだ。異物と密に対話し、その力を和らげあるいは活かすことで、信頼され得る治癒力を持ったからだ。ここでは、排除でなく吸収することが聖性の根拠になっている。毒を、悪や災厄を、否定性を、除去せず引き入れる者こそが最も活力を持つという考え方。アントロポファジー。

異物との対話は不快である。不快だから日常においてはなるべく避けられたり隠され

（図2）

俵屋宗達筆　神農図（部分）
江戸時代初期

たりする。対して神農は開けっぴろげに、深い寛容を以て、異物と同居し共生する。異物を理解し、他者としての「症状」を生きる。積極的に他者になる。変身する。彼は悪を憑依させる降霊術師であり、危険な最前線に身をさらすアヴァンギャルドである。薬毒を見極める医神という性格が、農具や市場の開発という伝説に結びつけられた理由もここにあるかもしれない。常に根底から揺れ動いていた神農は、それゆえにこそ、発明を行う創造神でもあったのだ。

神農の教えは、東洋医学における「養生」の一語に受け継がれている。病と共生し、五臓六腑あるいは「気血水」の調和を保ち、生命体を養う。そこにおいて体とは、ゆらゆらと流れたゆたう場である。風邪に「かかる」とはいわず「ひく」というところにこの考え方の端的な現れを見ることができるだろう。風邪は空中に含まれる邪気を引き込むことに由来する病であり、ウイルスのように個体ではない邪気は取り出せないのだから養生によって回復を待つのだ。対して、明治期に西洋医の長与専斎がドイツ語のhygieneの訳として「養生」をあえて転用せず作り出した訳語が「衛生」であった。(9) こちらは文字通り、敵であり悪である病から身を衛《まも》るのである。解剖学に基づく西洋医学において体は部品としての臓器の集合体であり、生命はたゆたう場ではなく部分的に修理され得る機械とみなされる。風邪ウイルスは除去される。

自分に従属しない異物の侵入を防ぎ、徹底して排除し、根絶させようとする近代医学的な、アントロポエミックな絶滅主義が行きつく潔癖は、むしろいっそう重い病気を呼

(9) 吉田正雄「ヒポクラテスの誓い」『日本健康学会誌』第八五巻第二号、二〇一九年、六五—六六頁。https://www.jstage.jst.go.jp/article/kenko/85/2/85_65/_pdf［最終閲覧日：二〇二二年九月一七日］

ぶこともあり得る。もとより私たちは時間の浸食とともに、何らかの変化を被ることを免れない。純然たる正常、衛生的なまったき健康というのはほとんど幻想だろう。だいいち体は、文字どおり「いうことをきかない」。不随意な筋肉や内臓があり、白血球や赤血球が流れ、ミトコンドリアが、あるいは腹の虫がいるように、私たちの体は必ずしも唯一の統制で成り立ってはいない。こちらのコントロールを離れて、胸がつぶれたり、腹が立ったり、膝が笑ったり、息が切れたりもする。皮膚はたんに体を包んでいるだけではなく、「それ自体が独自に、感じ、考え、判断し、行動する」[10]自律的な臓器であるという研究もある。それぞれ違った言葉を持ち、別々に考えているものが集まりながら、かろうじて体という場所の輪郭を保っているのではないか。純粋に統一された身体機械を衛るために除去を重ねる近代の健康観は、果たせぬ夢であり続ける。

ぼくはここで何も医学の東西の優劣をいいたいわけではない。そしてまた、アントロポファジー／アントロポエミーの図式を「包摂的社会」「排他的社会」と読み替えて寛容論へと短絡化したくなる誘惑にも慎重に抗わなければならない。それはレヴィ＝ストロースが丁寧に取り去ろうとした価値観の物差しをふたたび持ち込むことにほかならないし、体に染み込み社会のあらゆる場所に生活様式として根を張っている慣習の一部を切り出して、たとえば対人関係のみを「食人」的に変化させることができるとするのは、それこそ「吐人」型の衛生学的考えにちがいない。ただ、ぼくらが近代的で先端的だと考えて（思い込んで）いるのが唯一の、もしくは正しい方法ではないということだ。しか

(10) 傳田光洋『皮膚は考える』岩波書店、二〇〇五年、三頁。

もそれは形をまったく変えずに、「野蛮」に転じ得る。

見知らぬ他者になり、別の生を生き、アンコントローラブルな力に揺さぶられながら養生すること。毒とも薬ともわからないものをまず嘗めてみることを勇気だと思っているうちは、ぼくらはぼくらのままである。むろん、対話がきわめて難しい深刻な病はあり、誰もが神農にはなれないのだけれど、異物を排除し、体にいうことをきかせる（支配する）のとは別の思想があることを、神農図は教えてくれる。

あとがき

　この本は、ぼくの学芸員としての出発点となった展覧会「石子順造的世界」以降の展覧会カタログに寄せた論考や評論などを中心に、およそ十年間に書き散らしてきた文章を、ひとつの主題に基づいて選出し、まとめたものです。

　上っ調子の口上あり、「辞典」あり、絵画、前衛美術、美術評論、写真、漫画、広告、テレビ、小説、絵本、映画、文化人類学、医学、裁判にまで首を突っ込むにぎやかな、もしくはあやしげな本になりました。展覧会カタログの論考というものは、同じカタログの中に掲載された作品図版や文献目録、そして何より実物の出品作や資料とともにあってこそ価値を発揮することは承知のうえで、なるべく独立して読めるように新しく書き直して収録してあります。

　本書が扱う時代と場所は、おおむね一九五〇年代から八〇年代頃までの日本に収まっています。すなわち、雑誌を筆頭に印刷メディアが活気を帯び、コピー技術の普及によってそれが加速し、さらに爛熟していく時代です。I章の看板は「コピー」。コピー技術の登場がいかに芸術家たちを脅かし、あるいは魅了したか。国鉄による空前のキャンペーン「ディスカバー・ジャパン」と、それによって広告と美術との間に散った火花について、そして植田正治という一人の写真家の仕事にみる「写真」と「表現」の隙間、といったトピックを扱いました。Ⅱ章「パロディ」では、パロディとはそもそもどのような方法なのか、その定義と、「パロディ裁判」の考察を通じてパロディ表現の特質を記述しています。対象としている時代こそ数十年前のケースであるものの、人の権利を保障するとともに人を窮屈に縛り付けてもいる著作権法について、そして、いわゆるコピペが氾濫する中で頻繁に問題になる複製や反復を伴う表現について、現代に有効な視点を提示できたと思います。Ⅲ章「キッチュ」は、キッチュという言葉を日本に広めた当人である石子順造というユニークな評論家を紹介し、彼の仕事の要点を抽出しながら石子の目で見た世界を考察したパートです。最後のⅣ章「悪」には、岡本太郎をはじめとして、篠原有司男、いわさきちひろ、赤瀬川原平ら、広く世俗に交わることを厭わず、むしろそれを養分として活躍した芸術家たちに関するエッセイを雑誌的に詰め込むとともに、本書全体を貫く「俗」なるものや否定性へのぼくの関心を示す文章をいくつか加えました。その「俗」や否定性への関心は、本書冒頭のふたつのテキストに端的に記してあります。

ぼくは美術館学芸員でありながら、いわゆる美術館の美術ではないものに関心を持ち、企画する展覧会でしばしば取り上げてきました。絵画から裁判まで、というふうに右に並べた通りですが、こうしてまとめて見返してみると、扱ってきたテーマのようなものの振幅はさほど大きくないようです。必ずしも専門に限らない種々雑多な仕事を担う学芸員をやりつつ、じつは手を替え品を替え同じことをやってきたゆえに本としてまとめることができたともいえるでしょう。

そのテーマのようなものの発端は、前衛美術というマージナル（周縁的）でインフォーマル（非公式）な領域で勇躍する存在への、憧れに近い興味にあります。制度や規範を逸し、変化を持ち込んで価値観を逆転したり常識外のことを成立させてしまったりする者たち。公的なルール下での不自由と引き換えに、もうひとつの自由を獲得している者たち。社会的な秩序がいったん放棄された場で踊る者たち。美術館とは、そのような、いかがわしい者たちが沸き立つ、秩序から隔絶されたあいまいな瞬間、いうなれば一種の祝祭が、つねに許されている特別な場所です。

そのいかがわしさを集約して、悪いこと、ないし悪戯の意味を持つ「わるさ」の語で呼ぶことにしました。本書に記されたものは（書名から期待されるほど）たいして悪くもないと思われるかもしれません。けれども、明確に悪として認識されていないようなたわいもないところにこそ、気味の悪いものや、その裏返しのステレオタイプな善が刻み込まれているはずです。とはいえ、本文にも記してありますが念のため書いておけば、悪をことさらに称揚したり善悪の判断を語ったりすることに本書の眼目があるのではなく、また非「美術」を追いかけることを目的としてもいません。例外的で特殊な存在こそが普遍と呼ばれるものの本質であるとぼくは信じていますし、これまでずっと歴史はそのようにして形成されてきたはずです。

本書のひとつの使命は、ぼくらの生活とともにあり、そこら中にひしめきつつも、不純で二次的で非本質的なものとして排除されやすいコピーとかキッチュとかパロディといった対象に仮託して、「わるさ」のネットワークを探り、別の付き合い方を語ることにあります。その「わるさ」を享受するのは得てして、技術や資本、あるいは知識や経験などを持たざる人々であり、持たざることのハンデをひっくり返す機知が輝くとき、「わるさ」が姿を現わします。自分を含めた「持たざる者」のことをいつも念頭に仕事をしてきたぼくにとってこの本は、ぼくなりの初歩的な複製文化論であるともいえます。

以上、適宜コピーして書評などにご利用ください。

最後に、この本を作るにあたってお世話になった方々に、記して感謝の微意を表します。まずは、並々ならぬ熱意で怠惰なぼくをおだて励まし、刊行に導いてくださった小尾章子さんに最大の謝意を捧げます。本書が一冊の本としてまとまりをもって構成されているのは、ひとえに小尾さんの尽力の賜物です。初めてお会いしたときには一編集者であった小尾さんが、かたばみ書房なる出版社を立ち上げ、そのこけら落としの著者として選んでくださることになるなどとは思いもしませんでした。そして、校正・校閲をお引き受けいただいた黒川典是さんと、造本を手掛けたデザイナーの吉田昌平さんにも心から感謝申し上げます。すぐれた編集者であると同時に、とりわけ前衛美術においては研究者以上の知識と情報をお持ちの黒川さんのおかげで、註がやや多過ぎる各文章の加筆修正を安心して進められました。デザインのお仕事の傍らでコラージュワークを制作するアーティストでもある吉田さんは、本書の主題をよく読み取って、アクが強くかつ端正な、この本にふさわしい期待以上のデザインを仕上げてくださりました。本書にも収録の「パロディ、二重の声」展のカタログ以来六年ぶりに、黒川さんと吉田さんのお二人と一緒に仕事ができたことをとても嬉しく思います。ここでお一人ずつお名前を挙げることはできませんが、それぞれの文章の元になった展覧会企画にご協力いただいた方々、執筆の機会を与えてくださったすべての方々に、厚く御礼申し上げます。

二〇二三年二月一四日

成相肇

もうひとつのあとがき（否定性と不統一について）

いったんあとがきを書き終えましたが、変な本になったのでいっそもうひとつおまけのあとがきを入れてしまおうと思います。

本書の枕に据えた戯文調のテキスト「不幸なる芸術」を書いたのは二〇一一年、東日本大震災の起こった年が暮れようとする頃のことでした。文中の「大災厄」とはつまり、あの突然のカタストロフィのことです。国分寺のギャラリー switch point の本郷かおるさんにキュレーションの機会をいただいた三年連続のシリーズ企画の第二弾として、「わるいこと」を主題に、アーティストの橋本聡さんと小鷹拓郎さんを招いて自分も出品者となった三人展のために書いたものです。テキストと同名のこの企画はもともと橋本さんの制作実践から着想されたもので、じつに楽しく厄介なその内容——橋本さんはぼくをはじめとする他者から巧みにあるものを奪い、小鷹さんは海外にまで出向いて愉快で迷惑な虚構を作り、ぼくはいくつかの無礼をこしらえた——は、きわめて思い出深い傷をぼく自身の中に残すことになりました。二人目の子供が秋に生まれたばかりで、職場でほぼ同時に（五日前に）オープンした企画「石子順造的世界」の準備と重なって、ひどい疲労と高揚感の中であのステートメントを書いた覚えがあります。

柳田國男の「不幸なる芸術」から重要な示唆を得た感触はあったものの、それは自分の中で澱のように沈潜したままでした。しかしいま振り返れば、十年以上前のこの短文に書き留めた実感は、むしろいっそう強くなっています。ぼくは結局ずっと、否定性についてばかり考えてきたのかもしれません。そういえば岡本太郎をテーマにした卒論を準備している頃、ゼミでお世話になった中野知律《ちづ》先生に、どこまでが芸術なんでしょう、と青臭い質問をして、ピエール・ブルデューの『ディスタンクシオン』を読みなさいと教わったことをふと思い出しました。芸術とそうでないものとのディスティンクション（区別、差異）にこだわり、芸術「ではない」ものや「よくない」ものに積極的に向かうことは、ずいぶん前からぼくの関心事だったようです。もとより美術をよく知らない商学部の学生であったことも、ねじくれさせた原因でしょう。ねじれたまま美術を考え楽しむことができたのは、ひとえに大学院でご指導いただいた喜多崎 親《きたざきちかし》先生のおかげです。喜多崎先生はこの門外漢の生意気な学生を、じつに自由に伸ばしてくださいました。ともあれこういう理由で、この十年ほどの主な自分の仕事に対して「わるさ」の主題を掲げることにしたのです。本書をまとめる作業がまた大きな災禍と重なったのも何かの因果でしょう。

よきことへの希求の強さを、いまほど驚異的に感じることはないように思います。それを駆動しているのは、あしきことへの嫌悪と憎悪、そして恐怖です。あらかじめ決められたルールに背くもの、自らと異なる価値観、あるいは理解し難いものはことごとく斥けられ、あしき物事を指す言葉が次々に発明される。そうして、悪が固定的にイメージ化されていく。そこで固化するのは、じつは善なる視点の方です。否定性について考えるというのはつまり、目先を細く狭めていく善、凡庸になっていく善を批評することにほかなりません。そのような嫌悪と不寛容の一因は社会階級の差異に由来することをブルデューが解き明かしたように、この問題の背景を探ることは社会学の領分でしょう。主に美術について調べ論じてきたぼくはぼくなりに、不寛容の檻から抜け出す方途として、さまざまな境界を呼び込みさまざまな言葉で語る、という実践をこの本に収めたつもりです。境界を観察すると、その境界はかならず崩壊します。どこまでが美術で、どこからがパロディで、どこからがわるいことか。その境目を明確にするのではなく、それを溶かし壊すためにこそ、なるべく多くのジャンルを扱ってきました。そしてこの本の中には、常体、敬体、戯文、辞書、等々、精一杯の複数の言葉を集めています。ひとつところに留まらず、不統一であることこそ自由であり、「わるさ」の本義です。飽きっぽい自分の慰みのためにも、そう書いておくことにしよう。アックオーライ、人の世にわるさあれ。

二〇二三年三月一四日

成相肇

●初出一覧

＊本書収録に際して、適宜改題および大幅な加筆修正を施した。

不幸なる芸術……『不幸なる芸術』ステートメント、switch point、二〇一一年一二月
ファウルブックは存在しない（解題・不幸なる芸術）……書き下ろし

Ⅰ　コピー

コピーの何が怖いのか？……『新潮』二〇二〇年三月号（高山羽根子『如何様』書評）
ゼログラフィック・ラヴ……『複製技術と美術家たち　ピカソからウォーホルまで　富士ゼロックス版画コレクション×横浜美術館』図録、東京パブリッシングハウス、二〇一六年
ディスカバー、ディスカバー・ジャパン……『ディスカバー、ディスカバー・ジャパン　「遠く」へ行きたい』図録、東京ステーションギャラリー、二〇一四年
すべては白昼夢のように――中平卓馬、エンツェンスベルガー、今野勉……同前
植田正治にご用心――記念写真とは何か……『植田正治のつくりかた』図録、東京ステーションギャラリー、二〇一三年

Ⅱ　パロディ

「パロディ、二重の声」のための口上……『パロディ、二重の声　日本の一九七〇年代前後左右』図録、東京ステーションギャラリー、二〇一七年
パロディ辞典（第二版）……同前
オリジナリティと反復の満腹――パロディの時代としての一九七〇年代前後左右……同前
未確認芸術形式パロディ――ことのあらましと私見……『美術批評家連盟会報』ウェブ版第六号、二〇一六年一一月
二重の声を聞け――いわゆるパロディ裁判から……未発表原稿

パロディの定義、テクストの権利……『美術フォーラム21』第四四号、醍醐書房、二〇二一年一二月

Ⅲ　キッチュ

「的世界」で考えたこと……『ZENBI 全国美術館会議機関誌』vol.2　二〇一二年八月
石子順造小辞典……『石子順造的世界　美術発・マンガ経由・キッチュ行』図録、府中市美術館、二〇一一年
匿名の肉体にさわるには――石子順造的世界の手引き……『グループ「幻蝕」と石子順造 1966-1971』図録、静岡県立美術館、二〇一四年
石子順造的世界――脈打つ「ぶざまさ」を見据えて……『石子順造的世界　美術発・マンガ経由・キッチュ行』、前掲
石子順造と千円札裁判……同前
「トリックス・アンド・ヴィジョン展――盗まれた眼」――一九六八年の交点と亀裂……同前

Ⅳ　悪

口上　歌が生まれるとき（祈祷師たちのマテリアリズム）……『アブラカタブラ絵画展』図録、市原湖畔美術館、二〇一八年
「岡本」と「タロー」は手をつなぐか……『現代の眼』五八六号、東京国立近代美術館、二〇一一年二月
俗悪の栄え――漫画と美術の微妙な関係……『実験場 1950s』東京国立近代美術館、二〇一二年
岡本太郎の《夜明け》と《森の掟》についての覚え書き……前半は「岡本太郎の爆・笑――「対極主義」と一九四〇年代の「判じ絵」の試みについて」『川崎市岡本太郎美術館研究紀要』第一号、二〇〇七年より。後半は書き下ろし
リキッド・キッドの超能力――篠原有司男の音声と修辞学……『篠原有司男展　ギュウちゃん、〝前衛の道〟爆走60年』図録、刈谷市美術館、二〇一七年
目が泳ぐ――いわさきちひろの絵で起こっていること……『生誕100年　いわさきちひろ、絵描きです。』図録、東京ステーションギャラリー、ちひろ美術館、日本経済新聞社、二〇一八年
（有）赤瀬川原平概要……『文藝別冊　赤瀬川原平　現代赤瀬川考』河出書房新社、二〇一四年一〇月
神農の教え……書き下ろし

●事項索引

凡例
・太字で記した数字は、本書「パロディ辞典（第二版）」「石子順造小辞典」解説のある掲載頁を示す。
・本文、図版、註を対象とし、あとがきは含まれていない。

あ行

アウトかセーフか　13, 103, 179, 183
青山デザイン専門学校　235
赤本　281–284
アニパロ　120
アプロプリエーション　120
アンチ・マンガ　197–198, 241, 245–247
アントロポエミー　366, 367, 373
アントロポファジー　366, 371, 373
アンフォルメル旋風　326
意図　→作者の意図
印刷絵画　197, 226, 293
引用　**104**, **106**, 127–131, 138–146, 154–156, 161–162, 179, 180–182
エレクトロワークス　24
大阪万博　46–50, 54, 58, 62, 329
オマージュ　104, 178, 180, 320, 324
オリジナリティ　105, 109, 113, 116, 119, 120, 123–125, 130–132, 173, 176

か行

解体新書　368, 369
貸本　193, 197, 206, 208
GUN　267
偽作　**104**, 137–139, 141, 154
キッチュ　13, 188–190, **192–194**, 200–203, **204–206**, 207, 218, 222, 227, 241, 261
　——とパロディ　125
　石子順造における——　248–260
　千円札と——　264
記念写真　58, 64, 68, 94–97, 348
グループ「白」　197, 224, 227
黒い漫画　226, 287–289, 295, 318
芸術写真　86, 93, 97
劇画　193, 195, 197, 206–208, 241, 243–246, 258
幻触　199, 216, 267
コード　104–105, 154–156, 168, 171–173, 177, 179
コノテーション　105, 168
コンセプチュアル・アート（概念芸術）　28, 30, 34, 121, 237, 359
コンポラ　67, 86

さ行

作者の意図（制作意図）　127, 138, 151–154, 178
シミュレーショニズム　120
冗談関係　9–11, 113–114
縄文　275–278, 329
触視性　→ハプティック
食人（カニバリズム）　365–368, 373
神農　370–374
青年美術家連合（青美連）　223

千円札裁判　126, 131, 134, 189, 200,
202–203, 228, 261–265, 268

た行

対極主義　298, 301–304, 309–313,
315, 318, 320, 329
太陽の塔　279, 315, 329
著作権　123–132, 135–138, 162,
163, 165, 167, 180–182
著作権法　13, 104–106, 117, 123–132,
138, 140–142, 153–155, 161, 167,
179, 180
著作財産権　147–149
著作者人格権　126–127, 135, 137, 140,
143, 144, 146–150
綴方　91, 97
ディスカバー・ジャパン
（DISCOVER JAPAN）48–56, 58–
65, 68–71, 76, 82, 86, 115
データベース消費　120, 178–179
鉄腕アトム　245, 284
デノテーション　105, 168
東京オリンピック　69, 181
同人誌　35, 69, 175–178, 290
遠くへ行きたい　70, 79–80
ドキュメンタリー　72, 74, 78–80
石子順造と――　192, 196, 197,
213–215, 225, 227
独立漫画派　286, 290, 294
トリックス・アンド・ヴィジョン
199–200, 201, 216, 231–232,
266–269
トレス　131
どん底　272–273

な行

ナンセンス　80, 112, 241, 245–247,
295, 296
二次創作　120, 175–179
二次的著作物　106, 179
日本美術会　289
人間と物質（第10回日本国際美術展）
47
ネオ・ダダイズム・オルガナイザーズ　326

は行

ハイレッド・センター　114, **202**, 228,
234, 261
パクリ　131, 180
パスティーシュ　**104**, 169–170, 172
発見の会　231, 234
ハプティック　362
ハプニング　193, 198, **203–204**,
215, 232–238, 246
パロディ　12–13, 16, 38, 74, 102–103,
105, **110**, **168–172**, 266, 359
――と引用　104
――とパスティーシュ　104, 169–172
――と風刺　**105–106**, 153–161,
172–179
――の時代　107–125
――の構造と論理　122–125
――裁判（事件）126–133, 134–165,
167
――の権利　130
――と著作権法　179–183
万博　→大阪万博
ビックリハウス　117–120
評画　192, **196–197**, 214, 227, 228,
240, 291
表現の自由　128, 141–142, 165, 183,
263
剽窃　35, **105**, 124, 129, 138–139,
141, 154, 156, 161, 171

風刺（諷刺）　**105–106**, 111, 138, 141, 152, 182, 225–227, 288–291, 257, 297
　——かパロディか　153, 156–161, 170，173
　——画、——絵画　157, 181, 214, 226, 318
　——漫画　281, 285–286
複製（コピー）　21, 23, 26–32, 34, 37–38, 40–43, 47, 68, 71, 102–103, **106**, 117, 123–125, 131–133, 139, 144, 154–155, 164, 180–183, 285, 289, 293, 313–315, 353, 360
　——・アート　14, 27
　オリジナルと——　18, 102, 132
　——機（複写機）　21–42, 43, 127
　——への恐怖　16, 133
　——技術　17, 21, 23
　——と複写　24, 36
　——文化　21, 59, 120, 137
　——の時代　127
　——権、——頒布権　147–148
　複製技術時代の芸術　120, 207
フィーリング広告　45
フェア・ユース　128, 130, 132, 141–142, 165, 170–171
ブリコラージュ　356–362
ブリコルール（器用人）　357–363
フルクサス　35
プロヴォーク（PROVOKE）　69
翻案　**106**, 120, 155, 272, 289
本歌取り　16, 105

ま行

MAD　110–111
漫画集団　282–283
漫画主義　207–208, 215, 240, 247
未来派　25–27
目ざわり　**200**, 361–363
物語消費　178
もの派　121, 189, **204**, 217, 237–239, 269
モーレツからビューティフルへ　43–48, 51–52, 115

ら行

ルポルタージュ絵画　214, 225, 289

●人名索引

あ行

赤瀬川原平　57, 113, 116, 122, 134, 187, 202–203, 207, 209, 221, 228, 234, 246, 255, 261–264, 326, 353, 357, 359–363
赤塚不二夫　112
赤松俊子（丸木俊）　224, 347
秋山祐徳太子　115
芥川（間所）紗織　227
東浩紀　120, 178
安部公房　213, 310, 314
荒木経惟　37–38, 96
アンドレ，カール　32
池田龍雄　195, 214, 223–224, 226–228, 240, 289, 291, 310, 317–318
石子順造　186–269, 291, 361–363
石元泰博　84
石森（石ノ森）章太郎　112, 284
泉茂　291
一柳慧　291
伊藤逸平　286
井上武吉　207
井上洋介　197, 228, 240, 246, 287
いわさきちひろ　342–351
ヴァンダビーク，スタン　34
植田正治　83–99
植村鷹千代　314
ウェンドラー，ジャック　32
ウォーホル，アンディ　30, 163
宇野亜喜良　195
榎本了壱　119
エンツェンスベルガー，H・M　70–76
大崎紀夫　60
大島渚　331
大塚英志　175–178
大山エンリコイサム　346
岡崎乾二郎　349
岡田三郎助　347
尾形光琳　296, 319
岡本一平　281, 298, 320
岡本かの子　305, 320
岡本信治郎　197, 291
岡本太郎　113, 227, 275–279, 294–299, 300–324, 326, 329–330, 336
小野佐世男　286
小山田二郎　227, 290

か行

カール，エリック　181, 349
カールソン，チェスター　22
梶井純　208, 240
桂川寛　224
桂ゆき　321–324
加藤和彦　43, 44
金井精一　87–88
カプロー，アラン　203, 232
亀倉雄策　113

川端康成　*51, 236–239*
川原司郎　*69*
河原温　*195, 197, 226, 227, 289, 291–294*
北井一夫　*60*
北澤憲昭　*343*
北沢楽天　*281*
北脇昇　*310–311*
木下直之　*368*
木村恒久　*116, 137, 163–164*
クーンズ，ジェフ　*170–171*
クラウス，ロザリンド　*124, 133*
久里洋二　*195, 286, 290–291*
グレアム，ダン　*31*
黒澤明　*272*
黒ダライ児　*339*
小島功　*290*
コスース，ジョセフ　*32*
ゴダール，ジャン＝リュック　*81*
コットン，ミシェル　*40*
小林亜星　*45*
近藤日出造　*241–242, 282*
権藤晋　→高野慎三
今野勉　*35–36, 70–82, 117, 231–232*

さ行

佐々木マキ　*198, 246*
佐々木守　*76*
佐藤明　*84*
佐藤まさあき　*197, 207*
ジーゲローブ，セス　*32–35*
篠原有司男　*114, 325–341*
澁澤龍彦　*134*
島州一　*116*
島田啓三　*283*
清水崑　*282, 290*
ジャッド，ドナルド　*31*
ジョージ秋山　*111*
白川義員　*126–127, 135–150, 155–165*
白土三平　*195, 247, 292*
新海覚雄　*224*
杉浦幸雄　*282, 290*
鈴木志郎康　*76*
鈴木慶則　*196, 199, 227*
スタインバーグ，ソール　*285*
スミス，バーバラ・T　*40–41*
スミッソン，ロバート　*31*
須山計一　*286*

た行

ターナー，J・W　*349*
高野慎三（権藤晋）　*207–208, 240*
高松次郎　*27–30, 202, 204, 216, 228, 234, 261, 268, 359*
田河水泡　*281*
瀧口修造　*203, 226, 287–290, 292, 295, 314, 318*
多木浩二　*117, 174*
武市八十雄　*344–345*
立木義浩　*84*
立石大河亞（タイガー立石）　*110, 113*
伊達圭次　*287*
田名網敬一　*336, 340*
田中信太郎　*27*
谷川俊太郎　*294, 349*
ダリ，サルバドール　*310–311*
タンギー，イヴ　*98*
丹野章　*137*
長新太　*294*
つげ義春　*60, 187, 197–198, 246*
筒井康隆　*116*
鶴岡政男　*227, 330–331*
鶴見俊輔　*107–108, 113, 116, 141,*

292
ディズニー，ウォルト　21–23, 284, 306
勅使河原蒼風　227
手塚治虫　245, 283–285, 287, 297
デュシャン，マルセル　121, 162–163, 339
寺山修司　76, 119, 208
東郷青児　286
東野芳明　76
東松照明　84, 86
利根山光人　290
富山治夫　84
土門拳　87–89

な行

中井正一　195, 196
永井豪　111
中谷泰　290
長谷邦夫　110, 112, 163
中島弘二　286, 289
中西夏之　202, 228, 234, 261, 359
中原佑介　203, 228, 245, 266, 268, 291, 295–297, 329, 331–333
中平卓馬　59–76, 82
中村研一　346
中村宏　228
奈良原一高　84
新関健之助　283
野間宏　301, 316

は行

バーン，イアン　32
萩原朔美　119
長谷川町子　285
ハッチオン，リンダ　106, 168
羽永光利　330
花田清輝　213–214, 306
バフチン，ミハイル　106, 168
浜田知明　289
早瀬龍江　322–324
原広司　76
バリー，ロバート　32
針生一郎　76, 110, 203, 224
ヒポクラテス　369–370
日向あき子　337
ブーアスティン，ダニエル・J　230, 242
深瀬昌久　84
福沢一郎　322
藤枝晃雄　121
藤岡和賀夫　46–55, 115
藤沢喬　37
藤松博　289, 290
藤本四八　277
ブニュエル，ルイス　110
ブルトン，アンドレ　289
フレヴィン，ダン　31
ヘス，エヴァ　31
ベンヤミン，ヴァルター　120, 207, 363
ボエッティ，アリギエロ　41–42
ボックナー，メル　31–34

ま行

前田常作　290
前田信明　27
マクルーハン，マーシャル　35, 205
マチューナス，ジョージ　35
マッド・アマノ　126–132, 134–165
真鍋博　195, 286, 291
間所紗織　→芥川紗織
丸木位里　224, 347
丸木俊　→赤松俊子
水上勉　85
水木しげる　240, 244
宮川淳　198, 228–229, 268

ムナーリ，ブルーノ　25–29，30，33，38，40，42
棟方志功　290，336
元永定正　349
森正人　56，59
森山大道　30，84
モンテーニュ　366

や行

八木一夫　114
柳田國男　6，8–13
柳原良平　195，291
山岸章二　84–86，95–96
山口百恵　55
山下清　327
山下洋輔　116
山根貞男　240
山本明　141
山本悍右　98
山本孝　266
横尾忠則　41，113–114，163，195
横須賀功光　84
横山泰三　285，287，290
横山隆一　282
ヨシダ・ヨシエ　291
吉仲太造　290，318
吉村益信　115
米沢嘉博　111，118

ら行

ラウシェンバーグ，ロバート　114，327
ラドクリフ＝ブラウン，アルフレッド　11
李禹煥　121，204，217，238–239
リパード，ルーシー　31
ルウィット，ソル　31
ルソー，アンリ　320
レヴィ＝ストロース，クロード　356–359，363，365–368，373

わ行

ワーグマン，チャールズ　281
渡辺克巳　97
和田誠　117

●図版引用・出典一覧

出典表記のないものは著者蔵の書影もしくは画像である。

I　コピー

ゼログラフィック・ラヴ

図1-2　Bruno Munari, *original xerographies*, edition of Edizioni Corraini, 2007, p.15
図3　『HANGA－東西交流の波』図録、東京新聞、2004年、174頁
図4　Mel Bochner: Language 1966-2006, The Art Institute of Chicago, 2006, p.58
図5　『荒木経惟写真全集 第13巻 ゼロックス写真帖』平凡社、1996年、37頁
図6　http://www.weareorlando.co.uk/page106.php ［最終閲覧日：2023年2月13日］
図7　*Alighiero e Boetti Oltre Il Libro/ Beyond Books* (Exhibitioncatalogue), Corraini Edizioni, 2011, p.198-199

ディスカバー、ディスカバー・ジャパン

図1　『ディスカバー、ディスカバー・ジャパン 「遠く」へ行きたい』図録、東京ステーションギャラリー、2014年、47頁

すべては白昼夢のように――中平卓馬、エンツェンスベルガー、今野勉

図1　『ディスカバー、ディスカバー・ジャパン 「遠く」へ行きたい』、前掲、198頁
図2　森正人『昭和旅行誌――雑誌『旅』を読む』中央公論新社、2010年、203頁
図3　『ディスカバー、ディスカバー・ジャパン 「遠く」へ行きたい』、前掲、78頁
図4　同前、160頁

植田正治にご用心――記念写真とは何か

図1　『植田正治のつくりかた』図録、東京ステーションギャラリー、2013年、90頁
図2　同前、98頁
図3　同前、103頁
図4　同前、184頁
図5　同前、184頁
図6　同前、21頁
図7　同前、186頁

II　パロディ

オリジナリティと反復の満腹——パロディの時代としての一九七〇年代前後左右

図1　『パロディ、二重の声　日本の一九七〇年代前後左右』図録、東京ステーションギャラリー、2017年、38頁

図2　同前、42頁

図3　同前、36頁

図4　同前、66頁

図5　同前、91頁

図6　同前、80頁

図7　同前、18頁

図8　同前、160頁

図9　同前、147頁

図10 同前、21頁

未確認芸術形式パロディ——ことのあらましと私見

図1　『パロディ、二重の声　日本の一九七〇年代前後左右』、前掲、221頁

図2　同前、220頁

二重の声を聞け——いわゆるパロディ裁判から

図1　『美術手帖』1976年9月号　vol.28. 411号、121頁

図2　『開館20周年記念展　コピーの時代　デュシャンからウォーホル、モリムラへ』図録、滋賀県立近代美術館、2004年、50頁

図3　Lipman and Marshall, *Art About Art,* E .P.Dutton, New York 1978, カラー口絵4頁目

パロディの定義、テクストの権利

図1　『美術手帖』（web）https://bijutsutecho.com/magazine/series/s22/21006 ［最終閲覧日：2022年9月15日］

図2　『美術手帖』（web）https://bijutsutecho.com/magazine/series/s22/21006 ［最終閲覧日：2022年9月15日

図3 『毎日新聞』2021 年6月5日

III　キッチュ

石子順造小辞典

図1　『美術にぶるっ！ベストセレクション 日本近代美術の100年』図録、東京国立近代美術館、2012年、117頁

図2 『石子順造的世界　美術発・マンガ経由・キッチュ行』図録、府中市美術館、2011年、135頁
図3 『美術手帖』1972年5月号 vol. 24. 第355号、頁表記なし（19頁目）
図4 井上武吉『Bukichi Inoue | my sky hole』鹿島出版会、1996年、14頁

「トリックス・アンド・ビジョン展 —— 盗まれた眼」——一九六八年の交点と亀裂
図1-2 東京画廊編『東京画廊の40年』東京画廊、1991年、88頁

Ⅳ 悪

「岡本」と「タロー」は手をつなぐか
図1-2『現代の眼』586号、東京国立近代美術館編、近代美術協会、2011年2-3月、2-3頁

俗悪の栄え——漫画と美術の微妙な関係
図3 片寄みつぐ『戦後漫画思想史』未来社、1980年、49頁
図4 『週刊朝日』1952年5月4日号、破損により頁数不明（グラビア3頁目）
図5 『戦後美術の現在形　池田龍雄展——楕円幻想』図録、黒川典是編、grambooks、2018年、50頁
図6 中島弘二『がんま』no.1、独立漫画派、1956年、34頁
図8 片寄みつぐ『戦後漫画思想史』、前掲、62頁
図9 『ON KAWARA 1952-1956 TOKYO』PARCO出版、1991年、頁表記なし（131頁目）
図10『展覧会 岡本太郎』図録、NHK、NHKプロモーション、2022年、71頁
図11 同前、153頁
図12 同前、10頁

岡本太郎の《夜明け》と《森の掟》についての覚え書き
図1 『川崎市岡本太郎美術館　研究紀要第1号』川崎市岡本太郎美術館、2007年、8頁
図2 『展覧会 岡本太郎』図録、前掲、108頁
図3 『展覧会 岡本太郎』図録、前掲、52頁
図4 『川崎市岡本太郎美術館　研究紀要第1号』、前掲、9頁
図5 『展覧会 岡本太郎』図録、前掲、76頁
図6 同前、45頁
図7 『川崎市岡本太郎美術館　研究紀要第1号』、前掲、9頁
図8 同前、9頁
図9 同前、10頁
図10『展覧会 岡本太郎』図録、前掲、71頁
図11 同前、191頁

図12『北脇昇展』図録、東京国立近代美術館、京都国立近代美術館、愛知県美術館編、1997年、88頁
図13『川崎市岡本太郎美術館　研究紀要第1号』、前掲、11頁
図14『展覧会 岡本太郎』図録、前掲、109頁
図15 同前、10頁
図16『戦後美術の現在形　池田龍雄展――楕円幻想』図録、前掲、59頁
図17『吉仲太造　戦後美術を読み返す』図録、渋谷区立松濤美術館、1999年、32頁
図18 山下裕二、高岸輝監修『日本美術史』美術出版社、2014年、208頁
図19 https://commons.wikimedia.org/wiki/File:Henri_Rousseau - La guerre.jpg ［最終閲覧日：2023年3月19日］
図20『生誕百年　桂ゆき―ある寓話―』図録、東京都現代美術館、下関市立美術館、2013年、98頁
図21 同前、99頁
図22『早瀬龍江　かけ抜けた昭和の前衛』図録、第一生命保険相互会社、1997年、9頁
図23 同前、10頁

リキッド・キッドの超能力――篠原有司男の音声と修辞学

図1 『美術手帖』1972年5月号、前掲、頁表記なし（10-11頁目）
図2 『篠原有司男展　ギュウちゃん、“前衛の道”爆走60年』刈谷市美術館、朝日新聞社、2017年、6頁

目が泳ぐ――いわさきちひろの絵で起こっていること

図1 『生誕一〇〇年　いわさきちひろ、絵描きです。』図録、東京ステーションギャラリー、ちひろ美術館、日本経済新聞社、2018年、111頁
図2 同前、181頁
図3 『名所江戸百景』集英社、1992年、頁表記なし（61頁目）
図4 『生誕一〇〇年　いわさきちひろ、絵描きです。』図録、前掲、165頁
図5 同前、182頁

神農の教え

図1 緒方富雄『日本におけるヒポクラテス賛美 ―― 日本のヒポクラテス画像と賛の研究序説』日本医事新報社、1971年、118頁
図2 『國華』第1061号第89編第8冊、国華社、1983年、15頁

成相 肇（なりあい・はじめ）

東京国立近代美術館主任研究員。美術評論家。一九七九年島根県生まれ。一橋大学商学部在学中に現代美術作家に出会い、一九歳で初めて美術館を訪ねる。一橋大学大学院言語社会研究科修了。府中市美術館学芸員、東京ステーションギャラリー学芸員を経て二〇二一年より現職。「石子順造的世界　美術発・マンガ経由・キッチュ行」（第24回倫雅美術奨励賞）、「ディスカバー、ディスカバー・ジャパン　「遠く」へ行きたい」、「パロディ、二重の声　日本の一九七〇年代前後左右」など、美術と雑種的な複製文化を混交させる企画展を手がけてきた。

芸術のわるさ
コピー、パロディ、キッチュ、悪

二〇二三年六月一〇日　第一刷発行
二〇二四年二月一〇日　第二刷発行

著者　成相肇
装丁　白い立体
校閲　黒川典是
発行所　かたばみ書房合同会社
〒一〇二-〇〇七一
東京都千代田区富士見一-三-一一-四F
https://katabamishobo.com
印刷製本　モリモト印刷株式会社
有限会社　日光堂
定価　本体三二〇〇円+税

ISBN 978-4-910904-00-9 C0070
落丁・乱丁本はお取替えいたします